El caballero blanco

books4pocket

Jaclyn Reding

El caballero blanco

Tradución de Mireia Terés

EDICIONES URANO

Argentina - Chile - Colombia - España
Estados Unidos - México - Uruguay - Venezuela

Título original: *White Knight*
Copyright © 1999 by Jaclyn Reding

© de la traducción: Mireia Terés
© 2003 by Ediciones Urano
    Aribau, 142, pral. – 08036 Barcelona
    www.edicionesurano.com
    www.books4pocket.com

Diseño de la colección: Opalworks
Imagen de portada: Fort Ross
Diseño de portada: Enrique Iborra

Impreso por Novoprint, S.A.
Energía 53
Sant Andreu de la Barca (Barcelona)

Fotocomposición: books4pocket

ISBN: 978-84-92516-31-5
Depósito legal: B-43.438-2008

Impreso en España – *Printed in Spain*

*Esta novela está dedicada a los miles
de habitantes de los Highlands escoceses
que perdieron sus hogares, su patrimonio,
e incluso, en ocasiones, sus vidas
durante el período conocido como
«Los Desalojos»*

*Y a Diana,
Princesa de Gales,
por lo que pudo haber sido*

Aún así, ¡fueron muchos los que siguieron sufriendo,
ignorados por todos!
Llenaban el valle de lamentos y cólera silenciada,
mientras una casa de la llanura tras otra,
mientras una choza de las colinas tras otra,
mientras los restos de una cabaña rodeada
de los riachuelos que deja la tormenta,
ardían al unísono, hasta que los
Highlands desaparecían bajo llamas rojas.

De *The Heather on Fire: a Tale of Highland Clearances*
por Mathilde Blind (1841-1896)

Primera Parte

*Ningún pájaro se eleva demasiado alto
si lo hace con sus propias alas.*

William Blake

1

Es una verdad universalmente aceptada, que un
hombre soltero que posea una gran fortuna,
lo que debe buscar es una esposa.

Jane Austen, Orgullo y prejuicio

Londres, 1820

Lady Grace Ledys estaba de pie en el centro del estudio de su tío, una sala tan poco usada que el periódico que había encima de la mesa era de hacía seis meses. Los sirvientes, como estaban mal pagados, ni siquiera se molestaban en sacar el polvo, incluso se habían acostumbrado a utilizar el estudio del señor como almacén, porque estaban seguros de que no lo notaría. Sin embargo, para esta ocasión, se habían descorrido las cortinas que normalmente estaban cerradas y encendido un fuego bien vivo en la chimenea que, hasta entonces, había servido de hogar a una familia de ratones.

Al fin y al cabo, el marqués de Cholmeley vivía para las apariencias.

Era su tío, y estaba sentado delante ella, bastante cómodo en un lugar que no solía frecuentar. Le habían cortado el pelo a lo Brutus, es decir, todo peinado hacia delante y rizado en la frente. Las botas estaban recién cepilladas y llevaba un chaleco que ella no había visto nunca hasta ese día. La había hecho llamar hacía un cuarto de hora, pero su atención no estaba centrada en su persona, sino en el hombre que hallaba sentado a su lado.

El conocido duque de Westover era un hombre que ya debía tener más de sesenta años, seguro. Tenía el pelo muy fino y lo llevaba recogido en una cola de caballo de color blanco, que contrastaba mucho con el abrigo oscuro. Tenía una mano apoyada suavemente encima del puño dorado del bastón de madera pulida, y en el dedo anular de la otra mano llevaba un anillo adornado con un rubí del tamaño de una nuez pequeña. Llevaba dos relojes de bolsillo de oro colgando de los pantalones de montar y la miraba sonriendo; bueno, estaba sonriendo hacia sus pechos como si, de repente, el vestido de seda oscuro en señal de luto se hubiera vuelto transparente.

—Dime, muchacha, ¿son naturales?

Estaba intentado incomodarla, ella lo sabía, y si le hubiera hecho esa misma pregunta hace seis meses, seguramente ahora estaría frente a una Grace con los ojos abiertos y sin saber qué decir. Sin embargo, las circunstancias adversas a veces endurecen la sensibilidad.

Antes de venirse a vivir a la casa de Londres de su tío y tutor, Grace había disfrutado de una vida alegre y tranquila en Ledysthorpe, la residencia familiar en Durham. Allí se había criado desde pequeña bajo los atentos cuidados de su abuela, la marquesa viuda de Cholmeley. Todo en la vida de Grace había sido luz y color. Todavía no había visto los grises chapiteles de las iglesias de Londres; nunca había percibido el ruido, el hedor y la mugre que se acumula en la capital de Inglaterra, donde vivían más de un millón de almas británicas. El camino más largo que había recorrido era el que separaba Ledysthorpe y el pueblo, un trayecto breve y con árboles a ambos lados a lo largo del cual todos la saludaban, sonreían y le preguntaban por su salud.

El día que llegó a Londres, un carruaje estuvo a punto de atropellarla pero ella se apartó a tiempo, aunque luego un vendedor de arena para fabricar ladrillos le salpicó toda la falda.

La voz del duque la devolvió a la realidad de la que ella hubiera querido escapar en ese mismo instante.

—¿No me has oído, muchacha? Te he preguntado si llevas postizos en el pecho.

Grace miró fijamente al duque, firmemente decidida a no dejar que se saliera con la suya y, muy tranquila, con una voz fría como el hielo, dijo:

—¿Quiere que me desabroche el canesú para verlo con sus propios ojos, Excelencia?

Por un momento, el duque se quedó boquiabierto. Sin embargo, la voz del tío de Grace interrumpió para llamarle la atención a su sobrina.

—¡Grace!

Ella se giró hacia el marqués de Cholmeley, que estaba sentado en la silla tallada que había al otro lado de la alfombra Axminster. El nudo irlandés de la corbata se le había desviado y tenía la boca tensa debajo del bigote. Sin embargo, en lugar de dirigir su hostilidad hacia el hombre que acababa de insultar a su única sobrina, a quien miraba ofendido era a ella.

Seguro que hasta el tío Tedric reconoció la falta de decoro de la entrevista. Pero no hizo nada. No dijo nada. En realidad, estaba sonriendo, el muy desgraciado, sonreía y la miraba igual que la había mirado el estúpido empleado de la tienda de guantes cuando la intentó convencer de que comprara un par de guantes con los dedos rosados que le iban grandes. «Con el tiempo encogerán», le dijo, como si esperara que se lo creyera. Grace frunció el ceño, mirando primero a su tío y luego al duque; «encogido por el tiempo, seguro». De repente, las palabras del empleado le parecieron de lo más adecuadas.

—Le garantizo, Excelencia —dijo su tío, dirigiéndole una sonrisa tan fría que la hizo temblar—, que no hay ningún secreto. Todo lo que ve es lo que el Señor le dio a mi sobrina.

—Eso espero —dijo el duque mientras cambiaba el peso de una nalga a otra en la silla—. Aunque no sería la primera que se habría retocado el canesú con un fajo de relleno para embaucar a un hombre y conseguir que se casara con ella.

Con un resuello, se giró hacia Grace.

—Acércate, muchacha.

Ella le lanzó una última mirada desesperada a su tío, rogándole en silencio que detuviera aquella humillación sin ningún tipo de escrúpulos. Sin embargo, en lugar de decir algo y defenderla como era su obligación como tutor, se limitó a asentir con la cabeza, transmitiéndole con la mirada más de lo que podían expresar las palabras.

Quería conseguir, a costa de lo que fuera, que el duque hiciera una oferta por la mano de Grace y así poderse llenar los bolsillos de guineas.

¿Cómo es que nunca había visto la verdadera cara de su tío? Recordaba que, cuando era pequeña, su abuela sólo tenía que chasquear la lengua y menear la cabeza hacia su hijo menor. «Consentido», lo llamaba. «Sibarita.» Sin embargo, para Grace, desde que empezó a andar, su Tío Teddy siempre había sido el hombre más guapo y más distinguido que había conocido; lo más cercano a su hermano mayor: el padre de Grace.

Hasta ahora.

Desde que vivía bajo su tutela, ella había seguido viendo a Tedric Ledys, marqués de Cholmeley, con los mismos ojos de adoración de cuando era pequeña. Aunque, en realidad, su tío era todo lo que siempre habían dicho de él. Había sido él y no otro el que la había puesto en la situación en la que se encontraba: de pie frente al duque de Westover, sintiéndose como una yegua en una muestra de ganado.

—Date la vuelta, muchacha.

Grace levantó la barbilla y utilizó la misma mirada que había visto tantas veces en los ojos de su abuela, sobre todo cuando se había portado mal. Al parecer, funcionó, porque el duque, en un momento de confusión, levantó la ceja. Más confiada ante esa reacción, se dio la vuelta y luego se quedó recta como un palo delante de él.

Desde la corta distancia que los separaba, observó que el duque debía ser incluso mayor de lo que se había imaginado; se percató de que debía de estar más cerca de los setenta que de los sesenta. El duque, un palmo más bajo que Grace, estaba de pie delante de ella, cubierto por el fuerte olor a clavo del perfume. Ella cerró los ojos. «Dios mío, por favor, en nombre de todo lo sagrado que has creado, no dejes que el tío Tedric me case con este hombre.»

—Tienes carácter —dijo el duque, con una media sonrisa que reveló algunos dientes picados—. Me gusta.

Grace tragó saliva y rezó para que cada ápice de fortaleza que pudiera tener la mantuviera calmada y no dejara que mostrara su repulsa por la sola idea de compartir cualquier tipo de intimidad marital con ese hombre. Tuvo que mentalizarse para contenerse hasta que el duque se marchara, y entonces le informaría al tío Tedric su firme decisión de que no había dinero en el mundo que compensara tener que acostarse con el duque de Westover.

—Gracias, Excelencia —dijo Grace, haciendo un esfuerzo para que su voz sonara fría e imperturbable.

El duque la cogió por la barbilla y le giró la cara para verla de perfil.

—Los dientes.

—¿Qué les pasa?

—Me gustaría verlos.

Grace frunció el ceño y lo miró de reojo.

—¿Quiere que relinche, también, Excelencia?

Tedric se aclaró la garganta detrás de ella.

—Ya puedes sentarte, Grace.

Su tío la miró enfadado mientras ella se dirigía a su sitio. Grace pensó que ya la regañaría más tarde, o quizá firmaría el contrato de matrimonio allí mismo, delante de ella, entregándola para el resto de su vida a ese horrible hombre.

«Maldito tío Tedric», pensó Grace mientras se sentaba muy rígida entre los dos hombres; a su derecha su pasado y a su izquierda, Dios no lo quisiera, su futuro. ¿Por qué su tío había depositado completamente sobre sus espaldas la responsabilidad de volver a llenar las arcas de la familia? Su parte, claro está, había sido vaciarlas con cualquier estúpido pretexto, ya fuera el juego, la bebida o las aventuras amorosas, artes que con el tiempo había perfeccionado, dejando a la familia bajo la amenaza de la cárcel por deudores.

Había tardado seis meses en llegar a la situación crítica en la que se encontraba, el tiempo que hacía que su madre había fallecido y le había dejado al mando de las finanzas de los Cholmeley. Mientras Nonny estuvo viva, el tío Tedric tuvo que vivir con una asignación mensual que siempre gastaba mucho antes de recibir la siguiente, y entonces iba a Durham a pedir más dinero. Grace recordaba las numerosas visitas de su tío, durante las cuales hacía una lista de los gastos durante la cena delante de su madre y se lamentaba de la escasez de recursos con la que debía mantenerse. A veces, Nonny cedía y le daba más dinero. Sin embargo, cuando se mantenía firme, Grace recordaba haber visto una luz peligrosa en los ojos de Tedric y cómo los músculos de alrededor de la mandíbula se le tensaban para evitar gritar lo que seguro se moría por decir. Tuvo que esperar a que la marquesa viuda de Cholmeley no controlara las finanzas de la familia. Y eso no había tardado demasiado.

Después de la muerte de Nonny, mientras Grace se había vestido de un luto riguroso y había evitado cualquier diversión excepto la lectura y el dibujo, Tedric se había comportado como un animal enjaulado al que han dejado en libertad, despilfarrando el dinero de la herencia antes de saldar las deudas de la familia Cholmeley, algo que no tenía ninguna intención de hacer. Pronto se fijó en ella o, mejor dicho, en su herencia, que estaría bajo fideicomiso hasta que se casara o cumpliera los veinticinco años, y a la cual tendría acceso como tutor. Allí, de pie frente al duque, Grace vio claro que los dieciocho meses que la separaban de los veinticinco años eran demasiados para los acreedores del tío Tedric. Sin embargo, tenía que haber otra manera de conseguir el dinero que necesitaban. Ella estaba dispuesta a hacer todo lo posible para convencer a su tío en cuanto el duque se hubiera marchado.

Entonces, Tedric habló:

—En nuestra familia no hay antecedentes de enfermedad, ni física ni mental, Excelencia. Los padres de mi sobrina, mi hermano y su mujer, murieron trágicamente en alta mar cuando ella todavía era un bebé, y quedó al cuidado de mi madre. La marquesa siempre se encargó de que Grace fuera instruida por los mejores maestros. Todavía no ha sido presentada en sociedad. Se crió en la casa familiar del norte sola, aunque tiene mucho carácter. Y supongo que estará de acuerdo conmigo en que es muy agradable a la vista.

—¿Cuántos años ha dicho que tiene? —preguntó el duque, volviéndola a mirar de arriba abajo—. ¿Veintitrés? Un poco mayor para no haber sido presentada en sociedad.

—Cumpliré los veinticuatro en otoño —añadió Grace, rápidamente.

Tedric le lanzó una mirada fulminante antes de dirigirse al duque.

—Mi sobrina no ha querido acudir a fiestas hasta ahora porque prefirió pasar los últimos años de la vida de mi madre cuidando de ella. Ya debe saber que lady Cholmeley nos dejó el invierno pasado, a los setenta años de edad.

El rostro inexpresivo del duque pareció que se suavizaba un poco.

—Ya había oído lo de la muerte de lady Cholmeley —hizo una pausa, como si lo hiciera en honor a su recuerdo, y luego continuó, con la misma expresión dura de antes—. Sin embargo, sospecho que el retraso en la presentación en sociedad de su sobrina se debe más a su afición a jugarse más de lo que tiene, Cholmeley —dijo, clavándole la mirada a Tedric—. Sí, he hecho algunas averiguaciones sobre sus negocios. Al parecer, debe casi veinte mil libras.

«¡Veinte mil!»

Tedric palideció. El duque lo estaba mirando, a la espera de recibir una negativa. Pero no llegó. Sólo se produjo un largo y revelador silencio.

Grace no podía moverse. ¿Cómo? ¿Cómo había acumulado aquella deuda? Ella se imaginaba que serían mil, o quizá dos mil libras, pero ¡¡Veinte mil!? Las posibilidades de que pudiera convencer a su tío para que no la casara con el duque se desvanecieron ante esa cifra. Sin embargo, el hecho que el duque conociera la situación suponía una pequeña esperanza. Estaba segura de que ahora ya no querría casarse con ella. Grace se levantó, pensando que se marcharía de inmediato.

—Lady Cholmeley… —murmuró el duque, sin dirigirse a nadie en concreto—. Nos conocimos, ya hace muchos años. Era una dama en todos los sentidos de la palabra.

El cariño y el afecto con el que habló estaban fuera de toda duda, e hicieron que Grace volviera a sentarse. Al parecer, el duque no la había descartado del todo. Tedric no desperdició la ocasión de usar cualquier afinidad del duque con su madre en su beneficio.

—Grace se llama así en honor a mi madre. Si las mira atentamente, verá que se parecen mucho —dijo, mientras se dirigía al famoso retrato que Gainsborough le había hecho a la duquesa y que estaba colgado encima del fuego—. ¿Le he dicho que estaban muy unidas?

Lady Cholmeley, la abuela de Grace, había sido la viva imagen de una época en la que la elegancia reinaba, en la que se valoraba a las mujeres y en la que el honor lo era todo. Siempre con esa postura regia, con el pelo perfectamente peinado, rodeada de perros frente a la orilla en Ledysthorpe. Incluso en la situación que se encontraba, Grace no pudo evitar dibujar una sonrisa mientras miraba el retrato de su abuela, recordando los días en que estaban ellas dos, antes del tío Tedric, antes de Londres, antes de que el duque de Westover viniera a estudiarla como posible futura esposa.

El duque se giró y la observó; Grace sabía que la estaba comparando con su abuela, y luego se giró hacia su tío. Después de un instante de contemplación silenciosa, se levantó apoyándose en el bastón.

—Estudiaré la posibilidad de un matrimonio, Cholmeley —dijo, y luego se dirigió hacia la puerta—. Mi secretario se pondrá en contacto con usted si es necesario.

Mientras observaba cómo el duque se alejaba, Grace repasó mentalmente las piezas de plata de los Cholmeley para calcular cuánto le darían por ellas.

2

Christian Wycliffe, marqués de Knighton, descendió por la escalera de la brillante carroza amarilla antes incluso de que el cochero acudiera a abrirle la puerta.

El cochero se llamaba Parrott, y tenía la peculiar costumbre de repetir las últimas palabras que le decían y una nariz que parecía un pico aguileño.

—Está bien, Parrott —dijo el marqués, con un movimiento de cabeza hacia el cochero mientras se dirigía hacia la puerta de la mansión georgiana protegida del sol por unos enormes álamos.

—Está bien —repitió Parrott, inclinándose hacia la espalda de su señor—. Está bien, señor.

Parrott había empezado a trabajar para lord Knighton hacía cinco años cuando su primo Willem dejó el puesto vacante porque se fue a América. Willem había recomendado a su primo Parrott para sustituirle antes de marcharse, un día que el cochero no olvidaría aunque viviera cien años.

El primer día que llevó a lord Knighton por las calles de Londres estaba muy nervioso porque quería demostrarle sus habilidades con la conducción de caballos; además, se quedó muy sorprendido por el trato afable y sereno de su señor. En su empeño por impresionar al marqués, había estado a punto de atropellar a una bella matrona que estaba cruzando la calle. Al final consiguió hacer que los caballos giraran antes de arrollarla, pero no pudo evitar que la mujer cayera de espaldas sobre la hierba. Alicaído, pensó que había echado al traste sus posibilidades para conseguir el puesto, pero lord Knighton ni se inmutó; sólo se limitó a levantarse el sombrero de copa frente a la ofendida dama mientras le felicitaba por haber encontrado un lugar tan blando para que la señora cayera.

Desde aquel instante, Parrott opinaba que el marqués era el hombre más agradable y generoso que jamás había conocido; un hombre capaz de superar cualquier obstáculo que surgiera en el camino. Un caballero, un héroe, un verdadero Dios.

Sin embargo, poco después de que le ofrecieran el puesto de cochero, lo que conllevaba pasar todo el día con lord Knighton, descubrió que el marqués tenía dos caras muy distintas.

Para casi todos, Christian, lord Knighton, era el caballero guapo, cortés y seguro de sí mismo; un hombre que tenía el mundo a sus pies. Tenía todo lo que deseaba. Ni siquiera las nubes se atrevían a aparecer cuando el estaba presente.

Pero Parrott se dio cuenta de que lord Knighton únicamente mostraba su otra cara cuando estaba fuera del escrutinio del ojo público, la cara que nadie veía, la de alguien que parece que carga el peso del mundo sobre sus espaldas.

Y ésa era la cara que, últimamente, lord Knighton solía llevar la mayor parte del tiempo.

Para el resto del mundo, el marqués era el heredero del hombre más rico del país, su abuelo, el gran duque de Westover. Fuera donde fuera, la gente lo conocía. Se les veía en los ojos que se morían de ganas de conocer al marqués de Knighton o que lo alababan descaradamente para conocer su opinión sobre algún tema, incluso había quien hacía que sus hijas solteras le salieran al paso, y eso sucedía muy a menudo. Cuando entraba en una habitación, todos se callaban. Cuando lo veían, todas las carrozas se paraban. No podía disfrutar del placer de un paseo en solitario por el parque porque, inevitablemente, alguna dama ponía en marcha algún plan para llamar su atención. La última que lo intentó hizo que su perro de compañía le llevara su zapato al marqués para que éste tuviera que acercarse a devolvérselo, como Cenicienta y el zapato de cristal.

Durante el último año, las muchachas casaderas y sus madres se habían mostrado mucho más atrevidas, como si hubieran decidido que la soltería del marqués ya había durado demasiado. Un día, Parrott había escuchado que una de ellas decía: «Ya casi tiene treinta años, de largo la edad en que debería estar ofreciéndole un heredero al viejo duque».

Lord Knighton era lo que muchas damas llamarían «un hombre guapo». De rasgos fuertes y con el pelo oscuro, corto y sin ningún artificio. Iba siempre perfectamente afeitado y parecía que la ropa le quedaba bien sin que tuviera que hacer ningún esfuerzo. Con todo esto, unido al hecho de que iba a heredar una fortuna, no era de extrañar que el pobre hombre no tuviera ni un momento de tranquilidad.

—¿Quiere que lo espere aquí en la puerta con la carroza, milord? —preguntó Parrott, inclinando la cabeza mientras el marqués llamaba a la puerta.

Christian asintió y se arregló las mangas del abrigo.

—Espero que ésta sea una visita parecida a las demás que siempre le he hecho a mi abuelo, Parrott. Cuanto antes termine, mejor.

—Cuanto antes, mejor. Muy bien, milord —dijo Parrott, y se movió sin ninguna prisa.

De todos los lugares a los que había llevado al marqués, Parrott observó que donde pasaba menos tiempo era en Westover House, que estaba en Grosvenor Square. Por fuera parecía un lugar bastante refinado, con ladrillos rojos erosionados, y relucientes ventanales detrás de una verja de hierro rematada por unas puntas de lanza que, en los días soleados como hoy, brillaban como el sol. Desde fuera, Parrott sólo podía intuir toda la belleza de los salones. Nunca había entrado y desde los establos de la parte trasera no se veía nada, aunque le habían dicho que el interior de la mansión era igual de impresionante. Sin embargo, el joven marqués parecía no hacer caso de todo eso. Sólo venía aquí cuando su abuelo lo llamaba y salía lo antes posible, casi siempre de mucho peor humor que cuando había entrado. La relación entre el duque y el marqués no era buena. Nada buena.

—Lleva la carroza hasta esa esquina y espérame a la sombra de aquel roble, Parrott. Creo que cuando salga necesitaré hacer una visita al club.

—Al club. Sí, milord.

Christian observó desde la puerta cómo Parrott se alejaba, se subía a la carroza y chasqueaba la lengua para que los caballos se pusieran en marcha. Sintió un repentino deseo de volver sobre sus pasos y pasar por alto la cita con su abuelo, aunque era consciente de que no le serviría de nada. Al final tendría que volver a ese mismo lugar, frente a esa misma puerta, para ese mismo propósito. Estaba claro que esa visita era inevitable.

Se giró cuando oyó el ruido del pestillo. Se abrió la puerta y le hizo un gesto con la cabeza al mayordomo, Spears, un hombre que trabajaba en Westover House desde que él tenía uso de razón.

—Buenos días, lord Knighton —dijo Spears, inclinándose frente al marqués, e inmediatamente se encargó de coger los guantes, el sombrero y el abrigo de Christian, limpiando unas hilas que habían caído sobre la delicada lana.

Christian farfulló una respuesta y se fue directamente hacia el estudio, que era el escenario habitual de esas reuniones. ¿Qué sería hoy? ¿Un sermón sobre sus responsabilidades en las propiedades del norte? ¿Una justificación de los gastos para el nuevo guardarropa de Eleanor? Sin duda, el viejo habría olvidado que su nieta, la hermana de Christian, tenía que celebrar su tan esperada presentación en sociedad. O quizás el duque pretendía retrasarla otra vez y así arruinar todas las posibilidades que Nell tenía para conseguir un futuro seguro y feliz. Aunque, si ésa era su intención, Christian estaba preparado para enfrentarse a él.

Entonces, la voz del mayordomo lo hizo volver a la realidad.

—Le ruego que me disculpe, milord. Su Excelencia no está en el estudio esta mañana. Desea que le informe que lo espera en el jardín.

«¿El jardín?» Christian se preguntó si su abuelo sabía que en su casa había uno, porque comía, dormía e incluso se relajaba entre esas cuatro paredes forradas de paneles de nogal que enmarcaban el estudio ducal, un lugar igual de lúgubre que la persona que normalmente lo habitaba. De pequeño, solía asomarse por la noche para comprobar si, como le había dicho su padre, los bustos de varios personajes históricos cobraban vida.

—¿El jardín? —preguntó Christian, que no se dio cuenta de la réplica propia de Parrott que acaba de dar.

Spears asintió, sin dar más explicaciones y Christian dio media vuelta y se dirigió hacia la parte posterior de la casa.

Mientras avanzaba por los salones llenos de muebles y ornamentos que estaban allí más para impresionar que para hacer bonito, intentó olvidarse del presentimiento que había tenido de buena mañana. Por mucho que lo intentara, le era imposible dejar de pensar que estaba a punto de suceder algo terrible. Lo supo en el mismo momento que vio, en la bandeja del desayuno, la nota de su abuelo donde lo citaba de manera urgente. Aunque no era la primera, ni la segunda, ni la vigésima nota de ese tipo que recibía, algo le decía que esta vez sería distinto.

Christian sabía que, cualquiera que hubiera estado el motivo que había llevado a su abuelo a citarlo hoy, no podía ser por nada bueno. En sus veintinueve años de vida, jamás había sido por nada bueno. Al parecer, el duque invertía las primeras horas del día en idear nuevas e inventivas formas de fastidiar a su heredero, como si considerara una obligación mantener la tradicional enemistad que previamente había existido entre el rey y su sucesor, el rey actual, hasta que el rey murió a principios de ese año. Esta actitud no debería sorprender a nadie pues, al fin y al cabo, el duque había modelado su vida a imagen y semejanza de la del rey Jorge en muchos aspectos, entre los que se encontraba la locura transitoria.

Sin embargo, cuanto más se acercaba al jardín, más intensa era la sensación de que algo horrible iba a suceder. Odiaba sentirse así, que su abuelo tuviera esos efectos en él. Cuando llegó a la puerta de doble hoja que conducía al jardín, ya se había hecho a la idea de que la razón de la visita sería la presentación en sociedad de Eleanor. Seguro que el duque la volvería a retrasar.

Lo encontró sentado en una silla de mimbre debajo de las ramas de un gran sauce. La cortina de hojas casi no le dejaban ver nada. Llevaba el pelo suelto, y los mechones blancos le caían encima de los hombros. Iba vestido con una camisa y unos bombachos, y encima llevaba una bata bordada; en los pies calzaba unas zapatillas de terciopelo rojas.

Todavía no había advertido la llegada de su nieto.

Christian se quedó un instante de pie en la puerta. No había pisado ese jardín desde hacía muchos años, desde la muerte de su padre, que le arrebató la inocencia y la libertad de la infancia y la sustituyó por la penitencia de ser el heredero del duque. A partir de ese momento, Christian tuvo que dejar los imaginativos juegos de piratas y aventureros con los que se había entretenido, incluso su interés por las guerras que tenían lugar en alta mar, porque eran actividades que un futuro duque no necesitaba. Después de todo, como heredero de la fortuna de los Westover, jamás le darían el puesto de oficial con el que había soñado desde pequeño. Su abuelo ya se había encargado de eso y le había llenado los días con clases de latín y de filosofía.

Cuando avanzó un poco, vio que al lado de su abuelo había una mesa con un vaso de limonada y un libro, ¿una novela, quizás? Al parecer, la atención del duque estaba centrada en un pájaro que había un poco más allá. Christian se preguntó si estaba alucinando. ¿Una novela? ¿Observar a los pájaros? ¿Su abuelo, el distinguido duque de Westover? Se puso un poco más nervioso. Ya no cabía ninguna duda: algo iba mal.

Christian se detuvo a unos pasos de la silla del duque, se quedó recto e inclinó la cabeza en señal de respeto como le habían enseñado de pequeño.

—Buenos días, Excelencia.

Elias Wycliffe, el cuarto duque de Westover, se giró para mirar a la cara a su nieto y único heredero.

—Christian —dijo, en su habitual tono apático. Después de un momento, como él no dijo nada, el duque añadió—: Ya veo que has recibido mi mensaje.

Christian no dijo nada, lo que obligó al duque a añadir:

—Gracias por tomarte la molestia de venir.

El joven abandonó su silencio y se mostró a la defensiva.

—¿No he venido siempre que me lo ha pedido, señor? No sabía que tuviera elección.

Observó cómo la expresión de su abuelo se endurecía, como sucedía siempre que estaban juntos, y se preguntó cómo habían llegado a convertirse en adversarios. Su relación había sido así durante tanto tiempo que no recordaba que alguna vez hubiera sido distinta.

—Seré breve e iré directo al grano. Christian te he hecho venir para comunicarte que ha llegado la hora de que cumplas tu parte de nuestro acuerdo; la primera parte, claro. Lo he arreglado todo para que te cases.

Eran unas palabras que Christian sabía que algún día oiría de boca del duque y, aún así, no pudo evitar quedarse sin aliento cuando las escuchó. Durante diecinueve años había sido consciente de que ese día llegaría. Lo había esperado a los veinte años, incluso a los veinticinco. Sin embargo, como el tiempo había pasado y nadie había hablado de eso, empezó a pensar que el viejo duque se había olvidado del trato que había hecho con su nieto hacía mucho tiempo. Debería habérselo imaginado; el duque simplemente había estado esperando el momento oportuno, había esperado hasta que estuviera muy ocupado preparando la presentación en sociedad de Eleanor para soltarle la noticia que tanto tiempo había esperado para darle.

Durante unos instantes, se quedó inmóvil con la mezcla de rabia e impotencia en el cuerpo que sentía siempre que estaba delante de ese hombre. No permitiría que su abuelo detectase ni el más mínimo ápice de disgusto. No le daría esa satisfacción.

—¿Casarme? ¿De verdad? —dijo, intentando esconder sus verdaderos sentimientos detrás de una máscara de despreocupación, algo que había perfeccionado durante los últimos veinte años.

—Sí. Es de buena familia, hija de un noble, tiene buen carácter, impoluta. No habría aceptado menos para ti.

Christian tensó la mandíbula ante el comentario de su abuelo, que implicaba que le tenía que estar agradecido. Jamás se había considerado la opción de que él decidiera con quién quería casarse. Lo supo desde que nació, aunque todo fue mucho más evidente después de la muerte de su padre. Como no podía hacer nada para cambiar esa parte de su vida, el papel para el que había nacido, al menos se aseguraría de que el duque cumpliera su parte del trato.

—¿Y la presentación en sociedad de Eleanor?

—¿Qué le pasa?

—Si cree que puede retrasarla…

—Se hará esta temporada, como acordamos. Tu hermana tendrá la oportunidad de casarse con quien elija bajo la protección del apellido Westover, sin que la verdad salga nunca a la luz —añadió—: Eso sí, siempre que estés de acuerdo con la elección que he hecho para ti.

«Desgraciado», pensó Christian, lleno de odio hacia el duque por hablarle como si pudiera elegir, como si pudiera rechazar a la mujer que él había escogido. Quizá podría, si no hubiera decidido hace tiempo sacrificar su futuro por la felicidad de su hermana. Para proteger a Eleanor, Christian habría sido capaz de hacer un pacto con el mismísimo diablo; en realidad, ya lo había hecho.

Respiró tranquilo. Mientras observaba los árboles en flor agitados por la brisa de la mañana, recordó cuando Eleanor era pequeña y le traía flores y lo seguía a todas partes. «Por ti, Eleanor, lo hago por ti aunque nunca llegues a saberlo.» La rabia empezó a desaparecer cuando pensó en su hermana, como siempre. Sin embargo, después recordó la conversación que estaba manteniendo con su abuelo.

—Supongo que se hará algún tipo de anuncio público.

—¡No! No se hará ningún anuncio hasta después de la boda. Quiero evitar cualquier tipo de problema.

El rostro del duque mostró, de repente, signos de preocupación, y Christian se preguntó si ya había recibido algún tipo de amenaza. «Dios mío, Eleanor…»

El duque continuó:

—He arreglado una licencia especial y ya he acordado las condiciones del matrimonio con la familia de tu futura esposa. Sólo tienes que firmar los contratos antes de la boda, el día veintinueve.

«El veintinueve de abril. Menos de quince días, —pensó Christian—, y en una fecha tan señalada.»

El aniversario de la muerte de su padre.

Su abuelo lo debía tener todo planeado, debía haber supervisado cada detalle, tomado todas las precauciones. Seguro que hasta le había escogido la ropa que llevaría. El duque había esperado ese día los últimos veinte años, como colofón de la dominación que había ejercido sobre la vida de su nieto, por lo amargado que estaba desde la muerte de su único hijo, el padre de Christian. Incluso ahora, podía oír las palabras que el duque le dijo aquella fatídica mañana hace muchos años.

«Ahora tu vida me pertenece.»

Christian se quedó de pie, listo para marcharse antes de revelarle a su abuelo cuánta razón había en aquella profecía.

—Supongo que me enviará algún tipo de misiva indicándome el lugar y la hora.

El duque asintió.

—Entonces, señor, me voy. Que uno de sus sirvientes me lleve todos los papeles a Knighton House y los firmaré. Que pase un buen día.

Sin esperar la respuesta, se giró hacia la puerta. Sinceramente, si no se hubiera ido entonces, posiblemente hubiera clavado un puñetazo en una de esas puertas francesas.

—Christian.

Se detuvo en el umbral y esperó un instante antes de girarse para mirar el perfil de su abuelo. El duque estaba mirando hacia el jardín.

—¿Ni siquiera quieres saber cómo se llama la que se convertirá en tu esposa?

Christian no dudó ni un segundo en su respuesta.

—¿Qué importa eso, señor, cuando lleva años asegurándome que una esposa es tan buena como otra cualquiera?

Y con eso se fue, de mucho peor humor que cuando había llegado.

3

«Westover.»

Grace, de repente, sintió que las piernas le fallaban y que la cabeza le daba vueltas, como si se fuera a desmayar. Se agarró a la silla que tenía detrás. Fue lo primero que se le ocurrió para evitar desplomarse.

«Dios mío, no. De todos los nombres, ¿por qué su tío tuvo que haber elegido ese?», pensó mientras luchaba por mantener la entereza.

Sólo el recuerdo de ese hombre en esa sala, sentado en esa misma silla, interrogándola sobre la autenticidad de su anatomía la hizo estremecerse. Le había costado mucho pasar el día sin ponerse enferma. ¿Y ahora el tío Tedric le estaba diciendo que tenía que convertirse en la esposa de ese hombre? ¿Vivir bajo el mismo techo? ¿Compartir su casa? ¿Incluso —y ante la idea cerró los ojos— su cama?

Grace agitó la cabeza y pensó que, sin importarle las consecuencias, nunca jamás accedería. Y así se lo dijo al tío Tedric instantes después, con una voz bastante tranquila para el caos que tenía en la cabeza.

—No me casaré con él, tío Tedric.

Tedric la miró muy serio, por encima del cuello de la camisa que le llegaba a las mejillas, y los dedos que instantes antes habían estado golpeando la mesa de palisandro, ahora permanecían quietos.

—¿Disculpa, Grace? Que yo recuerde, no te he pedido tu opinión.

Grace frunció el ceño, se quedó de pie. Contaba con la suerte de que la silla que tenía delante no permitía que su tío viera que le temblaban las piernas.

—No, tío, no me la has pedido, pero te lo repito: No me casaré con ese hombre. Es tan viejo que podría ser mi abuelo. No me importa lo que te haya ofrecido. No me casaré con él. Amenázame todo lo que quieras. Enciérrame en casa. Quítame todas mis cosas, si quieres. Pero si me obligas a casarme con él, te prometo que me negaré a recitar los votos. Me pondré a chillar como una histérica y tendrás que arrastrarme de los pelos por el pasillo para entregarme a él. Antes me iría a vivir a las calles de… de…

—Westminster —dijo Tedric, que sabía que Grace tenía menos idea de las calles de Londres que un extranjero el primer día que llegaba a la ciudad.

—¡Westminster! Antes me iría a vivir a las calles de Westminster que casarme con ese hombre tan asqueroso.

—Teniendo en cuenta que las calles de Londres tienen nombres como Cut Throat Lane, Rogue's Acres o Pickpocket Alley, créeme, Grace, casarte con un Westover es mucho mejor.

Sin embargo, Grace no sería fácil de disuadir.

—No me importa si es el hombre más rico de Inglaterra, o del mundo, me da igual. ¡No me casaré con él!

Tedric, lord Cholmeley, se quedó mirando a su sobrina, algo abrumado por su determinación. Le sorprendía esa actitud en ella, que siempre había aceptado lo que el destino le había deparado durante sus veintitrés años de vida. La miró hasta que los ojos se desenfocaron. Evidentemente, no iba a aceptar esa situación.

Entonces, el tío Tedric, en lugar de discutir con ella, lo que seguramente esperaba su sobrina, hizo algo muy extraño. Se echó a reír; primero fue una sonrisa que, luego, dio paso a una carcajada. Se le saltaron las lágrimas incluso cuando vio a Grace con las manos apoyadas en la cadera, y la barbilla levantada. A medida que la incredulidad iba siendo más evidente en la cara de su sobrina, Tedric se reía más y más.

¿Qué le pasaba? Grace esperaba una pelea, incluso amenazas... pero ¿burlarse de ella? No cuando el resto de su vida dependía de esa decisión. Independientemente de la situación económica en la que se encontrara, ¿es que no sentía nada por ella, su única sobrina, el único pariente de sangre que le quedaba?

Grace empezó a llorar desconsolada, lo que provocó que él se riera aún con más fuerza. Incapaz de soportarlo más, ella se giró para marcharse.

—¡Grace! Espera un momento. No lo entiendes.

Pero ya estaba en la escalera, preguntándose si el cochero conocería el camino más corto a Pickpocket Alley.

—Grace, no, estás equivocada. Tu futuro marido no es el duque de Westover, es su nieto Christian, el marqués de Knighton.

Grace se detuvo a mitad de la escalera. No le había sorprendido tanto el hecho que no tuviera que casarse con el duque de Westover como el nombre que su tío había dicho.

Christian, marqués de Knighton.

Knighton.

«Knight.»

De repente recordó un día, meses atrás, poco antes de que su abuela muriera. Estaban sentadas en la terraza del dormitorio de la marquesa en Ledysthorpe, un rincón muy tranquilo y silencioso desde donde se veía la orilla del río Tees, unos cuantos kilómetros más al interior que las agitadas costas del Mar del Norte. Era una tarde fresca de verano; lo recordaba porque su abuela la había obligado a ponerse un chal. Grace le estuvo leyendo *Los cuentos de Canterbury* de Chaucer en voz alta mientras la marquesa permanecía sentada en una silla, con los ojos cerrados, escuchándola. Grace lo recordaba como si hubiera sido el día anterior, y ahora las palabras resonaban en su cabeza…

Era un caballero, un hombre honorable
que, desde el primer momento que empezó
a cabalgar, amó la caballería
la verdad y el honor, la libertad y la cortesía.
Y, aunque era honorable, era prudente,
y con su porte dócil como el de una doncella
jamás profirió infamia alguna
hacia ningún ser vivo.
Era un perfecto y gentil caballero.

Recordó que había levantado la mirada del libro para comprobar que Nonny se había quedado dormida, como solía hacer casi siempre. Entonces colocó la cinta roja entre las páginas para marcar el punto donde se había quedado y pensó que, mientras durmiera, ella podría dibujar un poco. Pero justo cuando Grace se movió para dejar el libro en la mesa y levantarse, la marquesa se despertó, con una brusquedad que incluso asustó al perro que dormía en su regazo.

—Sabes que tendrás que casarte.

Grace recordaba haberse preguntado si su abuela había estado soñando.

—Sí, Nonny, ya lo sé. Algún día me casaré, igual que tú, pero ahora no quiero pensar en eso. No quiero pensar que tendré que dejar Ledysthorpe. Ésta es mi casa. Adoro vivir aquí.

—Yo vine de mi casa cuando me convertí en una mujer joven recién casada, querida. Una mujer, cuando se casa, debe hacerse suya la casa de su marido. El matrimonio del que te hablo no está muy lejos. Cuando yo me vaya, no podrás seguir dándole largas.

—¿Adónde vas? —preguntó Grace, sentándose junto a su abuela—. ¿Un viaje por Europa, quizás?

La marquesa sonrió y acarició la mejilla de su nieta con la mano.

—Mi niña, no me queda demasiado. Lo siento aquí, en el corazón. Y cuando me vaya no podré seguir protegiéndote. Tedric se hará cargo de tu futuro, al menos hasta que cumplas los veinticinco años. Esperaba poder llegar a verte cumplir esa edad y estar contigo cuando recibieras la herencia, pero me temo que no podrá ser. Sin embargo, tienes que saber que aunque yo me muera antes de que llegues a esa edad y ya no esté más a tu lado, haré todo lo posible para que consigas un buen marido.

—Pero, Nonny, ¿cómo sabré quién es el marido ideal si no estás aquí para aconsejarme?

La marquesa se limitó a sonreír y a decir:

—Lo sabrás, mi niña, porque eres como yo. A mí me bastó un baile con mi amor verdadero para darme cuenta de que lo querría el resto de mi vida. A ti te pasará lo mismo cuando encuentres a tu verdadero *very parfit gentle knight*.

Esas últimas palabras resonaron en los oídos de Grace como la suave brisa del verano. *Gentle knight. Knight…*

¿Era posible? ¿Sería el marqués de Knighton el amor verdadero del que hablaba Nonny? ¿Se lo había enviado ella, de alguna manera, para que la protegiera o simplemente era una coincidencia?

—¿Grace?

Cuando escuchó la voz de su tío, se giró. Volvió a pensar en su abuela, cuyo matrimonio también había sido arreglado y, aún así, la había llenado de felicidad. Y sus padres se conocieron días antes de la boda y, según Nonny, no podían estar más enamorados. Desde siempre, Nonny le había explicado las vidas de los grandes amantes de la historia (Tristán e Isolda, Eloísa y Abelardo), cuyos amores habían sobrevivido a todas las adversidades. Nonny le había prometido a su nieta que ella tendría lo mismo, que un día le llegaría su caballero de la armadura reluciente.

Luego, Grace pensó en qué pasaría si rechazaba el matrimonio. ¿Dónde iría ella si a su tío lo encerraban en la prisión por deudor? No tenía con qué mantenerse; muy pocas mujeres de su clase social podían mantenerse solas. Jamás había estado en Westminster pero, por lo que se decía, no debía ser un lugar demasiado agradable. Tal como estaban las cosas, era bastante evidente que no tenía otra opción. Tarde o temprano, tendría que casarse. Era el papel para el que la habían criado y lo que le habían enseñado a esperar. Entonces, ¿por qué no casarse con el nieto del duque? Como mínimo, debía tener su misma edad.

—Antes de aceptar el matrimonio, tengo que verlo en persona.

Tedric la miró como si fuera a negarse. Se puso muy serio y frunció el ceño. Sin embargo, al cabo de un momento asintió.

—Veré lo que puedo hacer. Aunque no te prometo nada.

• • •

Unos días más tarde, cuando el tío Tedric salía de casa, posiblemente para ir al club Brook's, se detuvo un momento en la puerta del salón donde Grace estaba tocando el piano. A menudo había oído decir que la música ayuda a levantar el ánimo y había descubierto que era cierto, sobre todo cuando uno desahogaba su ira con las teclas.

Por el rabillo del ojo vio a su tío en el umbral de la puerta, pero ella siguió tocando, golpeando las teclas con fuerzas renovadas. Cuando terminó, Tedric entró en la sala, aplaudiendo.

—Maravilloso, Grace. Cada vez que te oigo creo que lo haces mejor.

Era todo un halago, teniendo en cuenta que la última vez que la había oído tenía doce años. Grace lo miró por encima de la partitura. Sonreía con una mirada llena de falso afecto.

—Algún día serás una duquesa excelente, Grace. Tu nombre lo presagia.

Ella no le hizo demasiado caso. En su lugar, giró la siguiente página de la partitura para empezar la próxima pieza. Ah, perfecto, un *fortissimo*. Y entonces, lo miró.

—¿Debo deducir por tus palabras que ya has concertado una cita para que conozca al marqués?

Tedric asintió, obviamente satisfecho de sí mismo mientras se ponía los guantes de piel.

—En cierto modo, sí.

Grace levantó los dedos de las teclas y cruzó las manos sobre las piernas, esperando.

—La palabra «conocer» no es demasiado acertada. Verás, no os podéis conocer, ni podéis conversar. Su excelencia el duque lo prohíbe expresamente.

—¿Me prohíbe que conozca al hombre con el que voy a pasar el resto de mi vida? ¿Qué quiere ocultar?

—No hay nada que ocultar, querida. Lord Knighton está considerado el soltero de oro de la alta sociedad y, al parecer, toda muchacha casadera lo persigue tanto por su fortuna y su título como por su belleza. Y precisamente porque es un hombre tan acosado, el duque no quiere que vuestro matrimonio se haga público hasta después de la ceremonia. También lo hace por tu bien, Grace. Un anuncio público sería una conmoción social. No tendrías ni un segundo de paz. Observarían todos tus movimientos, criticarían todos tus gestos. Incluso alguna muchacha desesperada podría intentar cualquier cosa para evitar la boda. Por lo tanto, celebraremos una ceremonia privada en alguna oscura iglesia de campo, y para eso hemos arreglado una licencia especial.

—¿Ni siquiera voy a poder celebrar una ceremonia tradicional?

De pequeña, siempre había soñado con una gran boda. En realidad, cuando la princesa Carlota se casó con Leopoldo de Coburg, ella y Nonny habían leído todo lo relacionado con el enlace y observado detalladamente todos los grabados que les habían llegado a las manos. Grace siempre había sabido que llevaría el mismo vestido que Nonny y su madre habían llevado el día de su boda en una iglesia que estaría llena de olorosas flores. Sería un día que jamás podría olvidar, el día que uniría su vida a la de su marido, ese caballero sin nombre y sin rostro que Nonny siempre le había dicho que llegaría.

Ya sabía el nombre, sí, pero seguía sin conocer su rostro. Y si no podía verle, ni siquiera hablar con él, ¿cómo sabría que era «él»?

—Lo siento, tío Tedric, pero ya te he dicho que no puedo casarme con un hombre que no conozco.

Tedric agitó la cabeza.

—Al contrario, querida, dijiste que querías verlo antes de aceptar casarte con él, y lo verás.

—Ya sabes a lo que me refería cuando dije que…

Tedric la interrumpió levantando la mano.

—En Knighton House se va a celebrar un baile, Grace. Será la presentación en sociedad de la hermana de lord Knighton y se reunirá lo más selecto de la sociedad. Y tú vas a estar allí; yo te acompañaré. Como todavía no has sido presentada en sociedad, nadie te conocerá. Iremos, verás al marqués, incluso podrás observarlo un rato si eso es lo que quieres, y luego nos iremos. Es lo mejor que puedo ofrecerte.

Grace miró a su tío, recordando las palabras de su abuela: «Me bastó un baile con mi amor verdadero para darme cuenta de que lo querría el resto de mi vida».

—Una última cosa, tío.

—Dime.

—Quiero bailar con él.

Tedric agitó la cabeza.

—¡Imposible!

—¿Por qué? Sólo es un baile. Tú mismo has dicho que nadie me conocerá, ni siquiera lord Knighton.

Tedric se quedó callado, estudiando la petición de su sobrina, y después de unos instantes, dibujó una pequeña sonrisa.

—Creo que quizás al marqués le guste una pequeña sorpresa de su esposa.

—Potencial esposa.

Grace respiró hondo y se preguntó por qué, de repente, se le había acelerado el pulso, aunque pensó que un baile clandestino con su potencial marido sin que él lo supiera bien merecía una ligera dosis de nerviosismo.

—Entonces, ¿lo harás? —le preguntó—. ¿Conseguirás que baile con lord Knighton?

Tedric dio media vuelta y se fue hacia la puerta.

—No sé cómo voy a hacerlo, pero sí, encontraré la manera de que bailes con el marqués.

4

Durante los tres días siguientes, Grace intentó no pensar en el baile en Knighton House. Se obligó a concentrarse en las tareas domésticas diarias, como preparar el menú o decidir qué muebles se tenían que limpiar, incluso mientras buscaba en el armario algún vestido adecuado para esa noche. El día del baile, cuando justo había salido el sol, Grace ya se había dicho tres veces que sería mejor abandonar esa locura, y seguía pensándolo mientras bajaba la escalera de la casa del brazo de su tío para dirigirse la baile.

Ahora ya no había marcha atrás. Llegaron a Knighton House un poco después de las diez. Por un breve momento, Grace creyó que estaba soñando porque, cuando entraron en la casa, le pareció que era como Cockaigne, donde por los ríos fluía vino, las casas eran de tarta y el suelo de dulce masa de miel.

Este escenario encantado estaba lleno de música y risas y, en realidad, sí que parecía un cuento de hadas. El salón de baile estaba bañado por la luz de las velas de unos candelabros cuyos cristales brillaban como diamantes. Por toda la sala había jarrones de porcelana llenos de flores que ella jamás había visto y que llenaban el aire de un aroma muy exótico. A un lado de la puerta había una hilera de hombres uniformados, esperando a que alguien solicitara su ayuda, mientras que otros muchos sirvientes se abrían paso entre la multitud de invitados con bandejas de plata llenas de todo tipo de exquisiteces. Las ventanas y las puertas estaban engalanadas con chifón brillante de colores alegres y se podría jurar que las mesas del comedor, preparadas para la cena, se quejaban por el peso de los manjares que soportaban. Las joyas que las señoras llevaban en el cuello, las orejas y los dedos relucían mucho. Los elegantes satenes brillaban a la luz de las velas. Mirara donde mirara, sólo veía alegría y opulencia. Bueno, excepto…

Grace bajó la vista, se miró y palideció.

El vestido de seda gris perla que llevaba puesto era uno de los mejores que tenía, pero el modesto diseño dejaba claro que era una chica de pueblo. Incluso el peinado que se había hecho, un sencillo moño del que salían unos tirabuzones que le caían encima de las orejas, evidenciaba más su falta de estilo. El tío Tedric ya había quedado con el duque que llegarían deliberadamente tarde para que su entrada pasara lo más desapercibida posible. En ese momento, Grace le estuvo infinitamente agradecida.

Toda esa gente de la nobleza ya había nacido para una vida llena de privilegios, jamás habían tenido que enfrentarse a la decisión de qué ponerse o cómo peinarse. Ella era la hija de un marqués, sí, pero era algo que sólo quedaba reflejado en el apellido, porque la habían criado en el campo más como una lechera que como una señorita noble. Nonny pensaba que la vida sencilla forjaba el carácter fuerte y decidido. Si todas esas damas supieran que ni siquiera tenía doncella, sino que, cuando no llegaba a cerrarse el vestido, la ayudaba el ama de llaves de casa de su tío, la señora Bennett, se quedarían boquiabiertas. ¿Cómo podía pretender asumir el papel de marquesa de Knighton? Y mucho menos el de futura duquesa de Westover.

Justo cuando iba a convencer a su tío para que la llevara de vuelta a casa y se olvidara de la boda, una joven de unos diecinueve años se separó del grupo y avanzó hacia ellos. Le sonrió a ella antes de presentar su mano, protegida por un guante, al tío Tedric.

—Me alegra mucho de que haya podido venir, lord Cholmeley. Es un placer volver a verle.

Tenía todo lo que una dama debía tener: era esbelta, quizás uno o dos centímetros más baja que Grace, y llevaba su precioso pelo castaño recogido y adornado con una pluma de avestruz que se balanceaba ligeramente cuando se movía, como el ala de un ángel. Iba vestida de seda rosa palo con bordados blancos y brillantes que parpadeaban con la luz de las velas. Era el vestido más elegante que Grace había visto en su vida.

Tedric aceptó la mano de la joven y le hizo una reverencia.

—El placer es mío, señora, se lo aseguro —dijo, y se giró hacia Grace—. Lady Eleanor Wycliffe, permítame presentarle a mi sobrina, lady Grace Ledys.

Grace inclinó la cabeza y pensó que ojalá hubiera tenido algo más sofisticado que el sencillo lazo que llevaba alrededor de los tirabuzones.

—Es un placer conocerla, milady —dijo, tranquilamente.

—Grace —dijo el tío Tedric—, lady Eleanor es la hermana de lord Knighton. El baile de esta noche se celebra en su honor.

—Sí, es mi presentación en sociedad. Es extraño, ¿no creen? Es como si hasta ahora hubiera estado recluida en algún lugar secreto y oscuro —dijo ella, cogiendo a Grace por el brazo y susurrando—. Tu tío me ha informado de tu deseo de bailar con Christian. Estoy segura de que no te importará que hablemos antes un rato para conocernos mejor

—dijo, cogiéndola de la mano—. Sobre todo si vamos a ser hermanas.

De pequeña, Grace siempre había soñado con tener una hermana, alguien con quien poder hablar y compartir secretos, o intercambiar opiniones sobre libros a la hora del té como habían hecho ella y Nonny durante años. Y ahora, de repente, allí estaba esa encantadora joven ofreciéndose para el puesto sin ni siquiera darse cuenta de que los zapatos que llevaba ella eran demasiado oscuros para el color del vestido.

Grace le sonrió, inmediata y completamente encantada. Tedric se dispuso a dejarlas solas.

—Grace, si me necesitas estaré en el salón de juego —dijo, e inclinó la cabeza—. Lady Eleanor.

—Oh, lo siento mucho, lord Cholmeley —dijo ésta, deteniéndolo—. Esta noche no hay salón de juego.

—¿No hay salón de juego? —repitió Tedric, con una mirada horrorizada, como si la dama le hubiera dicho que sus sastres preferidos, Schweitzer y Davidson, habían cerrado la tienda aquella mañana.

—Fue por expreso deseo mío, milord. No quería que hubiera nada que distrajera a los caballeros de bailar con todas las damas del baile —dijo lady Eleanor, sonriendo, sin dejarle otra opción a Tedric que aceptarlo de buen grado.

—En tal caso, ¿hay algún lugar donde un caballero pueda tomarse una copa de oporto sin que se la tiren por la pechera?

—Por supuesto, milord —contestó ella, señalándole la puerta—. En el vestíbulo hay una sala donde se sirve oporto y coñac.

Cuando se marchó, lady Eleanor se llevó a Grace paseando lentamente por la parte exterior del inmenso salón de baile. Mientras caminaban, le preguntó por su infancia en

Ledysthorpe, por su vida en Londres y cómo es que vivía bajo la tutela de su tío.

—Mis padres murieron en un accidente de barco cuando yo era muy pequeña. Me crió mi abuela y viví con ella en Ledysthorpe hasta que murió el año pasado.

—Lo siento mucho. Nuestro padre también murió de manera inesperada, aunque me han dicho que fue a causa de una enfermedad. Yo todavía no había nacido, pero Christian estaba muy unido a él y su muerte le afectó mucho.

Lady Eleanor pronunciaba el nombre de su hermano con tanto afecto, que era evidente que estaban muy unidos. Antes de que Grace pudiera hacerle preguntas sobre su hermano, sus gustos para la lectura y otras curiosidades sobre su infancia, vio un trío de damas que la estaban mirando desde una esquina y susurraban su desaprobación detrás de los preciosos abanicos.

—No les hagas caso, Grace. Todavía no lo saben, pero cuando seas la mujer de mi hermano se desvivirán porque les tomes en cuenta. Imitarán cada detalle de tus vestidos aunque lleves un saco de harina y te rogarán que pases por alto su comportamiento de esta noche contigo.

—No creo que jamás encaje en este ambiente —dijo Grace—. Siempre he vivido en el campo, donde he llevado una vida muy sencilla. Me temo que en Londres me siento como un pez fuera del agua.

—No te preocupes, querida. Cualquiera de ellas vendería las joyas de su abuela para que mi hermano las mirara una sola vez. Deberías considerarte una afortunada de no haber crecido en este ambiente tan falso. En cambio, yo siempre he estado rodeada por esta hipocresía. Todas esas damas se ponen como ejemplo de refinamiento y luego, sin ninguna vergüenza, se lanzan a los brazos de Christian con la esperanza de conseguir que se case con ellas, como si a él le interesara casarse con alguien que hace cosas de esas.

Miró alrededor de la sala.

—Mira allí, junto a la puerta. ¿Ves ese grupo de señoras que están allí reunidas? ¿Sabes por qué están allí amontonadas en vez de estar con todos en el baile? Están vigilando la escalera para cuando baje mi hermano.

Grace observó el grupo de jóvenes damas que estaban junto a los pies de la escalera. Parecía que algunas luchaban con los codos para quitarle el sitio a otra mientras que otras lanzaban miradas furtivas hacia la escalera.

—Dios mío.

—Es una situación muy embarazosa. Una vez, en el teatro una chica incluso le puso un ojo morado a otra mientras se peleaban por conseguir un asiento libre que había junto Christian. Son situaciones conflictivas. Este juego se ha convertido en la mayor farsa de las últimas temporadas. Los invitados a cualquier baile al que se rumorea que él acudirá tienen que vigilar que no les caiga una bandeja encima y cosas por el estilo. Todo esto ha llegado tan lejos que apenas acude a eventos sociales. Ni te imaginas la cantidad de chicas que van diciendo que son mis «amigas íntimas» para conseguir acercarse a él. Me temo que cuando todas se enteren de que se ha casado contigo, no me quedará ningún conocido en la ciudad.

Lady Eleanor soltó una risita, pero Grace no podía entender por qué el marqués había decidido casarse con alguien a quien no conocía, y sobre todo alguien tan poco refinado, cuando podía escoger entre lo mejor de la sociedad de Londres. También empezaba a entender por qué el duque había insistido tanto en mantener en secreto el compromiso. Si las mujeres salían con ojos morados por sentarse a su lado, ¿qué no le harían a ella si supieran que iba a casarse con él?

—En fin, como veo que mi hermano todavía no se ha enfrentado a sus incondicionales, tendré que ir a buscarlo para que puedas bailar con él. Debo admitir que voy a disfrutar mucho viéndolo bailar con la mujer que va a ser su esposa, aunque él todavía no lo sepa; sobre todo delante de todas esas «candidatas desesperadas» —dijo, inclinando la cabeza hacia el grupo de mujeres arremolinadas a los pies de la escalera—. Así es como las llamo. Muy apropiado, ¿no te parece? ¿Te puedo dejar unos momentos para ir a buscarlo?

Grace se limitó a asentir y luego observó a lady Eleanor mientras ésta se alejaba entre la multitud. Cuando había solicitado bailar con el marqués, sólo había pensado en aquellas palabras que le había dicho una vez su abuela. Sería un romántico vals donde, con tan sólo mirar a los ojos del marqués, sabría si ese hombre era su *very parfit gentle knight*, el hombre con el que estaba destinada a compartir el resto de su vida. Grace no había tenido en cuenta qué otras consecuencias podría traer ese baile y no tenía ni idea que toda la atención estaría centrada en ellos.

¿Y si lord Knighton era horrible? Sin embargo, en tal caso, ¿por qué se pelearían las damas por captar su atención? No, tenía que ser perfecto y, si era así, entonces estaba claro que ella no era la mujer con la que debía casarse. Él debía casarse con una mujer refinada, alguien más parecido a su hermana, y no con una ratita de campo que nunca había puesto un pie en un baile hasta ese día y que a duras penas sabía bailar el vals. ¿Y si cometía un absurdo error y lo pisaba? O peor, ¿y si olvidaba los pasos de un baile que nunca había bailado con nadie, sólo con Henry, el sirviente de los Cholmeley?

Cuando bajó la mirada y vio que se le estaba deshaciendo la costura del guante y que el recogido del pelo se estaba viniendo abajo, sólo consiguió sentirse más fuera de lugar que al principio. En ese instante, supo que no podía seguir adelante con aquello. Encontraría al tío Tedric y le rogaría que retrasara el matrimonio. O mejor aún, le diría que fuera a hablar con el duque para que reconsiderara la decisión, pero que declinaba el ofrecimiento de matrimonio y que le pedía mil disculpas. ¿Ella, Grace de Ledysthorpe? ¿Una futura duquesa? Era demasiado ridículo para pensarlo siquiera.

Grace dio media vuelta porque recordaba que su tío había ido hacia el vestíbulo y empezó a bordear el salón. No le resultó nada fácil. Al parecer, se había llenado de gente desde que ella había entrado. Los músicos estaban sentados y preparados para empezar a tocar. El baile iba a empezar y la gente había comenzado a hacinarse en el salón.

No importa los esfuerzos que hiciera para avanzar, el implacable muro humano se lo impedía. Se dejó llevar por los demás y, al cabo de unos minutos, descubrió que estaba al otro lado de la estancia. Miró a su alrededor, mordiéndose el labio. Tenía que haber otro camino para llegar al otro extremo de la casa, así que se puso de puntillas para estudiar las diversas puertas que veía. Sin duda alguna, la mejor opción era salir por la más cercana, así que se deslizó por delante de dos hombres que estaban enfrascados en un intenso debate y, sin dejar de sonreír, se dirigió a la puerta.

No llevaba al vestíbulo, sino a un estrecho pasillo que servía para que los sirvientes fueran de un lado a otro sin que los vieran. Aunque perfectamente podía servir para su propósito. Empezó a caminar y buscó una puerta que, con suerte, la llevara hasta el vestíbulo. Sin embargo, cuando estaba a mitad del pasillo, la puerta por la que había entrado se cerró a sus espaldas. A continuación escuchó desesperada cómo cerraban el pestillo. Oh, Dios, pensó, aquello no pintaba bien.

Grace se quedó un momento en la oscuridad, pensando qué haría ahora. Sólo tenía dos opciones. Podía volver atrás, golpear la puerta y esperar que alguien la oyera, aunque entonces no estaría más cerca de encontrar a su tío de lo que estaba antes. Peor, parecería una tonta que se había quedado encerrada en un pasillo para los sirvientes. La otra opción, claro, era seguir un poco más y ver adónde conducía aquello.

Muy prudente, escogió la segunda opción.

Siguiendo a tientas la pared, avanzó lentamente en la oscuridad. Sin embargo, no podía encontrar ninguna abertura, sólo un pasillo que parecía que a cada paso que daba se hacía más oscuro. Tropezó con unos escalones y los subió lentamente. Cuando llegó arriba, apoyó las dos manos en la pared y las movió hasta que, por fortuna, los dedos encontraron una abertura en la pared. Parecía una especie de panel. Recorrió el borde pero no encontró ningún mecanismo para abrirla. Se acercó a la pared, pero no escuchó nada. Intentó abrirla con los dedos en los bordes, pero estaba muy bien sellada. Al final, apoyó las palmas de la mano en la puerta y empujó. La esquina superior pareció que cedía un poco, así que puso las manos más arriba y volvió a empujar, y luego otra vez, aunque ahora ayudándose con todo su peso, hasta que…

El panel cedió y cayó de cara, aterrizando sobre las manos y las rodillas. La caída provocó que el pelo le cayera todo hacia delante. Miró a través de los tirabuzones y vio las brillantes puntas de unas botas que la miraban de frente; unas botas que lo más probable era que fueran unidas a un cuerpo.

5

Grace inspiró y después contuvo el aliento mientras subió la mirada y vio unas largas piernas, una esbelta cintura y un torso ancho y…

¡Desnudo! No podía ser real. Ese hombre no podía ser de verdad. Parpadeó, pero él no desapareció. Dios Santo, era, sin duda, real.

—Esto es lo que yo llamo una primera impresión.

Tenía una voz profunda y fuerte, y los ojos más maravillosos que había visto en su vida. Eran de color azul plata y el modo tan puro en que la miraban hizo que sintiera como si fuera ella la que estaba desnuda, y no él. Nunca había visto a un hombre desnudo o semidesnudo y se horrorizó al darse cuenta de que estaba mirando fijamente los músculos del estómago mientras él cogía la camisa y se la ponía.

—¡Dios mío! —exclamó, ya que era lo único que se le ocurrió.

El próximo error fue preguntarse cómo podía empeorar más la situación. Pronto descubrió la respuesta.

—Supongo que, dadas las circunstancias, debería presentarme —dijo, mientras se abrochaba los botones de la pechera—. Soy lord Knighton, el anfitrión del baile de esta noche. Y esto… —añadió con una sonrisa en la boca que era cualquier cosa menos agradable—, es mi vestidor. Aunque claro, usted ya lo sabía, ¿no es cierto?

Dios mío, de todos los vestidores de esa casa tan enorme, ¿cómo había podido ir a parar a ese en concreto? Con cualquier otra persona, podría haberse disculpado inmediatamente y marcharse, porque sabía que posiblemente no volvería a verla nunca más. Pero el hombre que tenía delante era con el que se suponía que tenía que casarse, el hombre que no sabía que la mujer que acababa de irrumpir en su vestidor era su futura esposa. ¿Podía albergar alguna esperanza de que el marqués se olvidara de aquel incidente en los próximos quince días?

El marqués se giró y se dobló el cuello de la camisa, con una facilidad que habría dejado boquiabierto al tío Tedric, sin quitarle un ojo de encima, como si fuera perfectamente razonable que una mujer hubiera aparecido en el vestidor a través de un panel de la pared. Grace, en cambio, se sentía terriblemente humillada. No fue hasta que lord Knighton se arrodilló delante de ella, con un brazo apoyado en el muslo mientras le ofrecía la otra mano, que no se dio cuenta de que seguía tendida en el suelo del vestidor.

—A menos que sienta un repentino cariño por mi alfombra, ¿puedo sugerirle que se ponga de pie?

Con las mejillas ardiendo, Grace colocó su mano en la de él y se levantó lo más deprisa que pudo. Abrió la boca para decir algo pero no pudo articular palabra. No estaba segura de si sería adecuado, en tal situación, darle las gracias a un hombre semidesnudo por ayudar a una dama a levantarse. Así que se quedó de pie, con el recogido del pelo torcido, y muda como un candelabro mientras lord Knighton acababa de vestirse. De pronto recordó las palabras de Eleanor, cuando le había relatado el descaro con el que las otras damas perseguían a su hermano. Ella había forzado una puerta y había ido a parar al vestidor de él, donde precisamente en ese instante se estaba vistiendo. De algún modo, no podía pensar en una manera menos digna para «lanzarse» sobre un hombre.

Aunque había algo que estaba claro: al verlo, Grace entendió por qué las damas se peleaban por estar cerca de él. Christian Wycliffe, marqués de Knighton, era, en pocas palabras, el hombre más guapo que Grace había visto en su vida. Tenía el cabello de color castaño oscuro, retirado hacia atrás, y le caía encima del cuello de la camisa. El rostro tenía las mismas facciones que los escultores solían modelar: limpias, fuertes y poderosas. Era alto y delgado, y su porte, indiscutiblemente noble. No había ninguna necesidad de saber que era el heredero del hombre más rico de Inglaterra. Todo en él lo delataba.

—Yo... ah... —balbuceó Grace, incapaz de repente de articular palabra. ¿Cómo iba a explicar su inesperada aparición allí?—. Estaba buscando a mi tío...

Él arqueó una ceja.

—¿Tu tío, no? Bueno, es una excusa tan buena como cualquiera. Me ocurre constantemente, aunque debo reconocer que usted es más imaginativa que las demás. Es la primera vez que alguien entra por ese panel así, de repente.

Grace observó cómo se ponía el abrigo, uno negro muy elegante, y se tomaba su tiempo para arreglarse los puños. «Está enfadado. Cree que he entrado aquí para tratar de casarme con él, como cualquiera de las "candidatas desesperadas". Si supiera la verdad», pensó Grace. Aunque era algo tan ridículo que posiblemente se echaría a reír.

La estaba mirando, obviamente esperando que se presentara, algo que Grace no tenía ninguna intención de hacer. Es más, lo que ella quería era salir de allí lo antes posible.

Se giró hacia la puerta.

—De verdad, estaba buscando a mi tío y me he perdido… —La sola idea de bailar con él ahora ya no tenía sentido—. Siento la intrusión. No debería haber entrado aquí.

Cuando empezó a caminar para irse, el marqués se interpuso en su camino, impidiéndole salir. Entonces ella lo miró a los ojos, y el corazón le dio un vuelco. El color azul plata ahora era color pizarra ahumado y peligroso.

—Supongo que, después de tantos esfuerzos por llegar aquí, no querrá irse tan deprisa.

La sonrisa también había cambiado y en esos instantes se había vuelto mucho más depredadora. Grace notó que se le había hecho un nudo en la garganta y tragó saliva.

—Me temo que no lo entiendo, milord.

—A eso precisamente, señorita como se llame, es a lo que me refiero. ¿Es que su madre no le advirtió de los peligros de entrar en el dormitorio de un hombre?

Grace frunció el ceño ante tanto sarcasmo y sintió que algo en su interior se removía.

—Mi madre murió cuando yo era pequeña.

Por un momento, creyó ver que la rigidez del rostro desaparecía, pero no duró demasiado.

—En ese caso, permítame que la instruya en las normas básicas del decoro —dijo el marqués, dando un paso adelante.

Estaba tan cerca de ella, que tuvo que echar la cabeza hacia atrás para mirarlo porque al menos le sacaba un palmo.

—Existe una razón por la que las damas de buena educación no curiosean en los dormitorios de los hombres. Una muy buena razón —dijo. La cogió por los brazos. Grace, de repente, sintió que le costaba respirar. Se preguntó si todavía tenía los pies tocando el suelo. No se los notaba—. Una dama nunca puede estar segura si el hombre que se encuentra en el dormitorio es un caballero o un canalla que no dejará pasar la oportunidad de abusar de ella.

—Pero usted es un caballero, señor. Su abuelo es el duque de Westover.

Él apretó las manos y cualquier luz que pudiera haber en sus ojos desapareció.

—Un hecho, milady, que debería haber bastado para detenerla.

Antes de que Grace se diera cuenta de lo que estaba pasando, el marqués inclinó la cabeza, le llenó la boca con la suya y la atrajo hacia él estrechándola contra su cuerpo.

Christian notó que la muchacha se agarrotaba y le echó la cabeza hacia atrás para que el beso fuera más profundo, saboreó con la lengua y recorrió con un dedo la esbelta columna de la garganta de la chica hasta que notó que ella empezaba a temblar. Ya estaba harto de las artimañas y las maquinaciones de las mujeres. Al principio, esas gracias le habían resultado divertidas, pero esa invasión de su intimidad ya había llegado demasiado lejos. Si hubiera llegado cinco minutos antes, lo habría encontrado en la bañera y ahora él estaría envuelto en un lío del que habría tenido muchas dificultades para salir. Con su actitud, pretendía darle a la señorita una lección que tardaría en olvidar. Aunque había un problema: al parecer, ella no lo estaba percibiendo como un castigo. No se resistía. En lugar de eso, se derretía en sus brazos, aceptaba su beso e incluso gemía de placer dentro de su boca.

Maldito castigo.

Christian la volvió a besar, olvidándose de quién era, dónde estaban o cómo había llegado hasta allí. Se dejó llevar por el momento y por ella, la suave piel, la delicada esencia a hierbas de su pelo, la completa inocencia de un acto del que, obviamente, no sabía nada. Una llama de pasión se encendió en su interior, concretamente entre las piernas, algo que no sentía desde hacía mucho tiempo. Incluso mientras la abrazaba con fuerza, se preguntó por qué se sentía así con esa mujer, cuando ninguna otra había conseguido despertar sus instintos más íntimos. Quizás fuera el hecho de que en menos de quince días se casaría con alguien que nunca había visto. No debería estar haciendo eso, lo sabía, pero justo después ella apretó las caderas contra él. Christian casi enloqueció.

Se le pasó por la cabeza tenderla encima de la alfombra y tomar aquello que le ofrecía de una manera tan obvia. Cada centímetro de su cuerpo le pedía explorarla, comprobar la suavidad de la piel de la cintura. En lugar de eso, se separó de ella abruptamente, incluso retrocedió un paso. La miró; Grace tenía los ojos medio cerrados, la respiración entrecortada y esa boca tan endiabladamente deliciosa. Le caía un tirabuzón por la frente, justo encima de la ceja, como un hilo de miel de color ámbar. Lentamente, fue abriendo los ojos y Christian descubrió el color azul encendido. Ella no dijo nada, sencillamente se quedó allí de pie, con los labios brillantes a causa de la humedad del beso y la manera cómo lo miraba sólo podía definirse con una palabra: peligrosa.

¿Era realmente tan inocente como transmitía su beso? ¿O simplemente se estaba haciendo pasar por la señorita ignorante? Christian llegó a la conclusión de que debía ser una seductora empedernida. ¿Cómo se atrevería una joven virgen a entrar en el dormitorio de un hombre?

La miró muy serio. ¿Quién era esta criatura tan desconcertante? Era preciosa, sí. Tenía la nariz pequeña y recta, los labios sonrosados, aunque ahora estaban colorados por la presión del beso. La seda del canesú era como una segunda piel encima de los pechos, que no eran demasiado pequeños ni demasiado grandes, sino perfectos. El pelo rubio rizado, y los ojos, grandes y penetrantes, del azul más intenso que había visto. Sin embargo, cualquiera de las otras mujeres que habían intentado atraer su atención hasta entonces no tenían nada que envidiarle. También eran preciosas. ¿Cómo es que ella había conseguido excitarlo tanto y las demás no?

Entonces se dio cuenta de que había algo distinto en ella, algo único que no podía definir. ¿De qué otro modo podía explicar que pasara en un segundo de querer darle una lección a querer poseerla desesperadamente? ¿Cómo había conseguido esa muchacha derribar el muro de autocontrol que él había perfeccionado durante años?

Se preguntó quién era, aunque luego se dijo que sería mejor que siguieran siendo unos extraños. Cuando fuera un hombre casado no habría ninguna posibilidad de volver a verse. No permitiría el adulterio en su matrimonio. Le exigiría fidelidad a su mujer, y él también la practicaría. No podía ser de otro modo. Así que era mejor sacarla cuanto antes del vestidor.

Christian dio dos zancadas, cruzó la habitación y abrió la puerta. Asomó la cabeza y gritó: «¡Jackson!». Se quedó allí, mirándola con recelo, como si no las tuviera todas consigo de que no se movería de allí. En realidad, de quien desconfiaba un poco era de sí mismo; no creía que fuera capaz de reprimirse una segunda vez si volvía a tenerla cerca.

Como no obtuvo respuesta alguna, salió al pasillo, y cuando estaba a punto de volver a gritar, un sirviente uniformado subió por la escalera; un hombre muy robusto que ya se había especializado en situaciones de ese tipo. Sólo el Señor sabía las experiencias que había vivido.

—Acepte mis disculpas por no haber venido antes, milord. Abajo tenía una «situación» que requería mis servicios.

Christian frunció el ceño.

—Pues aquí tengo otra «situación» que también requiere tus servicios.

El sirviente se quedó muy sorprendido.

—¿Otra?

Christian hizo un gesto hacia la puerta del vestidor.

—Por favor, acompaña a la señorita a la fiesta. Y después asegúrate de que todas las puertas de los pasillos del servicio están debidamente cerradas.

—Sí, milord —dijo Jackson, entrando en el vestidor—. Señorita, si quiere hacer el favor de…

Sin embargo, Jackson se giró hacia Christian muy confundido.

—¿Milord?

Christian se giró y fue hasta el vestidor, aunque antes de llegar ya sabía lo que se encontraría.

Se había ido, había desaparecido igual de rápido que había aparecido, dejando a Christian observando el panel abierto por el que había entrado momentos antes, mucho más aturdido de lo que reconocería jamás.

Lord Cholmeley se quedó dormido en el carruaje de vuelta a casa mientras Grace miraba por la ventana las húmedas calles de Londres y las luces neblinosas de las farolas. Daba gracias por ese silencio porque así podía repasar mejor los hechos tan increíbles que habían ocurrido esa noche.

Todavía no sabía cómo había conseguido salir de esa casa después de lo que había pasado en el vestidor de lord Knighton. Se había escabullido por el panel de la pared cuando él había salido al pasillo y bajado por la escalera trasera. Sin embargo, esta vez había encontrado el camino directo al vestíbulo a la primera, como si sus pies siempre lo hubieran conocido. Allí encontró a su tío y le pidió inmediatamente que la llevara a casa; le dijo que no se encontraba bien, «un asunto femenino». Era la excusa más vieja del mundo, lo sabía, pero fue lo único que se le ocurrió para evitar que su tío la interrogara. En vez de eso, se sonrojó y pidió que les trajeran las capas y que prepararan el carruaje.

Mientras cruzaban el vestíbulo para irse, Grace vio a lady Eleanor al otro lado del salón de baile. Al verla no pudo evitar sentirse llena de arrepentimiento. Eleanor había sido tan amable con ella, la había animado tanto, y sintió que le debía una explicación. Sin embargo, en ese momento no sabía si habría sido capaz de articular palabra. Todavía tenía el corazón acelerado después del profundo beso que lord Knighton le había dado.

Durante toda su vida, había soñado que el primer beso sería tierno, dulce e infinitamente romántico. Sería en la orilla del río, rodeados de flores, o en la terraza de algún baile bajo la luz de la luna que se filtraría por los árboles. El hombre que le daría ese regalo tan inspirador sería generoso y guapo y sentiría verdadera adoración por ella. Sería el hombre de sus sueños.

Lord Knighton era guapo, sin duda, pero no tenía nada más en común con su sueño. Cuando la había besado, ella había respondido agitada, mareada, sin respiración y completamente perdida. Su encuentro no había sido para nada como Nonny lo había descrito. No había sentido las mariposas en el estómago ni el mágico descubrimiento de estar cara a cara con su futuro marido. Sólo había sentido el fuego, la brusquedad y el encuentro de dos personas, y algo que no acababa de entender, algo que le había hecho estremecerse hasta lo más profundo.

Lo peor era que se había humillado delante del hombre al que tendría que llamar marido. Jamás olvidaría la dureza de su rostro, el odio poco disimulado que se reflejaba en sus ojos mientras hablaba con ella, todo lo contrario a la luz y la suavidad que siempre había soñado. No la adoraba. Ni siquiera le gustaba. Y eso no era un preámbulo demasiado afortunado para el matrimonio.

Grace esperó hasta que llegaron a casa y a que su tío se fuera al estudio a servirse algo para decirle que no podía casarse con lord Knighton.

La respuesta de Tedric estuvo lejos de la comprensión familiar.

—Por supuesto que vas a casarte con él —dijo, sirviéndose un coñac—. No me importa si vas al altar gritando como una histérica. Sea como sea, te casarás con lord Knighton.

—Tío, por favor, estoy segura de que debe haber otra manera de…

—Es demasiado tarde, Grace. Ya ha asumido la deuda.

Ella lo miró fijamente.

—¿Qué has dicho?

—El duque ha pagado a todos mis acreedores. Formaba parte del contrato de matrimonio. Westover quería dejarlo todo bien ligado antes de la boda para evitar comentarios. Veinte mil libras es mucho dinero, Grace. Si no aceptas casarte con lord Knighton habrá repercusiones. Repercusiones legales. Con el duque de Westover no se juega. Ha prometido que, si no te casas con su nieto, nos denunciará por incumplimiento de contrato.

—¡Yo no he aceptado su dinero!

—Cierto, pero firmaste el contrato de matrimonio. Parecerá que lo firmaste para saldar mis deudas y luego rompiste el acuerdo. No creo que ningún jurado se crea que cambiaste de opinión sobre tu matrimonio con lord Knighton sin ni siquiera verlo.

Pero sí que lo había visto, se dijo Grace. Y muy bien, de hecho. De repente, le vino a la cabeza la imagen de él medio desnudo delante de ella.

—El duque te presentará ante el público como una extorsionista —continuó Tedric—. Y ganará el juicio. Y al final, la familia Cholmeley se hundirá en la miseria. Se perderán años de honor y respeto, el mismo honor y respeto que mi madre preservó durante toda su vida.

«Y que tú has destruido en una sola vida.»

Grace miró el retrato de Nonny y supo que su tío tenía razón, aunque dijera todo eso en beneficio propio. Nonny habría cumplido su palabra a costa de lo que fuera, sin importarle las circunstancias; es más, incluso se habría casado con el mismísimo Mefisto si hubiera tenido que hacerlo.

Por lo tanto, como había criado a su nieta para que siguiera esa misma ética, Grace sabía que no tenía otra opción que hacer lo mismo que ella.

6

Little Biddlington, Buckinghamshire, Inglaterra

El párroco no cabía en sí de contento, y tenía sus motivos. Éste era el acontecimiento más importante que había ocurrido en el pueblo desde 1669, cuando una de las muchas amantes de Carlos II, junto con toda la corte de sirvientes que llevaba, había tenido que pernoctar allí durante tres días debido a una tormenta de nieve inesperada.

Little Biddlington era la aldea más solitaria que uno pudiera encontrar. Las casas eran de madera de estilo tudor, los últimos pisos sobresalían de la fachada aunque desde la carretera de Londres no se veían porque quedaban detrás de un valle y una ristra de árboles. El duque de Westover no podía haber elegido la localidad para acoger la boda de su heredero con más cuidado. Gracias a su ubicación tan discreta, el pueblo se había salvado de una invasión enemiga hacía dos siglos ya que no lo habían encontrado. Una década más tarde, incluso pasó desapercibido para una epidemia mortal que azotó todos los pueblos de los alrededores. Por lo tanto, era el lugar indicado para celebrar una boda que nadie sabía que se iba a celebrar.

La misma iglesia era muy antigua, incluso algunas partes eran anteriores a la invasión de los normandos. Se decía que las cruces incrustadas en la pared de piedra del porche las habían hecho los soldados de las Cruzadas con las puntas de las espadas, como tributo para volver sanos y salvos de Tierra Santa. El párroco, el señor Weston, se las había enseñado, junto con el busto de piedra de Mary Pottinger, que murió en 1722 a los ciento siete años de edad, cuando llegaron. Al parecer, eran lo más destacado del pueblo.

Sin embargo, en las horas siguientes el anonimato de Little Biddlington se vería perturbado y el señor Weston ya tenía asegurado su lugar en la historia. Ya no quedaría difuminado como los demás: vivir, rezar y morir en ese rincón del país, desconocido para el resto del mundo. En lugar de eso, sería conocido como el párroco que casó en secreto al heredero del hombre más rico de Inglaterra. Quizá construirían un monumento en su honor para la posteridad, justo al lado del busto de piedra de Mary Pottinger, de ciento siete años. Al menos, aquel acontecimiento le daría al señor Weston y sus feligreses algo que comentar a la hora del té durante muchos años.

Y por eso estaba tan contento.

Christian, su abuelo el duque, su madre y su hermana habían salido de Londres antes del amanecer en un carruaje discreto que habían alquilado especialmente para la ocasión. Si no hubiera sido por la alegre descripción de Eleanor de los paisajes por los que pasaban, nadie habría dicho nada durante todo el viaje.

Inmediatamente después de su llegada al pueblo, un sirviente de los Westover fue a despertar al párroco y le presentó la licencia especial firmada y sellada por el mismo obispo.

—Será un honor oficiar esta ceremonia, Excelencia —le dijo al duque, todavía con el gorro de dormir puesto.

A continuación se lavó y se puso las vestiduras con una prontitud que sorprendió a todos. Ahora estaba de pie en el cancel, sonriendo por la suerte que había tenido. La joven, la futura esposa de Christian, llegaría de un momento a otro con su tío. Venían por otro camino.

Christian estaba de pie al final de la estrecha nave central, esperando la llegada de la novia. Miró al duque, que estaba sentado solo en el primer banco y que tenía agarrada con fuerza la bola del bastón. Christian pensó que debía sentirse un triunfador al poder vivir lo bastante como para llegar a ver este día, el día que había esperado tan pacientemente durante los veintinueve años de vida de su nieto. Si alguna vez se había preguntado por qué su abuelo no había querido cobrarse su parte del trato antes, ahora de repente lo entendía todo. Sólo tenía que mirar el asiento vacío al lado de su abuelo para entender la importancia de ese día. El mismo en el que, veinte años atrás, su padre había muerto. Christopher Wycliffe tenía veintinueve años cuando murió. Y lo que correspondía era que el mismo día y a la misma edad que el duque había perdido a su único hijo, llevara a cabo las condiciones del trato que había hecho con su nieto. Ojo por ojo, diente por diente, vida por vida.

A pesar de la resistencia de Christian, los recuerdos que tanto tiempo había ignorado le volvieron a la mente. Todavía veía, como si fuera ahora, la multitud de dolientes que habían llegado de todas partes de Londres, todos amontonados bajo las ramas de los grandes olmos de los Westover para rendir un último tributo al difunto. Jamás olvidará el frío tan intenso que había sentido hasta en los huesos, la humedad de los árboles, la niebla espesa que se había aposentado sobre el cementerio de la familia Wycliffe. Igual que tampoco olvidaría el sonido de la campana de la iglesia que había tañido los tradicionales nueve repiques y luego veintinueve más, uno por cada año de vida de Christopher Wycliffe.

La familia dijo que había muerto de unas fiebres, y todo el mundo lo creyó. Mirando al joven marqués de nueve años que estaba junto a su abuelo, temblando de frío, nadie habría sospechado la verdad.

Christian apartó la mirada de su abuelo y la dirigió hacia su madre y su hermana, que estaban sentadas en el banco que había al otro lado de la nave. Frances, lady Knighton, había sido una joven muy bonita en su época, había inspirado volúmenes de poesía y marcado un estilo que más tarde fue imitado por todas las damas en cada temporada social. Ahora tenía el pelo canoso y su pálida piel ya no era tan suave como antes, pero aún así seguía llamando la atención allí donde iba por su elegancia, gracia y belleza.

Sin embargo, desde la muerte de su marido había estado apartada de la sociedad casi totalmente, leyendo la Biblia o pasando sus días rezando en silencio. Los últimos veinte años no habían podido borrar la tristeza de sus ojos y Christian solía pensar que aquel día no sólo había muerto su padre, sino también el alma de su madre. Durante los meses siguientes a la muerte de Christopher, todos habían temido que pudiera hacerse daño a sí misma. Lo único que lo había impedido, y Christian lo sabía, era la criatura que llevaba dentro, su hija, Eleanor.

Desde el día que nació, Eleanor representó todo lo bueno del mundo. Christian la había visto crecer, cómo había pasado de la niña poco femenina, con los bajos de las faldas descosidos y las uñas sucias a convertirse en la joven educada y refinada que era hoy. La había visto peleándose y alimentar furiosamente la rivalidad con la hija del vecino, un conde que vivía en el barrio. Se llamaba lady Amanda Barrington y todo había terminado en un lío tremendo en medio de un estanque de truchas. Y estaba seguro de que algún día la vería felizmente casada, y no por conveniencia, como él, sino con un hombre con quien se quisiera y que se respetarían mutuamente.

Era por esas dos mujeres, y por nadie más, que había aceptado pasar por el trago de una boda concertada; haría cualquier cosa, incluso casarse con una extraña, para protegerlas.

Eleanor, tan optimista como siempre, había intentado calmar lo que a ella le parecían los nervios prematrimoniales de Christian cuando llegaron al pueblo por la mañana.

—Será encantadora —le dijo, arreglándole el cuello de la camisa y limpiándole el abrigo con la mano—. Ya lo verás.

Christian se había limitado a asentir, pero en su interior se había preguntado si importaba algo que fuera encantadora o no. Aún así tendría que casarse con ella. Ya había firmado el contrato. Incluso ahora no acababa de creerse que lo hubiera hecho; aceptar casarse con una mujer a la que nunca había visto. Había leído su nombre en el contrato: «Lady Grace Ledys». La unía algún tipo de parentesco con el marqués de Cholmeley, porque había visto que era el tutor de la chica. El nombre era bonito, de acuerdo, pero ¿quién era? Además, ¿qué tipo de chica aceptaría casarse con un hombre al que tampoco había visto nunca?

En ese momento se oyó un ruido al fondo de la iglesia. Había llegado la hora de conocer a la que sería su mujer. Christian se volvió. Cuanto antes empezaran, antes terminarían.

Al final del pasillo había una delicada figura con un vestido azul pálido que iba cogida del brazo de un hombre mayor, lord Cholmeley, sin duda. Entraba mucha luz desde el fondo y no podía verla claramente. Pero cuando empezó a caminar, por un momento Christian pensó que había algo en ella que le resultaba familiar. Aunque era imposible. Nunca se habían visto.

La observó avanzar. El pelo dorado brillaba debajo de una corona de flores por la intensa luz de la mañana que entraba por las numerosas ventanas de la iglesia. Ni siquiera se dio cuenta de que estaba conteniendo la respiración hasta que ella llegó a una zona sin luz y pudo verla claramente. Cuando la reconoció, soltó el aire de golpe; las facciones delicadas, la piel pálida y los ojos, los mismos que lo habían mirado desde el suelo del vestidor el día del baile de la presentación en sociedad de su hermana.

Antes de que pudiera decidir qué pensaba de todo aquello, ella había llegado a su lado y el párroco había comenzado la ceremonia. Mientras el señor Weston hablaba, con mucho énfasis, como si la iglesia estuviera llena, Christian la volvió a mirar. Ella estaba mirando fijamente al párroco y escuchaba atentamente sus palabras. Él observó que las manos con las que sujetaba el ramo de flores habían empezado a temblar. Seguro que había notado su mirada, porque lo miró con recelo antes de volver a centrar su atención en el párroco.

¿Qué demonios hacía esa noche por los pasillos del servicio? La confusión del principio, cuando la había reconocido, empezó a convertirse en desconfianza. ¿Lo había estado espiando? ¿Por qué otro motivo, si no, se habría metido allí? Empezaba a preguntarse si no habría acudido al baile para familiarizarse con la distribución de la casa.

Cuando el párroco les preguntó si los dos habían acudido a esa cita por propia decisión, Christian se quedó un instante callado antes de asentir. Durante la liturgia, casi no había escuchado nada de lo que el párroco había dicho, sólo se había limitado a contestar cuando le tocaba. Deslizó el anillo, una reliquia de los Westover que consistía en zafiro rodeado de diamantes que antes habían llevado la madre y la abuela de Christian, en el delicado dedo de la dama. En el espacio de un instante, quedaron repentina y permanentemente unidos. Parecía imposible que todo hubiera terminado tan rápido.

Cuando el párroco dio por finalizada la ceremonia, el duque se levantó de su asiento, le dio las gracias y lo recompensó con una bolsa de monedas, y luego se giró para marcharse. Su deber estaba cumplido, y su deseo se había hecho realidad.

Christian y Grace firmaron rápidamente en los registros de la iglesia, le dieron las gracias al párroco y se despidieron de él. Miró a esa mujer extraña, su mujer, y le ofreció el brazo.

—¿Señora?

En el exterior de la iglesia, junto al busto de Mary Pottinger, los esperaban sonriendo Eleanor y su madre. Cuando Christian y Grace salieron, Eleanor fue hasta su hermano y lo felicitó con un beso en la mejilla.

—Enhorabuena, Christian. Me alegro mucho por ti. ¿Has visto? Ya te he dicho que sería encantadora.

Apenas pudo asentir antes de que su hermana se dirigiera a lady Grace y le diera la bienvenida a la familia con un beso y un abrazo.

—Eres una novia preciosa, Grace. Y ahora es como te dije. Ya somos hermanas.

Christian se quedó mirando a su hermana. ¿Ya conocía a su mujer? ¿Por qué diablos no se lo había dicho? ¿Estaban todos involucrados en esta farsa?

Lady Frances dio un paso adelante y cogió a su hijo de las manos. Hablaba con la voz llena de emoción.

—Gracias, Christian. Sé lo difícil que ha debido ser esto para ti. Quiero que sepas que eres más bueno de lo que cualquier madre esperaría de un hijo.

Por un momento, habría jurado ver un rayo de la luz que había desprendido años atrás, pero después la tristeza volvió a inundar sus ojos.

—Todo lo que soy, madre, te lo debo a ti.

Lady Frances miró a su hija y a Grace.

—Parece una buena chica, Christian. Sé que ahora te parecerá imposible, dadas las circunstancias, pero espero que encontréis la felicidad juntos.

Christian sólo asintió y luego vio que el duque se le acercaba, destruyendo la magia del momento que acaba de compartir con su madre con un golpe de bastón en el suelo.

—¿Creías que te casaría con una arpía? —dijo y, cuando Christian no le respondió, añadió—: Hay un carruaje preparado para llevaros a Westover a pasar la noche. El servicio os está esperando. Una noche, Christian. Ése era el trato. Cuando regreséis a Londres, publicaremos la noticia en los periódicos.

Christian hizo un gesto con la cabeza cuando recordó que todavía le faltaba dar otro paso para cumplir el trato. Y cuanto antes, mejor. Se giró hacia Grace, que estaba de pie junto a él, y le ofreció el brazo.

—¿Nos vamos, milady?

La ayudó a subir al carruaje y luego subió él para sentarse frente a ella. Esperaron a que el cochero ocupara a su sitio. Christian observó a Grace mientras agitaba la mano por la ventana, despidiéndose de su tío y de Eleanor antes de marcharse. Las preguntas se le acumulaban. ¿Quién era? ¿De dónde la había sacado su abuelo? ¿Cuánto dinero esperaban recibir, ella y su familia, por esta unión?

No fue hasta que perdieron la iglesia de vista que Grace lo miró. Parecía incómoda al estar a solas con un hombre que era, a la vez, un extraño y su marido. En un esfuerzo por romper el silencio del viaje, dijo:

—Sé lo que debe estar pensando, milord.

—¿De verdad lo cree?

—La noche del baile. No es lo que parece…

—¿No? ¿Y cuál era su intención cuando irrumpió de esa manera en mi vestidor, señora? ¿Quería ver la mercancía antes de dar el sí?

—Como le dije esa noche, estaba buscando a mi tío.

Christian sonrió irónicamente.

—Y, lógicamente, el primer lugar donde fue a buscar fue en el dormitorio de otro hombre. Le prometo, milady, que no suelo entretener a otros caballeros en mis estancias privadas.

—No se suponía que tenía que ir así. Se suponía que sólo teníamos que bailar una vez. Eso es todo. Mi tío lo había arreglado con su hermana. Usted ni siquiera tenía que saber quién era yo. Pero luego me lo pensé dos veces y, cuando Eleanor fue a buscarlo, yo me fui a buscar a mi tío para irnos antes de que ustedes aparecieran en el baile. Lo malo es que me perdí entre la gente y, no sé cómo, acabé en el pasillo de los sirvientes, que no habría supuesto ningún problema si alguien no hubiera cerrado la puerta con llave dejándome allí sola.

Christian no quería creerla, aunque la explicación parecía verosímil. Eso o lo tenía todo muy bien planeado.

—Ha dicho que quería que bailáramos. ¿Por qué, si se puede saber?

Grace no le respondió inmediatamente. En lugar de eso, miró por la ventana durante un par de segundos, frunciendo el ceño mientras pensaba.

—Me habían prohibido conocerle —dijo, suavemente—. Pensé que, al menos con un baile, aunque usted no supiera quién era yo, de algún modo podría estar segura de que hacía lo correcto casándome con usted. Ahora parece una tontería, pero en ese momento era todo lo que tenía.

Sus ojos reflejaban una sinceridad muy vulnerable. Estaba diciendo la verdad.

Christian se había hecho una idea bastante clara de la mujer que su abuelo escogería para casarse con él. Esperaba que los motivos que la habrían llevado a aceptar la propuesta serían su título y la fortuna de los Westover, las dos características que lo habían convertido en un premio tan preciado en el mercado del matrimonio. Incluso se había preparado para alguien tan maleducada y artera como el duque. Sin embargo, Grace parecía no poseer ninguna de esas cualidades. Su honestidad y su absoluta franqueza lo habían sorprendido. Eran algo a lo que él estaba muy poco acostumbrado. Es más, desde siempre se había enseñado a los duques de Westover que debían sospechar de ellas.

La miró, sin compartir sus pensamientos.

—Ha dicho que se lo pensó dos veces. Lo del baile.

Ella asintió.

—¿Por qué?

Se quedó un momento en silencio. Cuando al final habló, lo hizo con un hilo de voz.

—Fue por cómo me miraban todos, como si no encajara allí.

Christian estaba seguro de que esa inocencia, esa vulnerabilidad no podían ser reales, sobre todo en alguien escogido personalmente por su abuelo. ¿Cuánto tiempo hacía que el duque había decidido que ella sería la mujer del heredero de los Westover? ¿El tiempo suficiente para que aquella jovencita pudiera planear cada palabra, cada gesto delante de él? Puede que, de algún modo, el duque descubriera el plan secreto de Christian, uno que arruinaría el triunfo final de su abuelo en una batalla que ya había durado más que suficiente. Una batalla que él no se permitiría perder, porque el riesgo era demasiado grande. Aunque estuviera intrigado por esa mujer, sabía que no podía bajar la guardia, sin importarle lo preciosa y excepcional que pudiera llegar a ser su nueva esposa.

7

—Hemos llegado a Westover, señora.

Grace abrió lentamente los ojos en la oscuridad del interior del carruaje y adivinó la sombra de la silueta de lord Knighton enfrente de ella. Miró por la ventana. El cielo estaba oscuro, no se veía ni una estrella y la luna era un intenso brillo detrás de la espesa niebla. Dios mío, era de noche. ¿Cuánto tiempo había dormido?

—Dos horas —dijo el marqués, como si le hubiera leído el pensamiento—. Desde Wexburgh.

Abrió la puerta y salió, y luego le ofreció la mano para ayudarla a bajar.

Una vez fuera del carruaje, Grace se encontró delante de un inmenso edificio que tenía una parte de castillo, una parte de casa solariega, incluso una parte de calabozo, que se levantaba en la penumbra como los fantasmagóricos castillos de las historias góticas que a ella tanto le gustaban. Era, con toda certeza, la casa más imponente que había visto en su vida; el doble de grande, o el triple, que Ledysthorpe. Sin embargo, eso no significaba en absoluto más comodidad. En Ledysthrope, desde el momento en que llegaban los visitantes, los invadía una sensación de acogimiento por parte de todo el personal que salía a saludar o de los perros que ladraban alrededor de todo el mundo. Sin embargo, éste lugar perdido en medio de la oscuridad, sólo transmitía sensación de frialdad, de malos augurios. Parecía que, más que invitar a entrar, advertía a los visitantes del peligro de hacerlo.

Se quedaron de pie en un patio rodeados de cuatro paredes de piedra que parecía que los espiaban. Encima de dos de las paredes había dos torres cubiertas de hiedra trepadora y, excepto la puerta del puente levadizo por donde habían entrado, parecía que no había otra salida. Después de dar órdenes al cochero, lord Knighton se dirigió hacia una escalera que presidía una puerta enorme, posiblemente superar tres veces la estatura de él. Grace lo siguió. Cuando llegaron al final de la escalera, se abrió la puerta y apareció en el umbral un mayordomo arrugado y viejo.

—Buenas noches, milord.

La respuesta de lord Knighton se limitó a un escueto «Ambrose» cuando pasó junto al mayordomo.

Se dio cuenta de que Grace no lo seguía. Se giró.

—¿Milady?

—¿No me va a coger en brazos para cruzar el umbral?

Christian se quedó mirándola.

—¿Disculpe?

—Creía que había una norma que decía que el novio debe cruzar el umbral de su casa con la novia en brazos.

—¿Una norma?

Grace asintió.

—No hacerlo podría traer consecuencias fatales al matrimonio.

Bueno, consecuencias peores al hecho de que el novio y la novia eran unos completos desconocidos…

—Supongo que, para alguien que cree en esas cosas, debe ser muy importante.

Grace lo miró, aunque no se movió de donde estaba.

—Me sentiría fatal si fuera la responsable de tentar a la mala suerte.

Christian le clavó la mirada. Ella se dio cuenta de que Ambrose había estado presente en toda la conversación.

—Milady, a menos que tenga la intención de dormir en la entrada, le sugiero que cruce el umbral a pie.

—Pero yo…

—¡Oh, está bien, bendita mujer!

Grace se quedó un poco sorprendida cuando Christian, de repente, la levantó en brazos. Era lo más cerca de él que había estado en todo el día y pudo oler la limpia esencia masculina, una mezcla de sándalo y algo más, algo más fuerte. La repentina sensación de sentirse en sus brazos, cuerpo contra cuerpo, era algo nuevo para ella pero, a la vez, algo extrañamente acogedor y cuando la entró en la casa y la dejó en el suelo, esa sensación desapareció.

Sin embargo, él parecía no haberse inmutado.

—Espero que así dejemos a la suerte en paz —dijo Christian y se marchó.

Si la fachada del edificio la había intimidado, el interior le resultó todavía más abrumador. El vestíbulo circular estaba lleno de alcobas incrustadas en la pared de granito, y en cada una había una estatua de mármol. Sin embargo, en lugar de estar a una altura donde se pudieran observar en todo su esplendor, las habían colocado muy altas, como si quisieran que todo el mundo que entrara se sintiera observado por un grupo de seres superiores. Entorno a la sala había unas gruesas columnas de alabastro y, estampado encima del pasillo principal, aparecía el escudo de armas de los Westover, incrustado en la piedra. Al caminar sobre el suelo del mármol, los pasos resonaban hasta el techo, que estaba reforzado con vigas de roble del tamaño de los mástiles de un barco.

Al final del vestíbulo, apareció una figura con un candelabro. Era el ama de llaves, con falda negra y delantal de hilo blanco, que en cuanto hizo la reverencia esbozó una pequeña sonrisa. Luego se colocó junto a Ambrose.

—Buenas noches, señora Stone —dijo Christian.

El ama de llaves inclinó la cabeza.

—Lord Knighton, es un placer volverle a ver.

—Permítanme presentarles a mi esposa, lady Knighton.

El mayordomo inclinó la cabeza y murmuró «Señora», mientras que el Ama de llaves hizo otra reverencia.

—Bienvenida a Westover, milady.

—Por favor, acompañen a lady Knighton a sus aposentos y ayúdenla con todas sus cosas. Hemos hecho un viaje muy largo y nos marcharemos mañana a primera hora. Cualquier cosa que desee, les ruego que la complazcan.

Los dos respondieron al unísono:

—Sí, milord.

Grace miró a Christian.

—¿Usted no viene?

—Tengo que atender unos asuntos. Ambrose y la señora Stone están lo suficientemente capacitados para ayudarla en lo que sea, a menos que exista otra norma que obligue a los maridos a cruzar otro umbral con su mujer en brazos.

Grace agitó la cabeza, sin saber demasiado bien si se estaba burlando de ella. ¿Pretendía dejarla sola en esa casa tan grande toda la noche, la noche de bodas?

—Es que creía que…

Pero Christian ya no la escuchaba. Se había girado y le estaba dando órdenes al mayordomo.

—Por favor, dile a la cocinera que sirva la cena en el comedor. Que un sirviente acompañe a lady Knighton cuando esté lista.

Grace lo miró, preguntándose si alguna vez se quitaba el manto de fría y blindada indiferencia que parecía que acompañarle siempre. Durante todo el viaje había sido muy educado y, aunque no se había mostrado demasiado interesado en darle conversación, ella se había imaginado que debía estar cansado y pensó que ya se conocerían mejor cuando llegaran a la casa.

Al parecer, eso no iba a suceder.

Sin embargo, antes de que ella pudiera decir algo al respecto, Christian se giró y se dirigió hacia una puerta lateral, mientras el ruido de las botas resonaba en toda la sala. Ella se quedó de pie y lo siguió con la mirada hasta que él cerró la puerta con firmeza.

—¿Milady? —dijo la señora Stone.

Grace la miró.

—Si es tan amable de seguirme, le enseñaré sus aposentos.

Grace volvió a mirar hacia la puerta por donde había desaparecido Christian antes de asentir y seguir al ama de llaves bajo la tenue luz del candelabro. La señora Stone la condujo por una austera escalera hasta un pasillo del primer piso, forrado con paneles de nogal y lleno de cuadros de los antepasados de la familia Westover, cuyas expresiones eran tan frías y amenazadoras como la casa donde se encontraban. Le lanzaban miradas fulminantes desde su posición privilegiada en la sombra, y en una ocasión hasta le pareció que había visto que los ojos de uno de ellos, con chaleco, medias y gorguera rizada, la seguían mientras avanzaba por el pasillo.

Al final pensó que debía ser un efecto provocado por la luz de las velas pero, a medida que iban caminando, miró de reojo la tapa del libro que había estado leyendo durante el viaje para asegurarse que seguía llamándose *Los Misterios de Udolpho* y no hubiera cambiado a *Los Misterios de Westover Hall*. Esa noche tenía todos los ingredientes de una historia propia de la señora Radcliffe: un antiguo castillo y un mayordomo tan serio que él mismo parecía del más allá.

Cuando estuvieron los suficientemente lejos del vestíbulo, la rigidez de la señora Stone se suavizó un poco. Al cabo de un rato, incluso empezó a hablar con ella.

—Esperamos que disfrute su estancia en Westover, milady, aunque sólo sea por una noche. Cuando lord Knighton se convierta en el nuevo duque, ésta será su casa. Si la puedo ayudar en algo, no dude en decírmelo.

La idea de convertir ese solemne lugar en su casa no le gustó mucho y le hizo recordar unas palabras que Nonny le había dicho un día: «Una mujer, cuando se casa, debe hacerse suya la casa de su marido». Grace se preguntó si Nonny había previsto qué hacer con un lugar tan oscuro como ése.

—Gracias —dijo Grace, que se quedó pensativa un momento y luego añadió—: ¿Puedo preguntarle algo, señora Stone?

El ama de llaves se detuvo delante de una gran puerta de roble, cogió el juego de llaves que le colgaba de la cintura y metió una en el cerrojo.

—Claro, milady. Lo que sea.

—¿Lleva mucho tiempo trabajando en Westover?

La señora Stone giró el pomo y abrió la puerta.

—Oh, unos treinta años, o más —dijo, mientras entraba en la habitación y empezaba a encender todas las velas—. Mi madre trabajaba para los Westover antes que yo y se casó con mi padre, que era mozo en los establos, así que yo me crié aquí. Empecé como ayudante en la cocina, luego me convertí en ayudante de cámara, enfermera y conseguí subir de categoría hasta convertirme en ama de llaves hace diez años. Mi hija y mis sobrinas también trabajan aquí.

Grace asintió.

—Entonces, conoce a la familia Wycliffe desde hace tiempo, ¿no es cierto?

—Claro, milady. Cuidaba a lord Knighton cuando era pequeño.

Grace intentó imaginarse a su marido de niño, jugando y corriendo por esos pasillos, su risa resonando por toda la casa, aunque no pudo visualizar una imagen clara. Volvió a dirigirse al ama de llaves.

—Entonces, como lleva tanto tiempo en esta casa, quizá pueda decirme si esta casa y esta familia siempre han sido tan misteriosas como ahora.

La señora Stone se quedó parada y se giró para mirar de frente a Grace. Tenía la boca cerrada y los ojos muy abiertos.

—Lo siento —dijo Grace—. Quizá no debería haber preguntado.

—No pasa nada. Está en todo su derecho de preguntar —dijo el ama de llaves que, echando una ojeada a la puerta, continuó en voz baja—. No, milady. No siempre ha sido así. Westover solía ser un lugar muy alegre, lleno de risas.

—¿Y qué ha pasado para que todo esté tan sombrío?

La señora Stone volvió a mirar hacia la puerta.

—Todo cambió cuando el anterior marqués, el padre de su marido, murió hace veinte años. La muerte de lord Christopher los llenó a todos de pena, una pena que todavía hoy perdura. Su muerte también fue la causa de la mala relación entre el duque y el marqués, su marido. Una lucha que también sigue muy viva. Y la pobre lady Frances. Era una mujer tan alegre. Fue como si la muerte de lord Christopher también se hubiera llevado la vida de los miembros de esta familia —dijo, y volvió a hablar más alto—. Aunque no todos los Wycliffe son tan sombríos. ¿Ha conocido a lady Eleanor?

Grace sonrió.

—Sí, y me ha parecido muy agradable.

—Es tan dulce, y tiene un carácter muy diferente al de los demás. Es una bendición del cielo y lord Knighton la adora. Sin ella, estoy segura de que el marqués habría...

—Ya es suficiente, señora Stone.

El ama de llaves se giró con los ojos como platos. Al otro lado de la habitación, mirándola con desaprobación, estaba Ambrose, que había aparecido de repente. La cara del mayordomo reflejaba su enfado.

—El marqués me ha pedido que informe a lady Knighton de que la cena está servida en el comedor —dijo, y miró a Grace—. La señora Stone se encargará de acabar de deshacer su equipaje, milady.

Era insolente, aunque lo suficientemente educado como para evitar cualquier acusación de insubordinación. Sin embargo, y a juzgar por la expresión de la señora Stone, estaba muy claro que le tenía mucho miedo, un miedo que se había ido forjando con los años.

—Gracias, Ambrose —dijo Grace—. Dígale al marqués que bajaré enseguida.

El mayordomo permaneció en el umbral de la puerta.

—Le tengo que enseñar el camino hasta el comedor ahora mismo, milady —dijo, muy serio—. Son órdenes de lord Knighton.

Aunque ella hubiera preferido que fuera la señora Stone la que la acompañara hasta el comedor, Grace no quería causarle ningún problema innecesario al ama de llaves. Así que decidió acompañar a Ambrose, aunque no le hacía mucha gracia. No le gustaba y tenía la sensación que ella tampoco le gustaba a él.

—Muy bien. Señora Stone, si no es mucha molestia, antes de acostarme me gustaría darme un baño para quitarme el polvo del viaje.

—Por supuesto, milady. Lo tendré todo preparado para cuando acabe de cenar —dijo la señora Stone, mientras hacía una reverencia y se reía a pesar del enfado de Ambrose.

Grace siguió al mayordomo a través de los mismos oscuros pasillos que acababa de recorrer. La única luz que había era la de la vela que llevaba Ambrose. En su compañía, a Grace le parecía que la casa era más misteriosa que antes, como cuando aparece una nube muy gris en un día ya de por sí tormentoso. El mayordomo no le dijo nada, sólo le advirtió de un escalón al girar una esquina. Incluso entonces pareció que lo dijo más por la costumbre de avisar siempre que por preocupación hacia ella. Cuando llegaron a la escalera que llevaban a la planta baja, Grace al fin habló:

—Ambrose, espere un momento.

Él se detuvo y se giró hacia ella.

—Espero que no regañe a la señora Stone por mi curiosidad. He sido yo quien ha iniciado la conversación que escuchó arriba, no ella.

A la luz de la vela, la cara del mayordomo era muy macabra porque las anguladas facciones se acentuaban todavía más.

—Ya lo sé, señora, y no hay ninguna razón para que hable más del tema con la señora Stone. En el futuro, sin embargo, si tiene alguna pregunta sobre el marqués o los miembros de su familia, estoy seguro de que al señor le gustaría mucho más que se la hiciera a él en vez de al servicio. Nosotros no sabemos con certeza nada relacionado con lo acontecido en esta casa en el pasado. Sólo son conjeturas.

—Estoy segura de ello, Ambrose. Sin embargo, ¿tengo que recordarle que la familia del marqués ahora también es mi familia?

El mayordomo la miró sin decir nada. Al final, habló:

—Por supuesto, milady.

Luego se giró y siguió bajando la escalera.

Todavía tuvieron que caminar un poco; pasaron junto a armaduras y viejas armas que brillaban con la luz de la vela. Para intentar pensar en otra cosa, Grace se preguntó cuántas cabezas habrían cortado los artilugios de tortura que se iban encontrando por el camino, y si alguno se había usado con alguna Westover recién casada.

Llegaron a una gran puerta arqueada de doble hoja y el mayordomo se apartó a un lado, para que Grace pasara delante. Entró en una enorme sala donde había una mesa de grandes dimensiones en el centro. Cabrían unos treinta servicios y cuando estuviera llena, habría tanta comida que podría abastecer al pueblo entero de Ledysthorpe. En un extremo, junto al fuego, estaba sentado lord Knighton, que parecía un rey delante de su corte. Aunque en la mesa no había ningún cortesano ni ningún trovador para amenizar la fiesta, sólo una silla vacía a su derecha con un servicio completo que, obviamente, era para ella.

—Buenas noches, milord —dijo Grace, mientras se acercaba a él, dejando atrás a Ambrose.

Christian se levantó.

—Buenas noches, milady. Espero que las estancias ducales fueran de su agrado.

Grace tomó asiento.

—Lo poco que he visto antes de que Ambrose llegara para escoltarme hasta aquí parecía muy agradable.

—Lo siento. Quería darle más tiempo para que se preparara para la cena, pero la cocinera nos estaba esperando. La comida ya estaba hecha.

Grace se preguntó si había abandonado sus negocios para compartir la cena con ella, aunque no lo dijo en voz alta. Cogió la servilleta de hilo, la desdobló y se la colocó encima de las rodillas. De entre las sombras, aparecieron dos camareros para servirles la humeante sopa de tortuga en tazones.

—Me pregunto, milord —dijo Grace, después de tomar un sorbo de sopa—, ¿por qué nos quedamos una noche en Westover Hall? Si tiene que atender a sus negocios, podríamos quedarnos más tiempo.

Christian no la miró, sólo se limitó a tomarse la sopa.

—Hay asuntos más urgentes que me reclaman en Londres. Además, no tardaré demasiado en acabar lo que tengo que hacer aquí. Nos marcharemos mañana por la mañana, como estaba previsto.

Siguió comiendo, como dando a entender que la conversación había terminado. Sin embargo, Grace no podía evitar la curiosidad.

—Pero si tenemos que marcharnos mañana por la mañana, ¿no habría sido mejor pararnos a pasar la noche en algún lugar entre Little Biddlington y Londres o incluso volver a la ciudad en lugar de hacer un viaje de un día entero hacia el oeste?

Christian dejó la cuchara en el plato. La miró fijamente a los ojos.

—Sí, milady, hubiera sido lo mejor, y le prometo que si yo hubiera escogido es lo que habríamos hecho. Sin embargo, existe una tradición entre los Westover, una que usted no conoce. Llámela norma, si quiere. Es ésta: todas las recién casadas deben pasar la noche de bodas en la cama ducal de

Westover; para ser más exactos, deben perder la virginidad en esa cama. Se dice que así el matrimonio se asegura que el primer hijo será un heredero varón.

En ese momento, Grace se quedó boquiabierta, y un segundo más tarde, su cuchara de la sopa se le cayó al suelo.

8

Cuando regresó a su habitación después de la cena, en una habitación contigua al dormitorio encontró una bañera de cobre esperándola. La señora Stone había esparcido pétalos de rosa por encima del agua, humeante, que invitaba a entrar. Además, había encendido el fuego y la habitación estaba caldeada. El ama de llaves había preparado todo lo que podría necesitar: jabón con el escudo de armas de los Westover grabado, una manopla, toallas y una bata gruesa. Incluso había colocado su camisón y el cepillo del pelo en el tocador junto a una nota donde le decía que, si necesitaba ayuda después del baño, no dudara en hacer sonar la campana.

Impaciente por darse un baño, Grace empezó a desnudarse; se desabotonó el canesú y se sacó el vestido por los pies. Al sacar las piernas, se quedó mirando el vestido de seda que ahora estaba en el suelo: su vestido de novia. Jamás había pensado que ese sería su vestido novia; ella siempre había soñado que llevaría el que su madre y su abuela llevaron el día que se casaron. Nonny le había prometido: «Si llevas este vestido, tu matrimonio será bendecido con la felicidad y la satisfacción que tanto tu madre como yo encontramos en nuestros matrimonios».

Sin embargo, con las prisas del duque por celebrar la boda tan pronto, el vestido de su abuela no había llegado a tiempo de Ledysthorpe. En lugar de eso, se había puesto el vestido más bonito que tenía, el mismo que había llevado el día del baile en casa de los Knighton cuando había aparecido de repente en el vestidor del que ahora era su marido. Esperaba que, después de lo que había pasado esa noche, el vestido no estuviera maldito.

Grace recogió el vestido del suelo y lo dejó cuidadosamente sobre los pies de la cama, la cama ducal, la cama ducal de los Westover. Era una cama enorme de madera talla que estaba muy alta y forrada con preciosos terciopelos. Las palabras de Christian resonaban en su cabeza una y otra vez.

«Todas las recién casadas deben pasar la noche de bodas en la cama ducal de Westover; para ser más exactos, deben perder la virginidad en esa cama.»

Grace no era completamente ajena a lo que pasaba entre un hombre y una mujer, con el posterior fruto de los hijos. Se había criado en el campo entre caballos, perros y animales de granja. Aunque todo le parecía un poco extraño, siempre había pensado que cuando le llegara la hora, sabría algo más que el nombre del hombre con el que iba a compartir esa experiencia.

Se giró y se sacó las horquillas del pelo, dejando que la melena le cayera libre hasta la cintura. Entró en la bañera, se estiró y el agua la cubrió, envolviéndola en calidez. Mientras se bañaba, no dejó de pensar que esa noche podría concebir un niño. Sabía que la habían elegido por eso, ésa era la razón por la que el duque le había buscado esposa a su nieto. Era lo que se esperaba de toda mujer recién casada, que engendrara un heredero. Pensó que sería una madre muy distinta a las demás, muy distinta a todas esas mujeres que venían a visitar a su abuela en Ledysthorpe cuando ella era pequeña.

Desde el día que había cumplido trece años, Nonny le había permitido a Grace que se sentara y tomara el té con ella y sus invitadas, a pesar de las miradas de desaprobación de las otras mujeres. Grace se sentaba en silencio, sorbiendo el té y escuchando cómo todas se quejaban del cuarto de hora al día que veían a sus hijos, como si fueran un estorbo en lugar de un privilegio. Cómo presumían de dejar a sus hijos casi desde que nacían en manos de una enfermera y, cuando crecían, de una institutriz. Cómo luego se sorprendían de lo mal educados que eran sus hijos y de lo mal que hablaban, igual que los criados. Mientras las escuchaba un día tras otro, Grace aprendió que cuando ella tuviera hijos se tomaría en serio su papel de madre, tanto si estaba bien visto como si no. Les cantaría hasta que se durmieran, los amamantaría y les enseñaría lo mismo que Nonny le había enseñado a ella. Y, por encima de todo, estaba decidida a no permitir que sus hijos no se sintieran queridos por sus padres.

Grace cogió el pequeño aguamanil que había junto a la bañera y si inclinó para aclararse. Mientras lo hundía en la bañera por segunda vez, escuchó el ruido de una puerta que se abría y se cerraba en la habitación contigua. Se quedó inmóvil. ¿Ya estaba allí? ¿Tan pronto? Esperó en silencio, pero lo único que oía era el latido de su corazón y el murmullo del agua.

Se puso de pie y, cuando estaba saliendo de la bañera, de repente se abrió la puerta. Hizo lo primero que se le vino a la cabeza. Inmediatamente cogió la bata y se la puso lo más rápido que pudo, al tiempo que decía:

—Por favor, milord, respete mi privacidad. Me estoy dando un baño.

Sin embargo, no era lord Knighton. Era una doncella joven, no debía tener más de dieciocho años, con una bandeja en las manos.

Hizo una breve reverencia.

—Perdóneme, milady. Le traigo una taza de té. Lord Knighton ha pensado que quizá le apetezca un poco antes de acostarse.

Sintiéndose un poco estúpida, Grace empezó a secarse el pelo con una toalla.

—Gracias. Déjala ahí, por favor.

—Sí, milady. ¿Quiere que la ayude a cepillarse el pelo y a vestirse para acostarse, milady?

Grace la miró y estuvo a punto de aceptar. Sin embargo, al final decidió que sería mejor ocupar al máximo el tiempo mientras esperaba la llegada de lord Knighton.

—No, gracias. Creo que puedo hacerlo sola.

La doncella hizo otra reverencia antes de marcharse y cerrar la puerta.

Grace fue hasta donde había dejado la bandeja, se sentó en una silla como más le gustaba, con las piernas dobladas debajo de ella, cogió la tetera y se sirvió un poco en la taza. Pensó que había sido muy amable por su parte acordarse de ella y enviarle el té. Bebió un sorbo e inmediatamente empezó a toser. Los ojos se le llenaron de lágrimas y la garganta le ardía. Al té le habían echado un chorro de algo bastante fuerte, bastante más que la copa de vino a la que estaba acostumbrada. Estuvo a punto de dejar la taza allí abandonada, hasta que sintió una cálida sensación en el estómago.

Cogió la taza y bebió otro sorbo, pensando que ojalá lord Knighton se hubiera acordado de enviarle unas galletas con el té. Estaba hambrienta. Sólo había probado un par de bocados en la cena, aunque todo estaba muy bueno. En realidad, después de oír lo que había dicho sobre las tradiciones en la cama ducal no había podido comer nada más. Bebió otro sorbo y miró la tetera, donde todavía quedaba más de la mitad del líquido. Cogió la bandeja y se la llevó al dormitorio, pensando que se tomaría otra taza mientras se ponía el camisón, se peinaba y esperaba a lord Knighton.

Sin embargo, cuando volvió a mirar el reloj, ya era casi medianoche. Se había bebido todo el té. Incluso se había colocado una cinta en el pelo con un bonito lazo encima. Llevaba su camisón preferido, el de hilo blanco con los botones de perlas en la parte delantera. Había leído tres capítulos completos de la novela. Y todavía no había ni rastro de lord Knighton.

Bostezó y se hundió en las almohadas de plumas de la cama ducal exageradamente grande. Movió los dedos de los pies, que ni siquiera llegaban a la mitad del colchón, y pensó que allí podrían dormir perfectamente ella, lord Knighton, Ambrose y la señora Stone. Incluso hasta los camareros que les habían servido la cena. Se rió ante la idea de sacrificar su inocencia en la gigantesca cama ducal de los Westover mientras el imperturbable Ambrose la observaba desde el otro lado del colchón.

Miró las columnas del dosel, gruesas como los troncos de los árboles, y se preguntó por qué las figuras talladas en la madera oscura parecían bailar. Pensó en las otras recién casadas y virginales esposas que se habían tendido en esa misma cama antes que lo hiciera ella. ¿Las figuras también habían bailado para ellas? Quizás formaba parte de la tradición. Miró al otro lado del colchón, buscando el suelo, pero no lo veía. Sin duda la cama había sido elegida especialmente para otro propósito, porque era tan alta que las damas no se escapaban por miedo a caerse y romperse el cuello.

El reloj tocó las doce y media y Grace seguía sola. Quizá lord Knighton se había dado cuenta de su consternación durante la cena; seguro que con el ruido de la cuchara de la sopa al caer al suelo y la cara de sorpresa de Grace se había hecho una idea. A lo mejor había decidido olvidarse de la tradición de esa cama y esa noche. La vela de la mesilla de noche ya estaba casi apagada. Los demás ya hacía mucho rato que se habían acostado. Y el fuego cada minuto quemaba más lentamente.

La vigilancia de Grace sobre la puerta empezó a fallar cuando tuvo que luchar por mantener los ojos abiertos. Con una mano se tocó la mejilla. El té y lo que fuera que lo acompañara la habían echo entrar en calor de inmediato. Se quitó el cobertor con los pies. Ya era muy tarde. Cerró los ojos, pensando que seguramente lord Knighton había decidido acostarse, pero en otra cama, en otra parte de esa sombría y espeluznante casa. Sí, eso es lo que había debido pasar…

En lo que a ella le pareció el espacio de un segundo, se oyó un crujido al otro lado de la habitación, un ruido que le resonó en la cabeza. Hizo un esfuerzo por abrir los ojos, y aún así sólo consiguió entreabrirlos, para ver una figura entre las sombras producidas por el fuego. Era la doncella, pensó, y si volvía con más té, esperaba que esta vez lo acompañara con algo para comer.

—Perdone —consiguió decir—. ¿Le importaría traerme unas galletas, por favor?

Se preguntó por qué su propia voz sonaba tan extraña.

No obtuvo respuesta. Grace parpadeó y vio que la figura se acercaba a la cama. Pensó que era muy curioso, pero parecía que la doncella había crecido uno o dos palmos de golpe, y era más ancha, sobre todo de los hombros.

Al final la figura quedó iluminada y vio claramente que no era la doncella.

Era lord Knighton que estaba de pie en su dormitorio. Llevaba una bata y tenía los pies descalzos. La estaba mirando fijamente. Se acercaba a la cama.

Lo último que pensó antes de tenerlo frente a frente era que, al parecer, había decidido conservar la tradición de los Westover después de todo.

9

Christian miraba a Grace mientras se acercaba a ella. Era tarde, lo sabía, y una pequeña parte de él había deseado que estuviera dormida. No había imaginado que tardaría tanto en entrar en ese dormitorio.

Había pasado gran parte de las última horas con una botella de coñac, diciéndose que estaba dándole tiempo a Grace para que se preparara para la ineludible conclusión de la noche cuando, en realidad, era él el que había necesitado todo ese tiempo. No se había sentido tan extraño e inseguro desde que, a los quince años, había perdido la virginidad con la hija de lord Whitby de diecisiete años en los establos de los Westover.

Estaba a punto de consumar su matrimonio, y al mismo tiempo estaba a punto de no consumarlo.

A los nueve años, un niño no puede entender las repercusiones de sus actos. Actúa sin pensar, sin considerar que puede pagar las consecuencias cinco, diez o veinte años después. De modo que, cuando Christian estuvo frente a su abuelo horas después de la muerte de su padre, lo único que quería era proteger a la familia que le quedaba: su madre y la hermana que estaba por nacer. Incluso habría accedido a que le cortaran el brazo, si hubiera sido necesario, pero el duque tenía otra cosa en mente.

—Únicamente vivirás la vida que yo decida elegir para ti, Christian. Seguirás el camino que te indique. Te casarás cuando yo lo decida. Y, llegada la hora, me darás tu primer hijo varón.

Hace años todo le había parecido muy fácil, muy lejano, incluso «justo». Dos vidas a cambio de dos vidas. Las de su madre y el hijo que llevaba en el vientre por la suya y la de un hijo que ni siquiera podía imaginarse. Incluso le había parecido que salía ganado y, aunque su madre le había rogado que no lo hiciera, Christian aceptó las condiciones de su abuelo y estampó su infantil firma en el contrato que su abuelo había redactado precipitadamente. ¿Qué otra opción tenía? Si no lo hubiera hecho, el duque los habría destruido a los tres.

Así que Christian se había pasado las dos décadas siguientes viviendo la vida que habían escogido para él. Ahora se había casado con la mujer que su abuelo había elegido y cumpliría su deber y la convertiría en su esposa en todos los aspectos, pero lo que no haría sería convertirse en uno más de los sementales Westover y engendrar al próximo varón de la familia para hacerlo un desgraciado mientras su diabólico abuelo estuviera vivo. Tenía un plan. Desvirgaría a su mujer, tal como habían acordado con el duque, pero no dejaría que el encuentro llegara a la conclusión habitual de derramar la simiente dentro de ella. Si él podía, su abuelo no dispondría a su antojo de la vida de otro inocente. Era el único modo de que él pudiera vivir con el acuerdo que había hecho con su abuelo, el único modo que tenía para poder seguir mirándose cada día al espejo. Y, por encima de todo, estaba decidido a no sentir nada en absoluto mientras se ocupaba de desvirgar a su mujer.

Christian cruzó la habitación en silencio hasta que llegó junto a la cama. Grace no se movió, no dijo nada; sencillamente lo miraba, perdida en esa gigantesca cama. El pelo rizado le caía encima de los hombros, brillante como chorros de oro encima de la sábana. Contuvo el impulso de tocarlo para ver si era tan suave como parecía. Decidió concentrarse en los ojos muy abiertos que lo miraban.

Grace parpadeó.

—Tú no eres la doncella —dijo, con mucha dificultad para vocalizar—. Eres lord Knighton.

—Sí, milady, pero creo que sería mejor que me llamara Christian.

—Chris… tian —repitió ella, asintiendo lentamente. Cerró los ojos y, un momento después, lo miró y sonrió—: Yo soy Gra… ce.

Tuvo que contenerse para no devolverle la sonrisa y, en vez de eso, dijo:

—Grace, ¿me equivoco si digo que te has bebido todo el té que te he enviado?

—Mmm… no. —Negó con la cabeza—. Has tardado mucho.

—Lo siento. Los negocios me han retenido más de lo que esperaba.

En realidad, Christian nunca hasta ahora se había dado cuenta de todo lo que tenía que pensar antes de acostarse con su mujer. Durante todo el tiempo que había estado en el piso de abajo, le había estado dando vueltas al mejor modo de enfocar este asunto, sopensándolo todos hasta que al final había hecho una especie de lista, un plan práctico para el marido desafortunado. En primer lugar, le había ofrecido un poco de coñac para disuadir los miedos. A juzgar por cómo estaba ella ahora, había funcionado. A continuación necesitaría oscuridad para que no estuviera incómoda…

Se inclinó, sopló la única vela que todavía estaba encendida en la mesilla y los dejó a oscuras, sólo iluminados por el fuego.

—No has cenado demasiado.

Grace agitó la cabeza. Luego frunció el ceño como si pasara algo.

—¿Ocurre algo?

—No; es que no sé por qué toda la habitación da vueltas aunque yo esté aquí quieta.

Christian también frunció el ceño. Puede que, después de todo, el coñac no fuera tan buena idea. Estaba medio borracha.

—¿No te ha gustado lo que la cocinera ha preparado para cenar?

—No. Digo sí. Sí que me ha gustado, estaba muy bueno, lo que he probado, sólo es que… es que… es…

Grace se olvidó de lo que iba a decir mientras observaba cómo Christian rodeaba la cama. Se sentó a los pies del colchón, justo al lado de su pierna, que estaba debajo de las sábanas, y pasó al siguiente punto de la lista: saber qué sabía su mujer acerca de de las relaciones sexuales.

—Grace.

Ella lo miró fijamente mientras él se acercaba más.

—Sé lo que vas a hacer. Voy a perder la virginidad, ¿verdad?

Christian se apoyó sobre un codo y se inclinó hacia ella.

—Sí, Grace. Eso es lo que va a pasar.

Colocó la mano sobre el nudo que ataba la bata y lentamente lo deshizo. Ella apenas se dio cuenta de la maniobra. Estaba demasiado ocupada mirándolo a los ojos de un modo nada temeroso o nervioso, sino más bien curioso. Esta claridad en su mirada desconcertó a Christian. No era lo que esperaba de su virginal esposa. Se había dicho una y otra vez que esa noche tenía que cumplir una misión, sin importarle lo desagradable que pudiera llegar a ser, igual que las interminables lecturas filosóficas que había tenido que soportar en Eton mientras estudiaba. Pero ¿cómo demonios se podía comparar hacer el amor con Descartes?

—Grace, ¿qué sabes de la relación entre un hombre y una mujer?

Grace sonrió y parpadeó lentamente.

—Más de lo que crees.

Christian arqueó una ceja.

—¿De verdad?

Ella asintió, muy segura de sí misma.

—Crees que soy una ignirante… ignar… ig… —Al final desistió, y añadió—. Crees que no sé lo que vamos a hacer —dijo, y sonrió—. Pero sí que lo sé.

—¿Lo sabes?

—Ajá —dijo y, mirándose el cinturón desabrochado, añadió, con total naturalidad—: Aguja e hilo.

Christian no pudo evitar reírse.

—¿Has dicho aguja e hilo?

Grace lo miró, extrañada por su respuesta.

—¿No lo sabes? Mi abuela me dijo que los hombres nacen sabiendo estas cosas —Se rió—. Es divertido pensar que seré yo quien tenga que enseñarte —Se sentó en la cama, lo miró y empezó a hablar muy seria—. Mira, yo soy la aguja y tú el hilo…

Christian la miraba fijamente, anonadado.

—… Sin un elemento, el otro no puede crear una puntada de verdad.

Dios mío, pensó él, la situación era más desesperada de lo que se había imaginado. Grace no tenía ni la menor idea de lo que implicaba el acto sexual. Aguja e hilo…

—Grace, ¿cuántas veces te han besado en tu vida? Y no me refiero a besos de familiares.

Grace lo miró, estudiando cuidadosamente la pregunta.

—¿Incluyéndote a ti?

El recuerdo de su visita al vestidor la noche del baile de Eleanor volvió a la mente de Christian.

—Sí.

—Una vez.

Lo suponía. Christian se levantó de la cama. Quizá, después de todo, tendría que recurrir a la teoría filosófica. Si la educaba y al prevenía sobre lo que iba a suceder, quizá se evitaría una escena histérica cuando se acercaran a la consumación. Le ofreció la mano.

—Grace, ven, ponte delante de mí.

Grace salió de la cama y se colocó frente a él, mirándolo a la luz del fuego. Estaba despeinada y llevaba el camisón abotonado hasta la barbilla. Jugueteaba con los dedos de los pies mientras esperaba que él hiciera lo que tuviera planeado. Christian intentó pasar por alto el suave olor a flores que desprendía mientras se inclinaba y tocaba sus labios con los suyos. Ella estaba completamente quieta, con la boca cálida y generosa, el beso casto y sin pretensiones. Al cabo de un momento, él se separó.

Grace abrió los ojos y parpadeó:

—¿Eso es todo? ¿Ya he perdido mi virginidad?

—No exactamente.

Christian, que estaba decidido a mantenerlo todo en un plano meramente filosófico, dijo:

—Grace, doy por sentado que nunca has visto el cuerpo de un hombre.

Ella asintió en silencio, aunque luego se lo volvió a pensar y negó con la cabeza.

—El cuerpo de un hombre es muy distinto al de una mujer. Es así por una razón, para que encajen, físicamente.

—Ella seguía mirándolo—. No quiero que te asustes. Así que me gustaría que me miraras, que miraras mi cuerpo, antes de consumar nuestro matrimonio.

Christian se desabrochó el cinturón de la bata. Mirando a Grace fijamente, abrió la bata por delante y la dejó caer al suelo. Debajo no llevaba nada, claro, y el beso que le había dado lo había excitado más de lo que él hubiera querido. La miró mientras los ojos de ella le recorrían el pecho y bajaban hasta el pene erecto entre las ingles. Grace frunció el ceño, como si estuviera un poco confundida por lo que veía, como si no entendiera cómo tenían que encajar. Christian vio en sus ojos el momento en que lo entendió todo, cuando comprendió lo que estaba a punto de suceder. Sin embargo, no retrocedió ni lo miró asustada. Al contrario, lenta y curiosamente alargó la mano y lo tocó con dos dedos. El cuerpo de Christian, en respuesta, se sacudió. Ella retrocedió inmediatamente.

—Lo siento —susurró.

Christian la miró, tragó e hizo un esfuerzo por controlar el pulso acelerado que notaba en el corazón. Ahora daba gracias por la oscuridad.

—No me has hecho daño, Grace. A veces, el cuerpo del hombre reacciona sin que él quiera.

Ella no lo entendía, por supuesto, y en ese momento él no tenía la capacidad para sentarse a explicárselo, así que, en lugar de eso, la llevó a la cama y la dejó encima de las almohadas.

Christian tuvo que pelear mucho por controlar todas las emociones que sentía. Se tendió a su lado y la volvió a besar, aunque esta vez le cubrió la boca con la suya y la apretó contra su cuerpo. Mientras lo hacía, viajó mentalmente hasta Eton, hasta aquellas horas interminables de lecturas y dictados. El beso se hizo más profundo, Christian la acariciaba con la lengua. Sabía a té y al coñac que él le había echado y el pelo le caía suave sobre las mejillas. Él sabía que nadie la había besado nunca así, pero aún así ella no se escondía como él habría esperado. En lugar de eso, su pequeña y virginal esposa le devolvía los besos. Notó que Grace abría la boca y lo besaba, apretando su cuerpo incluso más contra el de él. Sintió una sacudida en su interior.

Más afectado de lo que esperaba, Christian se apartó y la miró.

—Vamos a ir despacio —dijo, más para sí mismo que para ella.

Había entrado en esa habitación para cumplir su deber como marido, pero únicamente hasta que las pruebas que sabía que los sirvientes buscarían al día siguiente fueran evidentes: la sangre virginal en las sábanas. Se había dicho una y mil veces que podía separar el cuerpo y la mente. Sin embargo, al parecer no sería fácil, porque la sangre de las venas ya le ardía, y sólo la había besado una vez.

Empezó a recitar mentalmente una serie de preceptos filosóficos, cualquier cosa que ocupara su mente mientras le desabrochaba los botones del camisón. Los dedos iban veloces de uno a otro hasta que llegó a la cintura. Apartó la ropa y contuvo la respiración ante la palidez intacta de su piel, la pureza de sus pezones rosados. Era perfecta en todos los sentidos. Cuando la penetrara, sabía que encajarían a la perfección, y esa idea lo encendía todavía más. Le arremangó el camisón hasta la cintura, dejando al descubierto el triángulo dorado entre los muslos. En su interior, Christian recitaba los diálogos socráticos en un esfuerzo por controlar el creciente deseo de su cuerpo.

Se dijo que sería un poco más fácil si ella estuviera al menos un poco excitada, así que la volvió a besar y, mientras lo hacía, fue bajando la cabeza por el cuello hasta que le acarició un pezón con los labios. Grace se arqueó, respirando hondo mientras la invadían las primeras sensaciones de deseo. Levantó las manos y entrelazó los dedos entre el pelo de Christian mientras él seguía adorándola, luego cerró los puños a medida que él la introducía más y más en el desconocido mundo de su propia sensualidad.

Cuando él se apartó para mirarla, ella abrió los ojos y lo miró con un silencioso desconcierto. La suave luz del fuego brillaba en su dorado pelo y la aceleración del corazón era evidente en el hueco del cuello. Christian empezó a notar que sus intenciones eran cada vez más borrosas. Sus manos acariciaban todo el cuerpo de su mujer, le llenaban la boca de besos, se introducía en el placer de su cuello, la emoción del susurro de una caricia en el hombro.

Con cada gesto, con cada movimiento de sus dedos, Grace le devolvía las caricias con más cariño, acariciándole la espalda, el cuello. Con cada movimiento, cada vez que lo tocaba, la necesidad de Christian por ella crecía. La recorrió con la mano y se detuvo a la altura de los muslos. Lentamente y con cautela le separó las piernas, le acarició la piel, preparándola para él.

Cuando la tocó de una manera más íntima, llegando a lugares que ella no sabía ni que existían, Grace jadeó en voz alta. Christian sentía que la sangre le iba a hacer estallar la cabeza. Su impaciencia por descubrirla por dentro, por satisfacer su propia necesidad, hizo que se colocara encima de ella, entre sus piernas, besándola otra vez. Primero con una mano y luego con la otra, le levantó las piernas y se las dobló a la altura de la rodilla. La tocó con los dedos, notó la humedad y eso hizo crecer la desesperación por comprobar cómo se acoplaban. La miró, dudando un segundo hasta que ella lo miró, diciéndole con los ojos que no tenía miedo. Esa mirada alejó todas las dudas y Christian se hundió en ella, ahogando con su propia boca el grito por la inesperada punzada de dolor; el cuerpo de su mujer se abría naturalmente para recibirlo.

Desde el momento que la penetró, Christian sólo pudo pensar en sus dos cuerpos juntos. Era tan suave, tan preciosa, que fue incapaz de controlar su cuerpo mientras pronunciaba el nombre de su mujer, movía las caderas, empujaba, más y más, cerraba los ojos con fuerza. El olor del cuerpo de Grace, la calidez y suavidad de su piel, su pasión, su sexualidad, todo pudo con él. Con cada empujón su desesperación era mayor, de modo que sólo pudo desear librarse del tormento en el que ella lo había sumido con otro y otro y otro más. Hundió la cabeza en su cuello, respirando con fuerza con su pelo, gimiendo, moviéndose hacia arriba y hacia abajo hasta que, cuando llegó a un punto en que ya no pudo más, la penetró una última vez, más profundo de lo que jamás había imaginado.

Apenas la oyó gritar porque sólo oía el latido de su corazón y su propio grito cuando alcanzó el orgasmo y se deshizo de la necesidad, la rabia y el tormento, devolviéndolo a la realidad cuando su cuerpo se agitó, derramándose dentro de ella.

Christian tardó unos segundos en recuperar todas las facultades. Sólo entonces se dio cuenta de lo que había hecho. Se separó de Grace abruptamente como si, al hacerlo, pudiera deshacer lo que acababa de suceder. Pero era demasiado tarde.

Se sentó en el extremo de la cama dándole la espalda a ella. Toda la pasión y el deseo que había sentido momentos antes habían desaparecido, dejándolo vacío, entumecido y sin acabarse de creer que había hecho lo único que había jurado que no haría. No sabía qué había sucedido, cómo había podido llegar a perder el control de una situación en la que se suponía que era el maestro. Era su noche de bodas y lo que había hecho no tenía nombre. No había reaccionado antes de derramarse dentro de ella. Al final, su abuelo había vuelto a ganar.

Christian se levantó de la cama muy abatido. El fuego se había extinguido y ahora sólo quedaba una pequeña llama que bailaba entre las cenizas. Grace seguía tendida en la cama, desnuda a la luz del fuego, mirándolo. Levantó la mano y le hizo un gesto para que se acercara, pero él no lo hizo. Sólo la miraba, en silencio, y al cabo de un rato ella bajó la mano lentamente.

Se acercó sin decir nada y la tapó con las sábanas hasta la altura de los pechos. Frunció el ceño, la miró un instante antes de ponerse la bata y alejarse, mientras decía:

—Buenas noches, Grace.

Cuando cerró la puerta, supo que, de algún modo, desde donde estuviera, su abuelo se estaba regodeando con lo sucedido.

10

El día amaneció lleno de júbilo con el sonido del viento bailando entre los árboles, el movimiento de los sirvientes que iban de un lado a otro de la casa: los pasos resonaban, se oían voces y puertas que se abrían y cerraban. Perdida entre sábanas y almohadas en la cama ducal, Grace abrió los ojos muy despacio.

Por las ventanas de la habitación entraban los rayos de sol, se reflejaban en las alfombras e iluminaban la habitación. Veía la luz a través del velo de pelo que le cubría los ojos. A la luz del día, la habitación no le parecía tan lúgubre como la recordaba de la noche anterior. Los muebles eran bastante bonitos, de estilo tudor, y estaban tapizados con terciopelo de color burdeos y oro. Las sombras ya no trepaban por las paredes. Los grabados de la madera de la cama ya no parecían demonios. Ahora se veía claramente que eran querubines sentados entre las nubes. ¡Qué distinto era todo a la luz del día!

Grace levantó la cabeza de la almohada cuando oyó que la puerta de la habitación se abría. Una doncella se asomó y, cuando la vio despierta, abrió la puerta y entró.

—Buenos días, milady —dijo, haciendo una reverencia. Era la misma doncella que la noche anterior le había subido el té.

—Buenos días.

A Grace le pesaba la cabeza más de lo habitual, como si tuviera algo dentro que no le dejara colocarse derecha. Cuando se sentó, notó un dolor entre las piernas. Inmediatamente se acordó de la noche anterior. ¿Por qué se bebió todo el té? Incluso ahora sólo recordaba muy vagamente lo que había pasado: los besos de Christian y una tontería sobre la aguja y el hilo. Recordaba el dolor que sintió cuando la penetró, pero no recordaba mucho más hasta que él se marchó y la dejó sola. Lo único que sabía es que, fuera lo que fuera lo que se suponía que tenía que hacer, lo había hecho mal. ¿Por qué si no se marcharía así un marido de la cama de su mujer en la noche de bodas?

—¿Cómo te llamas? —le preguntó a la doncella mientras ésta hacía sus tareas en la habitación.

La muchacha se quedó un poco sorprendida por la pregunta.

—Eliza Stone, milady. Pero todos me llaman Liza.

—Stone. ¿Eres familia de la señora Stone, el ama de llaves?

—Sí, milady. Es mi tía. Gracias a ella pude entrar a trabajar en esta casa.

Grace asintió. Escuchó ruido de caballos en el camino de la entrada, se levantó y fue hasta la ventana para echar un vistazo. El carruaje que los había traído el día anterior estaba frente a la puerta y el cochero estaba revisando los arneses y los cierres. Entonces recordó que esa misma mañana se iban a Londres.

—Liza, ¿qué hora es?

—Las nueve y cuarto, milady —dijo, cogiendo el vestido que estaba encima de todos en el baúl de Grace y lo sacudió un poco para quitarle las arrugas—. Lord Knighton ya está despierto. Me ha dicho que la despertara y le dijera que se marchan a Londres a las diez. Le espera un largo viaje.

Dejó el vestido a los pies de la cama, un sencillo vestido de rayón para ir de viaje, y los demás accesorios necesarios que también sacó del baúl: las enaguas, las medias y los botines.

—Tiene el desayuno preparado en el salón de abajo. Cuando esté vestida, les diré a los chicos que suban a recoger los baúles.

Grace se estaba poniendo el vestido cuando vio que la doncella miraba la cama con una expresión un tanto peculiar. Se giró para ver qué estaba mirando. La sábana estaba manchada de sangre de un color oscuro. Su sangre. Grace se asustó mucho y se tapó la boca con la mano. Sabía que no era la menstruación, todavía no le tocaba; sólo hacía quince días que se le había acabado. Recordó el dolor de la noche pasada.

—Oh, Dios mío… ¿Qué ha pasado? —dijo, mirando a la doncella con los ojos muy abiertos—. ¿Me estoy… muriendo?

Liza se acercó a ella rápidamente.

—No, milady. En absoluto. ¿No lo sabe? ¿No se dio cuenta? ¿Nunca se lo dijeron?

—¿Si nunca me dijeron el qué? ¿Que era normal que te hicieran daño en tu noche de bodas?

Liza agitó la cabeza y cogió la mano de Grace.

—No pasa nada, milady. Sólo es su sangre virginal. Es natural. Cuando una mujer duerme con un hombre por primera vez, pierde su virginidad.

Grace respiró con frustración.

—Sí, sí, eso ya lo sé, y que la chica ya se considera una mujer y puede participar en una conversación y ya no tiene que llevar acompañante. Incluso puede peinarse de otra manera. Pero ¿qué tiene que ver todo eso con la sangre?

—No me refiero a eso, milady. Hablo de cuando un hombre entra dentro de una mujer —dijo Liza, mirándola fijamente a los ojos—. Yo no puedo hablar por mí misma, porque nunca he estado con ningún hombre, excepto Jemmie el de los establos, que me puso la mano dentro del canesú y se llevó un puñetazo en la nariz. Pero mamá dice que el Señor nos ha hecho así para que el hombre pueda saber que es el primero que duerme con su mujer. Todas tenemos como un velo que el hombre rompe y que duele mucho y entonces sangramos, pero sólo pasa la primera vez, milady. Después ya no vuelve a pasar. Mamá dice que es el precio que pagamos todas las mujeres por los pecados de Eva —dijo, y continuó, aunque hablando en voz baja—. Pero mi hermana dice que, después de la primera vez, las otras son como ir al cielo sin haberse muerto.

Grace miró a la muchacha, que era más joven que ella, pero que sabía muchas cosas de las que ella ni siquiera había oído hablar, ni se le habían pasado por la cabeza. De repente, se sintió estúpida. Agitó la cabeza.

—Nadie me dijo nada.

Liza sonrió y colocó un mechón de pelo rizado detrás de la oreja de Grace.

—Y nos llaman a nosotros, el servicio, incivilizados. Al menos no enviamos a nuestras chicas al matrimonio y dejamos que crean, a la mañana siguiente, que se están muriendo.

Grace se sonrojó por su propia ignorancia. Liza le dio un apretón en la mano.

—No es culpa suya, milady. La alta sociedad no suele hablar de esas cosas. Mi madre ha tenido nueve chicas y, cuando cumplimos los quince años, nos coge por separado y nos habla de todo lo que ocurre cuando un hombre y una mujer están juntos debajo de las sábanas. Y por eso ninguna de nosotras se ha quedado embarazada sin haberse casado antes.

Grace la miró. Tardó unos segundos en hacerse a la idea de lo que había dicho la doncella. Un hijo. Un hijo que podía estar concebido por lo que ella y Christian habían hecho. Aunque al principio la idea de tener un hijo la asustó, al cabo de un momento sintió una dulzura que nunca había sentido. Instintivamente, se había colocado las manos encima de la barriga. Quizá ya había un niño o una niña creciendo en su interior. Alguien a quien querría con locura. Alguien que siempre estaría con ella, que la querría y que nunca la dejaría.

Volvió a oír el ruido de los caballos fuera y se acordó de la hora. No quería llegar tarde y correr el riesgo de enfurecer a Christian.

—Liza, ¿me ayudas a vestirme, por favor?

Se fueron a la pequeña habitación contigua en la que el día anterior Grace se había bañado y, en un rincón, escondida detrás de una discreta pantalla bordada, se aseó. Se limpió a consciencia antes de pedirle a Liza las enaguas y las medias.

Después se sentó delante del espejo mientras Liza le arreglaba el pelo y le hacía un recogido digno de una marquesa, aunque quedó muy poco de la Grace que había llegado a esa casa el día anterior. Se dio cuenta que ya nunca más sería lady Grace Ledys. Su nombre, su propio cuerpo, incluso las joyas, por el anillo que llevaba en el dedo, eran muy distintos. Había perdido la inocencia, ahora ya era una mujer y, por lo tanto, el recogido poco familiar le pareció apropiado. Pero ¿y Christian? ¿También se presentaría ante ella cambiado ahora que ya había asumido el papel de marido?

Grace estaba de pie mientras Liza le ayudaba a ponerse el vestido por la cabeza, arreglaba el tejido para que no quedaran arrugas antes de ponerse a abrocharle todos los botones de la espalda. El color pálido del vestido no iba demasiado con el recogido tan sofisticado que Liza le había hecho y Grace empezó a tener sentimientos contradictorios sobre su persona: la vieja Grace y la nueva.

Cuando terminó de vestirse, salió de la habitación ducal y bajó la escalera preguntándose qué le diría a Christian cuando le diera los buenos días en el desayuno. ¿Qué es exactamente lo que una mujer debe decirle al hombre con el que ha perdido la virginidad? ¿«Gracias, señor, por ocuparse de este asunto»?

Lo que en realidad Grace quería preguntarle es qué había hecho mal para que se fuera tan enfadado o, es más, qué es lo que debería haber hecho y no hizo. Sabía, por su abuela, que muchos matrimonios mantenían relaciones sexuales sin compartir la misma cama. Era algo que se consideraba normal. Y también sabía, por su abuela, que esos mismos matrimonios encontraban a alguien con quien compartir su tiempo cuando no estaban con su mujer o su marido.

¿Era eso lo que pretendía Christian? ¿Tenía planeado tener una amante y hacerle las mismas cosas que le había hecho a ella la noche anterior? ¿Buscaría a alguien que lo hiciera bien, con quien se pudiera quedar hasta el día siguiente en la cama? ¿Y si ya tenía una amante? Después de todo, él era un hombre de mundo y ella no era más que una chica de pueblo. A pesar de que otros matrimonios lo aceptaran, ella no estaba dispuesta a que Christian hiciera esas cosas con otra mujer. Aunque no recordaba mucho de la noche anterior, sí que guardaba la sensación de que había sido algo íntimo y muy bonito, la culminación de los votos que habían intercambiado ante Dios y el mundo, la culminación del destino que los había unido. Ahora que realmente sabía lo que pasaba entre un hombre y una mujer, la próxima vez estaría más preparada. La primera vez no había sabido qué esperar. Intentaría con todas sus fuerzas hacer bien lo que la noche anterior había hecho mal, aunque no sabía exactamente qué era.

El miedo que había sentido sobre cómo enfrentarse a Christian esa mañana se desvaneció cuando llegó a la puerta del salón y vio que estaba vacío, excepto un único servicio de desayuno preparado. Sintió que se le hacía un nudo en el estómago. Al parecer, él no tenía ninguna intención de desayunar con ella.

El sirviente, cuando la vio, rápidamente se acercó a la silla y la separó de la mesa. Ella se quedó en la puerta sintiéndose totalmente humillada por la negligencia de Christian. Iba a desayunar sola el día siguiente de su noche de bodas. El sirviente la miró con una expresión que ya colmaba el vaso de su paciencia. La estaba compadeciendo. Pensó que viajar todo el día con el estómago vacío era preferible a sentarse a desayunar sola para que todos en la casa la vieran.

—Gracias, pero esta mañana no me apetece desayunar —le dijo al sirviente.

Se dio media vuelta y se marchó corriendo para que no viera las lágrimas que ya le corrían por las mejillas.

11

Cuando salió del salón, Grace no sabía adónde iba, ni le importaba. Sólo quería correr. Se fue por un pasillo y se secó las lágrimas con frustración.

Mientras caminaba, intentó tranquilizarse un poco. Había decidido casarse con Christian sabiendo que sería duro llegar a congeniar, pero, si eso significaba que algún día compartirían el respeto y el amor que sus padres y sus abuelos habían sentido, merecía la pena intentarlo. ¿Era una tontería haberlo intentado? Sabía que cometería errores, pero pretendía aprender de ellos igual que de todo en la vida, desde la manera correcta de servir el té hasta las técnicas indicadas para dibujar bocetos proporcionados. Nunca le había gustado dejar las cosas a medias, ni siquiera las más extrañas. Siempre había buscado soluciones para todos los problemas. Sabía que, tanto a ella como a Christian, les costaría superar la extrañeza inicial. Sin embargo, lo que no esperaba era que no le dieran ni la más mínima oportunidad de intentarlo.

Desde el momento que había firmado el contrato de matrimonio, Grace se había propuesto convertirse en una esposa de la que su marido estuviera orgulloso. Cuando el día anterior el párroco había leído los votos, lo había escuchado atentamente («en lo bueno y en lo malo, en la riqueza y en la pobreza, en la salud y en la enfermedad») y quería cumplirlo a rajatabla. Y sin embargo, allí estaba, la mañana después de su boda y su marido ya la había abandonado. ¿Qué demonios había hecho mal? Independientemente de lo desagradable que le hubiera resultado a Christian la experiencia de la noche de bodas, Grace no creía que se mereciera un castigo delante de todo el servicio de la casa. ¿Esperaba que se levantara y descubriera que estaba sola y que, encima, se tomara el té, una tostada, lo esperara en el carruaje y que, cuando él se reuniera con ella, le dijera: «Gracias por ocuparse de la desagradable tarea de desvirgarme, señor; ¿quiere sentarse aquí, que las vistas son mejores?».

Se detuvo y miró a su alrededor. No sabía dónde estaba. Escuchó a ver si oía algo pero, cuando no oyó a nadie, supuso que estaba en alguna ala vacía de la casa. Se preguntó qué pasaría si se perdía y retrasaba su regreso a la ciudad. ¿Se iría Christian sin ella? Sin embargo, como no quería ser la causante de más distanciamientos entre ellos, decidió buscar el camino de vuelta. Pasó por lugares desconocidos y salones vacíos muy fríos y lúgubres. Parecía imposible que aquellas paredes hubieran acogido alguna vez una risa y que la alegría hubiera flotado en ese aire. Ese lugar no era una casa. Era una reliquia perseguida por la tristeza y la miseria.

Al final de un pasillo llegó a una puerta y, con mucho cuidado, la abrió. Dentro encontró una sala de estar apartada del resto de la casa con los muebles cubiertos con sábanas. Se habría girado y se hubiera marchada, pero había algo en esa sala que la atraía, era muy distinta al resto de la casa. Cruzó la habitación y corrió la cortina, dejando que la luz del sol entrara e iluminara los bultos blancos.

Se veían unas alfombras de color crudo y azul debajo de los muebles de madera, y las paredes estaban forradas de seda china de un elegante color pastel. Era una habitación que desprendía feminidad y dulzura, y Grace se maravilló de lo diferente que era del Westover Hall que ella había visto. Era como si aquella habitación no perteneciera a esa casa, igual que ella. Al parecer también la habían dejado para que se las arreglara sola.

Levantó una sábana y debajo encontró un elegante escritorio estilo Reina Anna. Estaba muy trabajado y, en la parte superior, había una placa de plata donde se leía: «Para Frances, mi esposa... con todo mi amor».

Se imaginó que esa habitación debió de ser la sala de ocio de la anterior marquesa, la madre de Christian. La recordaba de la boda, lo educada que había sido con ella. Aunque también recordaba algo más: la sombra que había visto en sus ojos, como si una parte de ella no estuviera realmente allí.

Grace rozó el mueble con los dedos mientras se imaginaba a la marquesa allí sentada, leyendo u observando los conejos que corrían por el campo. ¿Había sido feliz? ¿O se había sentido atrapada en la frialdad de ese lugar tan poco alegre? El escritorio era, sin duda, un regalo del padre de Christian, pero ¿por qué estaba aquí, cerrado y apartado del resto de la casa en vez de estar en casa de lady Frances en Londres? Era un mueble muy especial, con una inscripción del cariño que le tenía el marqués. ¿Se habrían casado por conveniencia, como ella y Christian? ¿O lo habrían hecho por amor? ¿Existía ese concepto en la familia Westover?

En la repisa de la chimenea se había acumulado una gruesa capa de polvo que delataba que ya hacía mucho tiempo que nadie utilizaba esa habitación. Cuando se giró para marcharse, vio un cuadro colgado en la pared oculto detrás de una tela. Movida por la curiosidad, se puso de puntillas y estiró la tela por una esquina hasta que consiguió apartarla.

Descubrió un retrato de un hombre, una mujer y un niño de unos cinco años. Grace reconoció a la marquesa, la madre de Christian, aunque allí desprendía una luz más jovial e intensa. El niño estaba sentado a sus pies y tenía la cabeza apoyada en la falda de su madre mientras ella se la acariciaba. El hombre que estaba de pie a su lado se parecía a Christian, sobre todo en la postura de la cabeza. Tenía los mismos cautivadores ojos entre azules y grises, que miraban a su mujer con una expresión inequívoca.

La quería.

Grace se acercó para estudiar con más detalle la imagen del niño. Era Christian, aunque rebosaba inocencia y felicidad, nada que ver con el hombre al que ella hoy llamaba su marido. No había ni rastro del carácter reservado y la mirada inalcanzable. Ese niño sabía lo que era reír y ser feliz. Ella no podía imaginarse qué había pasado para que ese niño se convirtiera en el inescrutable hombre que era hoy en día.

Su atención se desvió del cuadro cuando escuchó que alguien caminaba por la gravilla del exterior de la casa. Miró por la ventana y vio a Christian que se alejaba por un camino entre los árboles. Vio que a su derecha había una puerta que llevaba a la terraza. Silenciosamente, la abrió y salió fuera.

El viento hacía susurrar las hojas de los árboles, le levantaba los bajos de la falda y le agitaba los mechones que la doncella le había dejado sueltos. Se mantuvo unos metros detrás de él para que no la oyera seguirlo. Quería verlo, observarlo sin que él se diera cuenta. A menudo, la gente se comporta de manera distinta cuando está sola, y Grace quería saber si la indiferencia de su marido era algo únicamente dirigido a ella.

Cuando giró por el camino, se detuvo y se escondió detrás de unos troncos. Christian había llegado a una zona protegida por robles y rodeada por una verja de hierro forjado.

En el interior había varias lápidas de piedra que salían del perfecto suelo de hierba. Grace se salió del camino y fue por la hierba para que él no la oyera. Desde detrás de unas ramas nuevas, lo observó mientras él contemplaba una de las lápidas y lo observó cuando se agachó para arrancar una mala hierba que se había atrevido a crecer allí. Pasó una mano por las letras y después la colocó encima de la piedra, igual que cuando se le da la bienvenida a alguien con la mano encima del hombro.

Al acercarse un poco más, vio que la tumba ante la que Christian estaba arrodillado era la de Christopher Wycliffe, su padre.

Él seguía arrodillado, con la cabeza inclinada rezando en silencio. Mientras lo miraba, Grace pensó en el hombre que había visto en el retrato, el padre de Christian. Parecía el tipo de padre que un niño de cinco años adoraba. Recordó su propio dolor cuando perdió a sus padres, los sentimientos extraños incluso a una edad tan joven, como si ya estuviera segura en el mundo a pesar de que apenas los había conocido.

El nacimiento de Grace había sido un accidente, una imposición para dos personas dedicadas en cuerpo y alma a descubrir el mundo. La dejaron al cuidado de Nonny cuando no era más que un bebé, mientras ellos se dedicaban a viajar. Volvían a casa de vez en cuando, pero nunca se quedaban el tiempo suficiente como para deshacer el equipaje, porque ya habían decidido ir a algún otro lugar nuevo y excitante. Y casi siempre volvían para las fechas señaladas, como los aniversarios, la boda de una prima lejana, la muerte del abuelo de Grace, el marqués. Todavía se acordaba de la última vez que los vio, incluso recordaba la ropa que llevaban, el olor a lavanda de su madre, el modo en que el viento agitaba el cuello de la camisa de su padre cuando le acarició la cabeza antes de irse. Recordaba que su madre se había agachado para darle un beso en la mejilla y le había arreglado los lazos del sombrero de paja mientras le prometía que pronto sería lo bastante mayor como para acompañarlos en uno de esos emocionantes viajes alrededor del mundo: «La próxima vez, te lo prometo. La próxima vez vendrás con nosotros y así podrás ver los leones y los elefantes de África».

Sin embargo, ese viaje prometido nunca llegó. En lugar de eso, un mes más tarde vino un mensajero de Londres con la noticia de que el barco en el que viajaban se había hundido durante una horrible tormenta. No había habido supervivientes. Irónicamente, los padres de Grace fueron más accesibles después de muertos que mientras estuvieron vivos. Al menos, ahora tenía dos lápidas gemelas en el cementerio de Ledysthorpe que podía visitar. Recordó la última vez que había ido a verlos: la mañana del día en que se iba de Ledysthorpe para siempre. Se había despedido de ellos y había arrancado las malas hierbas, igual que su esposo ahora.

Grace recordó que Eleanor le había dicho que Christian estaba muy unido a su padre. Sin duda, si lo quería tanto, le debió costar mucho hacer frente a su muerte, incluso después de tanto tiempo. Pensó que quizás la pérdida que ambos compartían podía ser un primer paso para construir un camino de acercamiento entre ellos. Esperanzada, se llenó de valor y se dirigió hacia el cementerio.

La verja chirrió cuando la abrió y Christian levantó la cabeza. La miró un momento, sorprendido. Sin embargo, un segundo después la mirada se transformó en la más fría que ella hubiera visto en su vida.

Se quedó helada, apoyada en la verja mientras él se levantaba. Por un momento creyó ver la luz del sol reflejada en una lágrima. Él la miraba sin decir nada, con una cara to-talmente inexpresiva. No necesitaba palabras para demostrar que no se alegraba nada de verla allí.

—Debías de quererlo mucho —dijo ella, tímidamente.

Christian se giró y tiró al suelo las hierbas que había arrancado.

—¿Qué haces aquí?

Grace palideció.

—Yo… Vi que venías aquí y pensé que quizá querrías hablar con alguien. Como has estado arrodillado tanto tiempo, yo…

—Primero en el vestidor, ahora esto. Es la segunda vez que te metes donde no te llaman. ¿Es que tienes la costumbre, señora, de invadir la privacidad de los demás?

Grace ignoró lo que acababa de oír.

—Sé lo que es perder a tus padres, Christian.

Por un segundo, pareció que esas palabras le habían llegado al corazón. Suavizó la expresión de la cara y calmó un poco los nervios, aunque sólo fue un momento. Luego, volvió la mirada fría y habló con una voz afilada como una espada:

—En el futuro, señora, haz el favor de no entrometerte en mis asuntos.

Grace cruzó los brazos alrededor de su cuerpo, que estaba helado a pesar del sol de primavera. Sólo había querido ofrecerle comprensión, la ternura de una esposa ante el evidente dolor de su marido por la pérdida de su padre. Quería hablar con él, compartir con él el recuerdo de sus propios padres, consolarse por la experiencia que tenían en común. Y, a cambio, sólo había recibido furia y hostilidad.

Grace se giró para que Christian no la viera llorar por lo que le había dicho. ¿Estaba destinada a disgustarlo cada vez que hacía o decía algo? Lo miró cuando escuchó el ruido de las botas en la gravilla del camino y se quedó allí, viéndolo cómo la volvía a dejar sola, igual que la noche anterior, humillada y desesperada.

12

Christian la miraba; ella estaba sentada delante de él en el carruaje. Habían salido de Westover Hall hacía una hora. Desde entonces sólo había hablado dos veces: una, para saber cuánto tardarían en llegar, y la otra, para preguntarle qué asiento prefería. Pero igualmente habría sabido que estaba enfadada si no hubiera dicho nada. Tenía una de esas caras tan transparentes que se podía leer en ella todo lo que pasaba por su cabeza, como si lo llevara escrito en la frente. Eso, junto con que el libro que hacía ver que leía, estaba al revés, le dio la ligera idea de que todavía seguía pensando en las ásperas palabras que le había dicho en el cementerio.

Grace estaba pensando en la indiferencia de Christian, intentaba entender por qué parecía que hacía todo lo humanamente posible por evitar su compañía cuando la noche anterior la había tocado de la manera más íntima que recordaba. El encuentro del cementerio lo cogió desprevenido. No esperaba verla allí, acercándose tan sigilosa mientras él rezaba frente a la tumba de su padre. En cuanto la había visto, se había acordado de lo que había hecho mal la noche anterior. No había sido su intención hablarle como lo había hecho; es que no estaba acostumbrado a tener a nadie, y mucho menos a una esposa, entrometiéndose en sus asuntos privados. Es más, no estaba acostumbrado a que el comportamiento de nadie le afectara.

Mientras ella seguía allí, inmersa en sus pensamientos, sujetando el libro al revés, Christian aprovechó la oportunidad para mirarla, observarla de verdad por primera vez. Considerándolo bien, el viejo duque no había tenido tan mal gusto a la hora de escogerle una esposa. Grace tenía el encanto que sólo se consigue con generaciones de sangre aristocrática. El pelo era del tono perfecto, ni demasiado claro ni demasiado oscuro, era como el color de la miel bañada por el sol de verano. Las pestañas enmarcaban unos ojos de color azul intenso, brillantes, curiosos, llenos de fuerza y personalidad. La nariz recta y discreta, la boca carnosa y muy bien hecha, la piel pura y transparente.

Christian sabía que, fuera quien fuera, su esposa era inocente y limpia. El gran duque de Westover no permitiría que la madre del futuro heredero fuera una mujer de segunda mano. Sin embargo, se preguntó si su abuelo había asumido que las dulces facciones de Grace evidenciaban un carácter dócil y sumiso. Era un error muy común para quien la veía por primera vez. Precisamente por eso le envió el té aquella noche. Sabía que no estaría acostumbrada a los licores fuertes y esperaba que así desapareciera el miedo por entregarse a un desconocido. Se había preparado para encontrarse con una mujer temerosa, incluso histérica. Pero para lo que no se había preparado era para su confianza.

Christian recordaba claramente la noche anterior, cuando ella estaba debajo de él en la cama, con aquel recatado camisón, mientras su cuerpo despertaba por él. Con los ojos le había dicho que, aunque tenía miedo de lo desconocido, jamás cuestionaría lo que él le pudiera hacer. A pesar de que no sabía casi nada de él, había demostrado tener fe, algo que muy pocas personas habían hecho. Ese sencillo gesto había eliminado cualquier intención de indiferencia hacia ella y su plan de mantenerla a una distancia prudencial se desvaneció como arena entre los dedos.

Sin embargo, si su reacción emocional había sido inesperada, su reacción corporal lo había descolocado por completo. En su vida, y en la posición social en la que había nacido, el matrimonio era algo tan seguro e inevitable como la llegada de la muerte. Su deber, su único objetivo en la vida, era engendrar al próximo heredero de los Westover, y no le hubiera extrañado que su abuelo hubiera querido estar presente para asegurarse que cumplía con su palabra. Christian había planeado exactamente eso: acostarse con su mujer una única vez y no derramarse dentro de ella para negarle al duque lo que más deseaba en este mundo.

Un heredero.

Sin embargo, desde el primer momento en que la había tocado, olido, acariciado la suavidad de su piel, y reflejado en sus infinitos ojos azules, estuvo perdido. Todas las intenciones de controlarse desaparecieron en una nube de lujuria, pasión y necesidad. Pero, en realidad, ¿qué significaba esa reacción? Nada, se dijo, absolutamente nada. Es cierto, había perdido el control durante una noche. Sin embargo, y a pesar de la tradición de los Westover, las posibilidades de que Grace se quedara embarazada con un solo encuentro eran bastante escasas. Además, ese encuentro sería el único. El misterio de Grace formaba parte del pasado y ya había solucionado el tema de la virginidad. Él había cumplido su parte. No volvería a visitar el dormitorio de su esposa, no hasta que llegara el momento de tener un hijo, y eso sería cuando su abuelo estuviera muerto y enterrado.

Por un momento, se preguntó por qué no podía sencillamente decirle la verdad a Grace, explicarle que no podía comportarse como un marido con ella en el aspecto físico por el acuerdo que tenía con su abuelo. Pero entonces ella querría saber los motivos que lo habían llevado a prometer algo así, por qué había accedido, a los nueve años, a entregarle su primer hijo varón al duque. Grace no podía saberlo nunca, y menos mientras las vidas de su madre y su hermana dependieran de eso.

Christian sabía que, con su influencia y con la de su abuelo, podían conseguir un buen matrimonio para Eleanor y olvidarse así del pasado. Como una Westover, cualquier hombre de la alta sociedad querría casarse con ella. Pero se había prometido que no dejaría que eso pasara. Se había prometido que Eleanor disfrutaría del placer de elegir. Conocería a un hombre, hablaría con él, compartiría sus pensamientos con él, lo conocería para saber que era el hombre con el que quería estar el resto de su vida. Le confesaría su pasión por la música y su devoción por las tartas de limón y los girasoles. Admitiría que no le gustaban los champiñones. Hablaría con él de sus libros favoritos y le mostraría su talento para la poesía. Era posible que se encontrara con algún grosero, o incluso dos, pero al final daría con el hombre que compartiría sus gustos y la valoraría como se merecía. Podría imaginarse como esposa mucho antes de que su hermano le diera permiso para casarse. Y cuando llegara la hora, cuando tuviera el honor de que alguien pidiera su mano, podría elegir si aceptaba o no.

En otras palabras, Eleanor disfrutaría de lo que él supo desde el principio que siempre se le negaría. Eleanor tendría la posibilidad de enamorarse, y entonces la oscura verdad que ponía en peligro esa felicidad ya no se interpondría nunca más en su camino.

Volvió a mirar a Grace. Tenía el ceño fruncido y los labios apretados. Por un momento pensó que quizás ella también era una víctima más en ese matrimonio. Luego pensó de dónde había salido esa idea. Se preguntó cuáles habrían sido sus razones para aceptar casarse con él, un hombre al que sólo había visto una vez cuando había aparecido de la nada en su vestidor. Era la hija de un noble y, sin duda, muy bonita. Había leído el contrato de matrimonio y sabía que ella aportaba una dote considerable. Seguro que habría muchos nobles interesados en casarse con ella. ¿Qué había ganado convirtiéndose en su mujer? ¿Y por qué, entre todas, su abuelo la había escogido a ella? ¿Se habría dejado seducir por la posición social que suponía ese matrimonio?

Ella no podía ni imaginarse a lo que accedía cuando aceptó ser su mujer. Grace imaginaba que Christian era honorable, un caballero que se merecía su devoción. Tenía la cabeza llena de sueños de un caballero blanco que acudía a rescatarla con un caballo. No podía imaginarse nada del pasado. Los secretos de los Westover eran desconocidos para el resto del mundo. Sólo sabía lo que le habían dicho, palabras dulces que sólo pretendían alimentar el lado romántico de una joven muy influenciable.

Por todo eso, Grace no tenía ni idea de que se había casado con un asesino.

13

Knighton House, Londres

Grace estudió detenidamente su reflejo en el espejo. El vestido era precioso y el peinado, perfecto, todo recogido encima de la cabeza como si fuera una corona de rizos dorados. Todo estaba en su sitio. Todo parecía perfecto, pero la imagen que críticamente analizaba no le acababa de gustar.

Se colocó de perfil. Pasó de fruncir el ceño a poner mala cara. Se giró del otro lado y le aparecieron muchas arrugas en las cejas. Si conseguía salir indemne de esa noche sería un milagro.

Tenía que acudir a un baile que se celebraba en casa de una persona muy importante, alguien de quien ella jamás había oído hablar aunque, al parecer, era la única, porque todos lo conocían. Iría con Christian, en lo que supondría su primera aparición como marido y mujer. Todo el mundo la observaría, mirarían de reojo a la dama desconocida que se había casado con el hombre más deseado. Seguro que esperaban a una diosa, una mortal de belleza inmortal; una mujer con gusto, elegancia, refinamiento y «gracia», algo de lo que ella carecía totalmente.

«Resulta irónico —pensó—, que la vida te otorgue un nombre y luego te niegue cualquier posibilidad de hacerle honores.» Sin embargo, era mucho peor saber que su poco estilo social no había pasado inadvertido por su marido. Ella misma había oído una conversación entre Christian y Eleanor el mismo día que llegaron a Knighton House, donde su marido le encargaba a su hermana la difícil tarea de transformar, en sus propias palabras, «a su ratita de pueblo en una verdadera marquesa».

«Ratita —pensó Grace, con el corazón encogido—. Menuda decepción se ha debido llevar conmigo.» Más tarde, mientras estaba en su habitación mirando por la ventana, con los brazos alrededor de las rodillas mientras las lágrimas rodaban mejillas abajo, se dio cuenta de que detrás de las amargas palabras de Christian se escondía un reto. Le demostraría que estaba equivocado y que podía convertirse en la marquesa que él esperaba.

Quizás, incluso, en la marquesa que podría amar.

Tenía quince días, el tiempo para que el revuelo que se había levantado después del anuncio de su matrimonio en los periódicos se calmara. Desde que las noticias de la ceremonia secreta salieron a la luz, el teléfono no había dejado de sonar cada hora. Era justo lo que Eleanor le había dicho: al parecer, de repente, todo el mundo quería conocerla. Personas a las que jamás había visto la invitaban a pasear. Las invitaciones y las tarjetas llegaban a decenas, pero Grace las rechazaba todas. Al fin y al cabo, la transformación de ratita de pueblo a marquesa debía hacerse con mucho cuidado.

En primer lugar, necesitaría ropa adecuada. En realidad, necesitaba renovar todo su vestuario. Vestidos de mañana, de día, de cena y baile, de viaje, de jardín, de paseo y de montar. Había vestidos especiales para ir al teatro, otros para ir a la ópera; unos para una fiesta, otros para la noche entera. Las diferencias entre todos ellos todavía se le escapaban, pero sabía que nunca, bajo ningún concepto, debía llevar un vestido a una hora que no fuera la indicada. Con cada modelo iban todos los accesorios necesarios: sombrilla, chal, guantes, sombrero y medias. Le sorprendió que con la adquisición de un marido, el equipaje de una señora se triplicara.

A falta de las últimas pruebas, Grace todavía no había estrenado nada de su nuevo vestuario. Todavía no se había dado la ocasión, así que seguía llevando sus cómodos y pueblerinos vestidos, hechos con telas de colores apagados que la ayudaban a pasar más desapercibida. Nadie diría que la marquesa de Knighton se paseaba por ahí con esa ropa. Con sombrero y esos vestidos, podía perfectamente salir a la calle sin llamar la atención. Sin embargo, sabía que no podría esconderse para siempre. Llegaría un día en que tendría que salir del anonimato y enfrentarse a los curiosos ojos de la sociedad, donde se presentaría como la marquesa de Knighton.

Le habían dicho que no servía cualquier reunión. No debía ser ni demasiado ostentosa ni demasiado modesta, ni demasiado conservadora ni demasiado liberal. Tenía que hacer la elección con mucho cuidado. Después de mucha consideración, cuando la noticia se hizo pública, a ella no le hizo demasiada ilusión. Es más, la había invadido una horrible sensación de terror.

Christian la había informado de la fiesta de la manera que se estaba convirtiendo en costumbre. Se lo había dicho a su ayudante de cámara, Peter, que se lo había dicho a Liza, la joven doncella que había ayudado en su noche de bodas en Westover Hall. Poco después de su regreso a Londres, le advirtieron que era inaceptable para alguien de su posición no tener una ayudante personal. No importaba que hubiera pasado sin ayudante los primeros veintitrés años de su vida. Una marquesa y, lo más importante, la futura duquesa, necesitaba, sin duda, tener una ayudante.

Cuando le dijeron que tenía que empezar a hacer entrevistas, lo único que hizo fue escribir una carta a Liza ofreciéndole el puesto. La alegre doncella apareció en Knighton House a los pocos días con las maletas en la mano. Desde entonces, Liza se había convertido en la mano derecha, la confidente y la colaboradora de Grace en todo lo que hacía. Se sentaba junto a ella en el carruaje, paseaba a su lado por Hyde Park por la mañana cuando todavía no había nadie. Le sugería las distintas maneras de peinarse y los colores de los vestidos que le iban mejor a su complexión física. Sin embargo, más que en una sirvienta, Liza se había convertido en su amiga, algo que, a excepción de Nonny, ella nunca había tenido.

Siguiendo las órdenes de su hermano, Eleanor había acudido al rescate de Grace en cuanto a asuntos de sociedad se refería. Fue ella la que contrató al maestro de baile para que se pasara horas y horas enseñándole la forma correcta de bailar una cuadrilla. Y también fue quien la educó en las distintas personalidades de la alta sociedad, en cómo hojear todas las invitaciones y tarjetas para decidir cuáles debía aceptar y cuáles no. Y quien convenció a la mejor modista de Londres, Madame Delphine, para que fuera a Knighton House a hacer los últimos retoques al vestido de Grace a pesar de que fuera la temporada más ajetreada del año. Ella jamás lo hubiera podido hacer sin la ayuda de Eleanor. Sólo en los arreglos para el vestido que llevaría esa noche habían invertido una semana. Se habían pasado días enteros mirando revistas de moda. Y después de mirar muchas telas y muchos adornos, el vestido final era el más elegante que Grace había visto en toda su vida.

Era de seda de damasco color verde marino pálido y tenía una caída muy elegante hasta los bajos, que estaban atados con una tira para que se movieran de manera más graciosa, casi como una campana. Las faldas estaban decoradas con motivos florales con sombras azules y doradas, y del corpiño cruzado salían unas mangas en forma de pétalo ribeteadas en dorado. Era exquisito, y seguramente algo que una ratita de pueblo jamás se pondría.

Sin embargo, Grace estaba muy preocupada por el amplio escote.

Jamás había enseñado tanto, ni siquiera con ropa interior. Se sentía como si fuera caminando por ahí con medio vestido. Cuando había expresado su preocupación, tanto Eleanor como Madame Delphine y Liza le habían asegurado que era la moda y que todas las señoras del baile la envidiarían por lo bien que le quedaba. Grace no llegaba a imaginarse la escena y seguía convencida de que si no acababa por enseñar un pecho en medio del baile, cogería un resfriado.

Bien pensado, quizás así lograría llamar la atención de su marido.

Aunque Eleanor no lo había dicho con esas palabras, Grace sabía que había pensado lo mismo durante la prueba de la mañana. Había dicho, muy entusiasmada, que su hermano no podría apartar los ojos de ella en toda la noche. No era la primera de la casa en darse cuenta de la poca atención que Christian le prestaba a su nueva esposa. En realidad, era algo que no había pasado desapercibido a nadie.

Durante las últimas semanas, Grace había escuchado muchas conversaciones entre el servicio donde se comentaba lo poco que habían tardado el marqués y su mujer en dormir separados y que todavía tenía que llegar el día en que encontraran la puerta que comunicaba las dos habitaciones abierta. Desde la noche de bodas en Westover Hall, Christian no había vuelto a ir al dormitorio de su mujer. Al principio ella pensó que quizás él estuviera esperando para ver si se había quedado en estado, ya que posiblemente un encuentro bastara para eso. Sin embargo, con tanta gente comentando su distanciamiento, Grace llegó a la conclusión de que entre ellos había algo que no funcionaba. El único problema era cómo resolver los problemas de la casa, porque Christian no aparecía por allí en todo el día. Se marchaba muy temprano y había días que no volvía hasta la noche. Cuando lady Frances le había comentado a su hijo por qué no pasaba más tiempo en casa con su mujer, él le había contestado que tenía muchos asuntos que atender. Para combatir su soledad, Grace se había dedicado por completo a preparar su primera aparición en sociedad como la mujer de Christian. Mirándose en el espejo, pensó: «Esta noche le demostraré que puedo ser la esposa que él esperaba».

En ese mismo momento, Liza entró en la habitación, muy alegre.

—Bueno, al final he conseguido quitarle todas las arrugas a este chal. He tenido que mojarlo y plancharlo varias veces. —Lo extendió para que Grace lo viera—. Es una preciosidad.

Lo era. De seda de Cachemira color crema, con bordados en los extremos. Había sido un regalo del abuelo de Grace a Nonny el día de su boda. A ella siempre le había gustado mucho y, después de la muerte de Nonny, fue una de las muchas cosas que heredó. Como le traía tan buenos recuerdos, Grace creía que también le traería buena suerte esa noche.

Cogió el chal y lo levantó para mirarlo una última vez antes de colocárselo encima de los hombros. Cerró los ojos y, por un instante, sintió que los brazos de su abuela la rodeaban, porque el chal todavía conservaba la esencia de lilas única de su abuela.

Grace miró a Liza con una sonrisa.

—¿Qué te parece?

Sin embargo Liza no sonreía. Tenía el ceño fruncido y agitaba la cabeza.

—Milady, no haría honor a mi trabajo de doncella si la dejara salir así.

Grace se miró otra vez en el espejo.

—Lo sé. Yo estaba pensando exactamente lo mismo. La modista debió tomar mal las medidas del canesú. Es demasiado pequeño. No quiero desprestigiarla, porque todo el mundo se equivoca, por eso me aseguraré de taparme con el chal toda la noche.

—Milady, no. Si hace eso, todo el mundo se reirá de usted —dijo Liza, quitándole el chal y colocándole las manos en la cintura—. Igual que existe un arte para abanicarse, también existe un arte para llevar el chal. Sólo debe cubrirle la espalda, así —añadió, colocando el chal sobre los codos de Grace y se lo arregló de modo que quedara justo por debajo de las mangas.

Aquella postura, con la espalda arqueada, sólo consiguió acentuar todavía más el escote de Grace.

La doncella retrocedió un paso para contemplar mejor el resultado. Arregló un pliegue del vestido y luego cogió unas pinzas calientes del fuego para acabar de marcar el pelo de Grace. Volvió a retroceder para observarla.

—Ya está. Perfecta. No, espere. —Liza se acercó a Grace, agarró el corsé por abajo y lo estiró. Trozos de su piel que Grace jamás pensó que enseñaría en público se exhibirían ahora ante un salón lleno de gente. Liza la miraba sonriente—. Así. Ahora sí que está perfecta.

—Pero, Liza, ¡si se me ve todo!

Liza se rió.

—Eso, milady, no es nada malo. Ahora deje que la ayude a ponerse la capa antes de bajar a reunirse con lord Knighton. Prométame que no se la quitará hasta que lleguen al baile.

Grace la miró, dudando.

—Confíe en mí, milady. Jamás le diría que hiciera algo de lo que no estuviera completamente segura.

—De acuerdo, pero debemos darnos prisa. Lord Knighton quería irse a las ocho y ya pasan diez minutos. No quiero que se enfade por mi culpa.

—Pero es temprano, milady. No tiene ningún motivo para correr. Una dama siempre hace esperar a un caballero. Así los hombres aprecian más el esfuerzo por estar guapas. Ellos lo saben y, si una dama llega puntual, piensa que no se ha esforzado lo suficiente en arreglarse para ellos. Mi madre siempre decía que cuando un hombre dice a las ocho, en realidad quiere decir a las ocho y media.

Grace se quedó mirando a la doncella y sintiéndose, aunque no era la primera vez, completamente inculta en las relaciones entre hombres y mujeres.

—Liza, ¿y cómo es que tu madre sabe tanto sobre estas cosas?

—Antes de casarse con mi padre, mamá trabajó como doncella en Londres nada más y nada menos que para la señorita Harriette Wilson.

El nombre no le decía nada a Grace.

—¿Harriette Wilson? ¿Era alguien importante?

Liza sonrió y levantó una ceja.

—Se podría decir que todos los caballeros se peleaban por ser sus acompañantes, desde duques hasta príncipes.

¿Príncipes? Entonces, seguro que esa tal Harriette Wilson sabía cómo llevar un chal. Ante la palabra de una señora tan experta, Grace se encogió de hombros y dejó el canesú como estaba, aunque ella se sintiera de lo más indecente. Se concentró en el reto que se había marcado: convertirse en una auténtica marquesa. La marquesa de Christian. Ya iba siendo hora de olvidarse de aquel recato totalmente infantil. Ya era hora de olvidarse de la ratita de pueblo y convertirse en lady Grace, marquesa de Knighton. Echó los hombros hacia atrás. Si era eso lo que tenía que hacer para que su marido se fijara en ella, juraba por todos los santos que lo haría.

Grace se quedó quieta mientras Liza le colocaba la capa de seda sobre los hombros y se la ataba debajo de la barbilla. Miró el reloj que había encima de la mesa. Eran las ocho y veinte. No quería que Christian pensara que no se había esforzado lo suficiente en arreglarse para él, así que esperó diez minutos más antes de bajar.

Christian, Eleanor y lady Frances la estaban esperando a los pies de la escalera cuando apareció. Él estaba muy guapo con el traje de noche, todo de negro excepto la camisa blanca. Grace sintió unas mariposas revoloteando en el estómago; durante las dos últimas semanas apenas lo había visto. Esta noche, sin embargo, todo cambiaría a mejor. Recordando las palabras de Liza, pensó: «Sí, seguro que seré la envidia de todas las mujeres por el hombre con el que entraré del brazo». No estaría nerviosa. Hablaría y se comportaría como la marquesa que era, la marquesa de Christian.

Grace dibujó una sonrisa en el rostro cuando vio que él se había dado cuenta de su presencia, aunque no demostró nada cuando la vio. Sólo se limitó a mirar el reloj, casi ignorándola. Frunció el ceño.

—Tenía la esperanza de poder evitarnos toda la cola de carruajes.

La sonrisa de la cara de Grace desapareció de inmediato y sintió una rigidez muy fuerte dentro del pecho. Liza no tenía razón. Estaba molesto por el retraso.

—Oh, pero es mejor que lleguemos de los últimos —se apresuró a decir Eleanor—. Habrá menos prisas por entrar. Acuérdate de lo que pasó en Easterley, Christian. Llegamos a las ocho en punto y lord Calder le pisó el vestido a mamá cuando intentaba entrar delante nuestro. Has sido muy considerada, Grace.

Todos sabían perfectamente que la tardanza de Grace no se debía a ninguna acción premeditada y, por eso, se quedaron en silencio hasta que Christian se dirigió hacia la puerta. Ella se quedó helada en la escalera, con las esperanzas rotas antes incluso de que diera comienzo la noche. Hubiera querido regresar a su habitación, encerrarse y no volver a salir jamás. Pero no podía. Tenía que enfrentarse a esa noche. De modo que retomó el reto, bajó la escalera y siguió a los demás hasta el carruaje.

Afortunadamente, Eleanor no dejó de hablar en todo el camino en un intento bastante obvio de dejar a Grace con sus pensamientos y sus mariposas en el estómago mientras su marido, que estaba sentado a su lado, miraba por la ventana. Ella supo que casi habían llegado cuando el carruaje empezó a avanzar lentamente por un camino con carruajes a ambos lados.

Al cabo de pocos minutos se detuvieron delante de una majestuosa casa delante de Hyde Park. Había luz en todas las ventanas y figuras con brillantes vestidos caminaban hacia la puerta. El cochero frenó el carruaje y un sirviente les abrió la puerta mientras otro colocaba los dos escalones y ayudaba a Grace a bajar. Christian la estaba esperando en el camino. Le ofreció el brazo y juntos subieron las escaleras en silencio.

Una vez dentro de la casa, Grace esperó a que su marido, lady Frances y Eleanor se quitaran las capas. Recordó las palabras de Liza de lo sorprendido que se quedaría Christian cuando viera su vestido. Los tres se dirigían hacia el baile, como si se hubieran olvidado de ella. Grace se desabrochó la capa rápidamente y se la ofreció a un sirviente. Se unió a los demás en lo alto de la escalera justo cuando anunciaban su entrada.

—El marqués y la marquesa de Knighton, lady Knighton y lady Eleanor Wycliffe.

Pareció que un mar de caras se giraba hacia ellos. Grace miró a Christian, que estaba de pie a su lado, y vio que no estaba mirando hacia el salón repleto de gente. La estaba mirando a ella como si no la reconociera. La mirada fría había desaparecido y ahora había una de completo desconcierto.

«¡Menuda ratita de pueblo!», pensó Grace, con una ola de confianza invadiéndola. Liza tenía razón. El vestido le había gustado. Sonriendo, le preguntó:

—¿Está todo bien, milord?

Sin embargo, Christian no contestó. Estaba demasiado ocupado mirándole el escote.

14

—Christian, por favor, ¿no podrías ser un poco más discreto?

El comentario de Eleanor le despertó del ensimismamiento y le hizo darse cuenta de que estaba mirando los pechos de su mujer delante de un salón con lo mejor de la sociedad de Londres. Pero ¡Dios santo!, si eran preciosos. En las semanas que habían pasado desde su noche de bodas había olvidado lo preciosos que eran. Incluso ahora le costaba apartar la mirada de ella. Estaba fascinado, totalmente desconcertado, y lo que era peor, notó que en ese momento estaba empezando a excitarse.

¡Estúpido! ¿Qué demonios le estaba pasando? ¿Qué había pasado con el propósito implacable que se había hecho a su regreso a Londres? Y, lo que era más importante, ¿cómo es que la ratita de pueblo de su mujer había desaparecido y, en su lugar, había nacido ese ángel terrenal?

Christian sintió la urgente necesidad de quitarse la chaqueta, ponérsela encima y alejarla de los ojos lascivos de los hombres presentes en la sala. Eso o llevársela al armario más cercano y comprobar cuánto más podía dar de sí el corpiño antes de que los pechos quedaran completamente expuestos. Sólo había una cosa de la que estaba seguro: ese celibato autoimpuesto iba a acabar con él.

Se dio cuenta de que Grace lo estaba mirando; una mirada donde se mezclaban la incertidumbre, la esperanza y la expectativa. Le leía los pensamientos como si los llevaras escritos en la frente. Lo había hecho por él; el vestido, el pelo, todo por complacerlo. ¿Por qué diablos tenía que adorarlo de una manera tan obvia? La había ignorado completamente desde que regresaron a la ciudad, no había cruzado ni una sola vez el umbral de su habitación ni había entablado más conversación con ella que la relativa al tiempo. Había intentado ser huraño, darle una buena ración de realidad para hacerla bajar de las nubes y que se olvidara de tanto romanticismo, alimentado por novelas y comparaciones del sexo con enhebrar una aguja.

Pero ahora entendía que todos sus esfuerzos no habían servido de nada.

No quería que lo adorara. No se lo merecía. Y no quería estar casado con una mujer que se aprovechaba del último rasgo noble de su marido: la admiración que sentía por un ser inocente en medio de la depravación del mundo. Era ese mismo rasgo el que hacía que Christian sintiera una devoción total por su hermana y que lo llevaba a hacer cualquier cosa por preservar esa inocencia en ella. Y ahora descubría que su mujer también la poseía, cosa que hacía que fuera casi imposible que no la quisiera.

No había sido justo con Grace, y lo sabía. No debería haberla ignorado ni evitado los últimos quince días. Sencillamente no tenía otra opción. Si no hacía todo lo posible para evitarla, sabía que caería rendido a sus encantos, a su bondad, a su inocencia. Incluso quizás empezaría a buscar lo único que había dado por perdido: la esperanza. A pesar de que sabía que no había ninguna esperanza para él. Era un hecho que se había decidido una fría mañana de primavera de hacía veinte años.

Aún así, Christian vio lo mucho que se había esforzado Grace para tener ese aspecto para la noche de su presentación como su mujer. No quería avergonzarlo delante de los suyos. Lo mínimo que podía hacer era reconocérselo.

—Estás preciosa, Grace —dijo, unas palabras que no hacían honor a la realidad.

El vestido era de un verde muy especial que realzaba aún más el azul de los ojos, de un corte muy seductor porque el corpiño era como un abrazo y la falda se balanceaba con cada movimiento. El pelo iba recogido hacia atrás en una graciosa corona de rizos dorados que bailaban en la nuca cuando se movía, y algunos le caían graciosamente sobre la sien y las orejas. Christian nunca se había fijado en el cuello esbelto y seductor de su mujer, ni en lo fascinante que podía llegar a ser el hueco del cuello.

Grace sonrió por el comentario de su marido.

—Gracias, Christian. Me alegro de que te guste.

Christian se obligó a apartar la mirada de ella y le colocó el brazo encima del suyo mientras los dos juntos empezaban a caminar por el salón repleto de gente, aceptando felicitaciones y buenos deseos para su matrimonio por parte de todos aquellos con los que se cruzaban. Christian presentó a Grace a sus conocidos, aunque no le gustó nada que casi todos los hombres admiraran sin ningún reparo los encantos del escote de su mujer. Pensó que era muy irónico: ellos querían tocarla y no podían; él podía más que ningún otro y no lo hacía. Ya había cometido ese error una vez, en la noche de bodas, y todavía esperaba ver si ese fatal descuido daría como fruto la concepción de un hijo.

Habían cruzado el salón y estaban junto a una enorme palmera. De pronto, una voz rompió el murmullo que se oía de fondo:

—Deben engañarme mis ojos. ¿Es posible que sea éste el marqués menos popular de Inglaterra?

Christian se giró y, de repente, se le iluminó la cara.

—¡Noah! —exclamó, apretando la mano que le ofrecía su buen amigo, lord Noah Edenhall—. No sabía que veníais. ¿Cuándo habéis llegado a Londres? ¿Por qué no habéis venido a Knighton House a visitarnos?

Era la primera vez que Christian lo veía desde la temporada pasada, cuando Noah se había marchado de Londres después de casarse con una dama de pelo negro y ojos grises que era lista y guapa a partes iguales. Lady Augusta era una reconocida astrónoma y la última fascinación de la alta sociedad londinense. Al mirarla, uno jamás adivinaría que la pequeña dama con anteojos pronto vería su nombre escrito en los libros de historia. El año anterior le habían reconocido un asombroso descubrimiento celestial. También estaba embarazada, por lo que Christian los felicitó efusivamente.

—Llegamos ayer —dijo Noah—. Augusta tenía que terminar un trabajo con lord Everton y yo tenía que resolver unos asuntos con mi hermano. Además, Catriona no nos perdonaría si no acudiéramos a una de las pocas fiestas que ofrece. Imagínate mi sorpresa cuando llegué y me enteré de que te habías casado.

Christian asintió.

—Hemos llegado un poco tarde y no hemos visto ni a Robert ni a Catriona en la cola de recepción.

—¿Es mi nombre el que oigo pronunciar al recién casado lord Knighton?

El anfitrión de la fiesta, Robert Edenhall, duque de Devonbrook, se acercó para unirse al grupo. Alto y moreno, siempre presentaba una figura admirable; aunque en un hombre de admirable fortuna solía ser habitual. A su lado estaba su mujer, la encantadora duquesa, Catriona, una mujer de pelo cobrizo que era otra de las figuras más fascinantes entre los nobles londinenses. El baile estaba tan lleno sólo por ella, porque nadie que se preciara en Londres faltaría a unas de las *fêtes* de la duquesa de Devonbrook.

Catriona le dio un cariñoso beso en la mejilla a Christian y lo abrazó, sin preocuparse en absoluto por el riesgo que corría de que se le arrugara el precioso vestido que llevaba.

—Oímos la noticia en cuanto llegamos. Felicidades, Christian. Me alegro mucho de que hayáis podido venir esta noche. Supongo que esta adorable señorita es la nueva lady Knighton, ¿no es cierto?

Christian asintió.

—Grace, permíteme que te presente a los duques de Devonbrook, nuestros anfitriones esta noche. Y él es el hermano del duque, lord Noah, y su mujer, lady Augusta Edenhall.

Grace sonrió tímidamente al cuarteto de amables caras.

—Es un placer conocerles.

Como Christian esperaba, Catriona y Augusta inmediatamente rodearon a su mujer. Cualquier peligro de rechazo social desaparecía bajo su protección; ese había sido el principal motivo para escoger esta fiesta para presentar en sociedad Grace.

—Lady Knighton —dijo Catriona—. Lleva un vestido precioso. ¿Es de Madame Delphine?

—Sí, muchas gracias, Excelencia, pero llámeme Grace —dijo, un tanto nerviosa.

—Perfecto. Será mejor así, que nos llamemos por nuestro nombre de pila —dijo Catriona.

—Me parece una idea magnífica —dijo Augusta, tomando a Grace por un brazo mientras Catriona la cogía del otro—. Vamos, dejemos a los hombres que hablen de sus cosas y beban coñac mientras nosotras le insistimos a Grace para que nos diga si Christian ronca tan fuerte como Noah.

—Ah, entonces debe ser algo de familia —añadió Catriona—. Pensé que nadie podía ser peor que Robert.

Grace sonrió, disfrutando de las bromas.

—Si Christian ronca, no debe hacerlo demasiado fuerte porque nunca lo oigo a través de la puerta que separa nuestras habitaciones.

En ese instante, las dos mujeres se quedaron heladas. Sus respectivos maridos se giraron para mirar a Grace, que no había medido la importancia de las palabras que acababa de decir. Inmediatamente todos centraron su atención en Christian. Era como si, en ese concurrido salón, de repente se hubiera hecho un silencio monacal. Christian cruzó los dedos para que nadie más hubiera escuchado el comentario.

Catriona, gracias a Dios, rompió el silencio y dijo:

—Vamos, Grace, buscaremos un rincón más tranquilo donde podamos conocernos mejor.

Christian se quedó mirándolas mientras se alejaban. No estaba furioso con Grace. ¿Cómo podía estarlo? No podía tener ni la menor idea de lo que acababa de revelar con esa inocente frase. Inconscientemente, les había hecho saber a sus dos mejores amigos en este mundo, dos hombres que demostraban abiertamente su pasión por sus mujeres, que él y ella, recién casados, no compartían cama. Él se giró para mirar a sus amigos, y las miradas que recibió percibieron más de lo que él hubiera querido.

—Bueno, ¿y en qué negocios estáis metidos? —preguntó, intentando desviar la atención hacia otros temas.

Noah lo miró fijamente un instante antes de contestar.

—Al final, Robert ha conseguido convencer a Augusta para que cruce a su yegua Atalante con su semental Bayard. El único problema es decidir quién se quedará con el potrillo si al final consiguen cruzarlos. Yo les he propuesto que se lo jueguen a la paja más corta. Augusta es más partidaria de la propiedad compartida, donde el animal pasaría parte del año con Robert y Catriona en Devonbrook Hall y la otra parte con nosotros en Eden Court —dijo, con una sonrisa—. Aunque, claro, Augusta lo tendrá durante los veranos.

La conversación siguió sin que Noah o Robert hicieran ninguna mención al comentario de Grace. Aunque los caballeros son caballeros y nunca comentan esos temas personales.

Las mujeres, en cambio...

Catriona encontró un rincón tranquilo en un salón, lejos del ruido y la gente del baile. Se sentaron en un par de sofás tapizados con brocados iguales que estaban uno frente al otro. Grace se sentó en uno y Catriona y Augusta en el otro, de modo que, cuando Grace levantó la vista, tenía delante dos pares de ojos curiosos.

—Bien, querida —dijo Catriona, sonriendo—. Háblanos de ti.

De repente, Grace se había quedado muda ante esas dos elegantes y refinadas mujeres. Catriona, con el pelo cobrizo y los diamantes brillando en sus orejas, era exactamente como uno se imaginaba a una duquesa. Desenvuelta y segura, Grace no se imaginaba que esa mujer pudiera haber hecho algo impropio en toda su vida. Por otro lado, Augusta tenía el pelo de seda negra y lo llevaba echado hacia atrás con una diadema de brillantes que delataba que por sus venas corría sangre noble. Era muy enigmática. Grace nunca había visto una mujer con anteojos en público, y mucho menos en una fiesta de la alta sociedad.

Cuando, unos minutos antes, habían cruzado el salón cogidas del brazo, Grace había observado que todo el mundo las observaba. Sólo podía pensar que todos se habían preguntado qué hacía ella con aquellas dos damas tan distinguidas. Al final, habló:

—Me temo que mi educación no es lo que se considera muy refinada —dijo—. No he crecido entre el ambiente de la alta sociedad. Me criaron en el campo y…

—¡Bobadas! —dijo Catriona—. A mí también me criaron en el campo, en Escocia.

—Y a mí a bordo de un barco completamente rodeada de marineros —añadió Augusta—, que es mucho más interesante que una pizarra y clases de cómo servir una taza de té. Y dinos, ¿cómo conociste a Christian?

—En realidad, no lo conocía —dijo Grace, mordiéndose el labio inferior—. No lo conocía de nada. El matrimonio lo acordaron nuestras familias.

Las dos mujeres se miraron y asintieron.

—¿No lo quieres? —preguntó Augusta.

—Oh, no… Quiero decir, sí. Claro que sí. Quiero mucho a Christian —dijo Grace, un poco dubitativa—. Lo que creo es que él no me quiere demasiado a mí.

—¡Eso es del todo imposible! —dijo Catriona—. ¿Por qué no iba a quererte? Es obvio que eres dulce, encantadora e inteligente. Debería estar orgulloso de tener una mujer así.

—Apenas me dirige la palabra y, cuando lo hace, siempre está enfadado.

Justo después de acabar, Grace se arrepintió de su sinceridad. Acababa de conocer a esas dos mujeres y, allí estaba, explicándoles la cruda verdad de su matrimonio.

Sin embargo, ellas no parecían ofendidas por su franqueza. Más bien estaban consternadas.

—Eso es muy extraño. No es para nada propio de Christian —dijo Augusta, con un dedo en la barbilla.

—Es cierto. A mí siempre me ha parecido un hombre de lo más educado y atento —intervino Catriona, mirando a Grace y hablando en voz baja—. Perdóname, querida, si me inmiscuyo en asuntos privados. Debes entender que soy escocesa y que, con estos temas, somos muy abiertos y sinceros.

Grace le indicó que continuara con un gesto con la cabeza.

—Me imagino, por tus comentarios de antes, que Christian y tú no compartís dormitorio o, lo que es lo mismo, cama.

De repente, Grace se sintió muy avergonzada y se sonrojó. Asintió muy lentamente.

Augusta agitó la cabeza.

—Eso es todavía más extraño.

—Lo único que se me ocurre es que, como el vuestro fue un matrimonio de conveniencia, quizás a Christian le de miedo admitir la derrota.

—¿La derrota?

—Sí, ya sabes —dijo Augusta—. Al fin y al cabo, es un hombre.

—Es cierto. A veces son tan testarudos —dijo Catriona, moviendo la cabeza—. Supongo que, con lo que sé de la historia familiar de Christian, fue su abuelo el que arregló el matrimonio, ¿no es cierto?

Grace asintió.

—Existe una gran hostilidad entre Christian y su abuelo. Creo que el comportamiento de Christian se debe a que te eligió el duque. Si mostrara que le gustas sería, a su modo de entender, como decir que su abuelo ha ganado.

Grace levantó una ceja.

—¿De verdad?

—Lo sé, querida. Sé que para una mujer esas cosas no tienen sentido, porque nosotras somos sensibles y tenemos la cabeza clara para ver las cosas como son. Pero los hombres, los pobres, lo ven todo limitado: ganan o pierden. Si Christian fuera un poco más racional, entonces le daría a su abuelo la impresión de ser inmensamente feliz con su elección, es decir, contigo como esposa.

—Sí —dijo Augusta—. Y, claro, con tanta hostilidad entre ellos, el duque no se perdonaría haberle hecho un regalo tan grande a Christian cuando lo que él quería era hundirlo en la miseria. No quiero decir, querida, que seas una miseria. Está claro que no lo eres —añadió, inclinándose y colocando las manos encima de las rodillas de Grace—. En mi opinión, debemos abrirle los ojos a Christian.

Grace estaba cada vez más confundida.

—¿Abrirle los ojos?

—Sí, querida, claro que sí. Es tu única esperanza para llevar esta situación a la culminación necesaria. —Catriona se sentó recta y miró hacia el salón, observando a todo el mundo—. Tenemos que encontrar la manera de quitarle la venda de los ojos a nuestro querido lord Knighton para que vea realmente lo que tiene delante. Eso o tendremos que golpearle en la cabeza con el telescopio de Augusta para que entre en razón.

Las dos se rieron, luego Catriona alargó el cuello y miró por encima del hombro de Grace hacia la multitud.

—Debemos tener mucho cuidado… es una decisión que requiere una delicadeza extrema… —dijo, y luego sonrió—: Y creo que he encontrado a la persona perfecta para que nos ayude.

Augusta miró hacia donde miraba Catriona y, de repente, sonrió ampliamente.

—Oh, Catriona, ya sé lo que estás pensando y debo decir, querida, que es la solución perfecta. Demasiado perfecta, incluso.

Grace se giró para ver qué era lo que había llamado tanto la atención de las damas. Sin embargo, no pudo ver nada porque había un hombre en la puerta que lo tapaba todo. Se volvió a girar.

—Me temo que no sé de qué estáis hablando.

—Vuelve a mirar, querida. Tengo entendido que baila el vals a las mil maravillas.

Grace se volvió a girar y eentendió que pretendían que se fijara en el hombre que estaba en la puerta. Es más, querían que…

Grace las miró.

—Oh, no. No podría.

—Claro que sí. Quieres llamar la atención de Christian, ¿verdad?

—Sí, pero…

—Esto será mucho mejor que un golpe en la cabeza. Además, le estará bien por haberte ignorado de la manera que lo ha hecho. Confía en nosotras, querida. Sabemos muy bien lo que hacemos.

—Pero ¿no pasará nada? No quiero avergonzar a Christian. ¿No debería bailar mi primer baile como marquesa con mi marido?

—Por supuesto, si te lo hubiera pedido —dijo Catriona, sonriendo—. Además, soy la anfitriona de la fiesta. Estoy en todo mi derecho, en realidad es mi obligación encontrar pareja para las damas que no estén bailando.

Grace se quedó callada. No tenía una opción mejor y sus compañeras estaban tan seguras de lo que hacían.

Catriona miró a Augusta con una sonrisa maliciosa.

—¿Hago los honores, querida hermana?

—Oh, por supuesto. —Miró a Grace mientras Catriona se levantaba—. Observa y aprende.

Catriona se arregló la falda y se deslizó elegantemente por la sala. A los pocos segundos, ya había llamado la atención del hombre de la puerta y no tardaron demasiado en entablar conversación e intercambiar sonrisas. Momentos más tarde, Catriona lo cogió de la mano y lo llevó hasta donde Augusta y Grace estaban sentadas.

—Lady Knighton, permítame que le presente a un amigo nuestro y conocido de su marido. Lord Whitly, le presento a nuestra nueva amiga, lady Knighton.

Era lo más cercano posible a un dios terrenal: rubio, ojos color avellana y una sonrisa que podría derretir un iceberg. Llevaba un abrigo azul marino y una camisa blanca perfectamente almidonada. Mientras estaba de pie junto a ella, Grace se fijó que muchas mujeres habían interrumpido sus conversaciones para poder observarlo mientras se abanicaban.

A pesar de que era muy guapo, Grace prefería el aspecto moreno y más natural de Christian al ejemplar de perfección absoluta que tenía enfrente. Aún así, lord Whitly parecía bastante agradable, y por lo que veía, a Catriona y a Augusta les gustaba, así que le ofreció la mano protegida por el guante.

—Es un placer conocerle, lord Whitly.

Lord Whitly le cogió la mano y la besó suavemente.

—El placer es mío, lady Knighton.

—Whitly —dijo Augusta—. No necesita desplegar sus encantos con lady Knighton porque está completamente enamorada de su marido, igual que cualquier buena esposa. Lo único que queremos que haga es bailar con ella. Eso será suficiente para cumplir nuestro propósito.

Whitly sonrió.

—Es un honor servirles de ayuda, miladies —dijo, dirigiéndose hacia el baile—. ¿Me concede este baile, lady Knighton?

Grace miró por última vez a Catriona y a Augusta mientras se ponía en pie para dirigirse al el baile cogida del brazo de lord Whitly, rezando en silencio para que no estuviera haciendo nada malo.

15

Christian bebió un sorbo de coñac y espió a su hermana por la puerta del salón. Eleanor estaba de pie junto a su madre y otra persona. Tenía una sonrisa radiante. Él se calló un momento y la observó. Vio que hablaba con un caballero, alguien a quien reconoció inmediatamente cuando se giró con ella para mirar cómo bailaban los demás.

Se le cortó la respiración.

—Discculpadme un momento —les dijo a sus amigos, dándole su copa de coñac a Noah antes dirigirse a toda prisa hacia donde estaba su hermana. Se acercó sigilosamente.

—Eleanor —dijo, con una voz amable, sin dejar entrever ni un ápice de la confusión que lo invadía. Miró al caballero que estaba a su lado y luego, inmediatamente, volvió a mirar a su hermana—. Creo que ya ha llegado la hora de ese baile que te prometí, ¿no crees?

Lady Frances estaba junto a Eleanor y le lanzó una mirada a Christian que sólo ellos dos entendían.

—Oh, Christian —dijo Eleanor, con una sonrisa—. Ya empezaba a preguntarme dónde estabas. Le estaba hablando a lord Herrick de tu boda. Conoces al conde, ¿verdad?

«Mucho mejor de lo que querría.» Christian se giró, sonriendo educadamente.

—Herrick —dijo, sin ningún tipo de emoción en la voz—. Tienes buen aspecto.

Habían pasado veinte años desde que los dos se habían visto por última vez, aunque podían haber sido perfectamente veinte días. Richard Hartley, conde de Herrick, todavía conservaba el mismo pelo negro y los mismos ojos grises. Por un momento, a él le pareció que volvían a estar frente a frente en el campo de cricket de Eton con los faldones de la camisa por fuera, las mangas arremangadas y los pantalones sucios de barro.

Aquel último día, Christian se había llevado un ojo morado y Herrick la nariz casi rota y la cara ensangrentada.

A pesar de eso, Herrick le devolvió el saludo con un breve movimiento de cabeza y dejó a Christian con la duda de cuál era su intención al acercarse a hablar con Eleanor.

—Knighton, mi enhorabuena por tu reciente matrimonio.

Eleanor sonrió, obviamente ajena a la tensión que de repente habían nacido entre los dos hombres.

—Entonces tenía razón. Os conocéis.

Christian habló, pero sin dejar de mirar a Herrick.

—Sí, Eleanor. Lord Herrick y yo ya nos conocíamos, aunque de eso hace mucho tiempo. Fuimos a Eton juntos. Me ha alegrado volverte a ver, Herrick. Y ahora, si me disculpas, creo que le debo un baile a mi hermana.

Christian ni siquiera esperó la respuesta de Herrick. Agarró decididamente a su hermana por la mano y la llevó hasta la zona de baile, alejándose lo más posible del conde. Mientras se abrían camino entre la gente, él no se dio cuenta de lo fuerte que agarraba a su hermana hasta que llegaron al sitio y ella se soltó y empezó a frotarse la mano suavemente. Lo miró con curiosidad.

—¿Pasa algo?

—No —mintió él—. ¿Debería?

—Es que, de repente, pareces muy nervioso.

Se prepararon para el vals que iba a empezar y Christian vio a Herrick al otro lado de la sala. Lady Frances ya no estaba allí, pero Herrick seguía en su sitio, observándolos.

Christian frunció el ceño. Esperaba que se hubiera ido a buscar nueva compañía.

—Lord Herrick parece muy amable —dijo Eleanor, desviando hacia ella la atención que su hermano tenía centrada en el otro lado del salón—. Nos has hablado tanto de tus compañeros de Eton que creía que los conocía a todos. ¿Por qué nunca lo has mencionado a él?

¿Cómo diablos se suponía que debía contestarle? Pensaba que había sido lo suficientemente cauteloso, que se había protegido de cualquier situación contraria. De todos los contratiempos que podían surgir, jamás se hubiera esperado éste.

—Supongo que nunca lo mencioné porque no vino al caso hablar de él, Nell.

Eleanor sonrió como siempre lo hacía cuando su hermano la llamaba como cuando era pequeña. La música empezó a sonar. Mientras se empezaron a mover con las otras parejas, Christian intentó cambiar de tema.

—¿Te lo estás pasando bien?

—Sí, mucho. Ha sido una noche de lo más agradable.

Mientras bailaban, Christian vio que Eleanor miraba a Herrick, que seguía allí quieto en primera línea. Vio las sonrisas que se intercambiaron y notó que se le hacía un nudo en el estómago. «¡Maldita sea!» Aquello no podía estar pasando. Ella no. Herrick no. Ahora no. Rápidamente, giró a su hermana para que de este modo le diera la espalda al conde.

—Es increíble lo diferente que se vive todo participando en la temporada en vez de quedarme junto a mamá mirando a los demás.

Christian la miró. Seguía buscando a Herrick con la mirada.

—Nell, tienes todo el tiempo del mundo —dijo, en voz baja—. No necesitas poner los ojos en el primer hombre que se cruce en tu camino.

Eleanor miró a su hermano, sonrojada porque se había dado cuenta a simple vista de que se sentía atraída por Herrick.

—No he puesto los ojos en nadie, Christian... Por el momento, al menos.

—Eso está bien —dijo él, dando otra vuelta—. Encontrarás el amor verdadero. Te lo prometo. Nadie te forzará a un matrimonio que no quieras.

La intención de sus palabras era clara.

—¿Tan infeliz eres con Grace, Christian?

Él no estaba preparado para esa pregunta y, honestamente, no supo qué responder.

—No lo sé. Apenas la conozco. Somos dos completos extraños y es un inicio muy triste para un matrimonio.

—Está claro que tampoco pareces demasiado interesado en conocerla.

Era más una acusación que otra cosa. Christian miró a su hermana, pero ella estaba mirando hacia otro lado. Tuvo que maniobrar un poco para realizar el siguiente giro porque parecía que, de repente, el salón se había llenado de gente. Dieron unos cuantos giros más.

—Y te sugeriría, querido hermano, que concentres tus esfuerzos en tu esposa antes de que lo hagan otros por ti. Bueno, si todavía estás a tiempo.

Eleanor dejó de bailar. Casi todos lo habían hecho. Christian se giró hacia donde miraba su hermana, el centro de la pista. Buscó qué era lo que le había llamado tanto la atención, pero había mucha gente y no podía ver nada. Al parecer, todo el mundo estaba mirando lo mismo. Se acercó un poco más y vio que había una pareja bailando en medio de la gente. Mientras avanzaba entre el público supo por qué todos se habían parado. Y no le sorprendió. Lord Whitly tenía la habilidad de ser el centro de todas las miradas, porque era un buen bailarín, sí, pero también por su fama de conquistador. Sin embargo, al cabo de un momento, cuando vio la dama con la que bailaba, se quedó sin respiración.

Era su mujer.

Fijó la mirada en Grace mientras se deslizaba suavemente. Las faldas del vestido la seguían en cada movimiento y apoyaba suavemente la mano en el brazo de lord Whitly. Se movía como si hubiera nacido para bailar el vals, los tirabuzones acariciándole el cuello y una hermosa sonrisa, la sonrisa más brillante que Christian le había visto. Era la clase de sonrisa que debería haber reservado para él, su marido, y no para ese extraño, ese conocido mujeriego.

Christian vio que varios invitados lo miraban parta ver su reacción, susurrando varias posibilidades. Sabía que esos comentarios normalmente acababan en un escándalo. Si no actuaba con cautela, aquella situación llenaría los salones de té de Londres durante la próxima semana. Así que relajó la mandíbula, que había tensado durante los últimos minutos, y se quedó allí de pie hasta que la música dejó de sonar. Cuando Whitly se inclinó ante Grace, empezó a aplaudir. Los de su alrededor hicieron lo mismo hasta que todo el salón rendía tributo a la pareja. Whitly se inclinó ante el público mientras Grace sonreía tímidamente bajo la acaparadora admiración de la gente.

Entonces él aprovechó la primera oportunidad que tuvo para adelantarse y dirigirse a su esposa.

—Ha sido precioso, querida —dijo, cogiéndole la mano y besándola—. Espero que a lord Whitly no le importe que ocupe su lugar en el próximo baile.

Whitly inclinó la cabeza.

—Por supuesto que no, Knighton. Después de todo, es tu esposa, y menudo tesoro de esposa. Lady Knighton, ha sido un auténtico placer. Buenas noches, Knighton.

Christian se quedó en silencio, observando la retirada de Whitly con una mirada rapaz. Se giró hacia Grace.

—¿Bailamos, querida?

Grace asintió justo cuando la música empezó a sonar. Christian la apretó contra él y colocó la mano en su espalda en actitud posesiva, con la misma sonrisa forzada en la cara. Empezaron a moverse, un auténtico espectáculo para los que los miraban, hasta que los demás se les unieron. Él se esperó para hablar hasta que estuvo seguro de que no lo oirían.

—No sabía que conocieras a lord Whitly.

—Y no lo conocía —dijo Grace—. Catriona y Augusta nos han presentado. Parece un caballero de lo más afable.

—Sobre todo, un caballero —contestó Christian, dando una vuelta y acercándose más al extremo del salón, cerca de las puertas de la terraza—. Grace, cuando una mujer acaba de casarse, es una buena idea que primero baile con su marido. Si no, puede provocar comentarios innecesarios.

Grace lo miró fijamente.

—Lo habría hecho, si mi marido me lo hubiera pedido.

Touché.

Mientras daban un giro, a Christian le llegó el olor de la fragancia de Grace, un olor exótico muy particular. Inmediatamente notó que las palmas de las manos le empezaban a sudar.

—Llevas una fragancia muy inquietante, milady.

—Es una receta de familia, milord. Un secreto de siglos.

—Seguro.

El corazón se le aceleró como si hubiera estado corriendo una hora. Bajó la mirada, un error fatal porque, al hacerlo, tuvo una visión magnífica del amplio escote de Grace. Sin duda, ésa era la razón de la sonrisa de Whitly mientras bailaba con ella. Christian sintió la urgente necesidad de hundirse entre sus pechos y llenarse de esa fragancia. Contuvo la respiración y notó que empezaba a excitarse. Por Dios, era un hombre de veintinueve años, no un colegial. ¿Qué le estaba pasando?

Al dar el siguiente giro, se equivocó de pie y se fue en la dirección contraria. Grace estaba desprevenida y, mientras ella se fue a la derecha, Christian se fue a la izquierda. Perdió el equilibrio y cayó encima de él, presionando contra su pecho cada centímetro de su cuerpo. La respuesta de Christian o, más bien la de su cuerpo, fue inmediata.

—¡Dios Santo! —exclamó Grace.

Un eufemismo.

Gracias a Dios estaban al lado de la terraza, por que si no todo Londres hubiera visto lo excitado que estaba. En lugar de eso, rápidamente volvió a recuperar el paso y salieron bailando a la terraza.

Cuando cerró la puerta tras de sí, dio gracias al cielo de que fuera una noche fría y no hubiera nadie tomando el aire. En ese momento, sólo podía pensar en poseer a Grace. La apoyó contra la pared y la apretó contra su cuerpo, besándola con una mezcla de impaciencia y lujuria. Las curvas de su cuerpo se adaptaban a él y él gemía dentro de su boca. Y cuánto más la besaba, la tocaba, la conocía, más la deseaba.

Más la necesitaba.

—¡Maldita sea!

Christian se separó, la observó bajo la luz de la luna, buscando alguna explicación al efecto que provocaba en él.

—¿Christian?

—Ven. —Fue todo lo que Christian pudo decir.

La cogió de la mano y la llevó al otro lado de la terraza. Como mínimo, todavía tenía el suficiente sentido común para saber que no podía poseer a su mujer allí contra la baranda de la terraza. Afortunadamente, descubrió que la puerta del estudio privado de Robert estaba abierta. La abrió y cruzó la habitación a tientas. Grace no dijo nada, sólo se limitó a seguirlo, convirtiendo el fru fru de las faldas en el único ruido que se oía.

Christian notaba que el corazón le latía muy rápido. La tomó de la mano y la llevó hasta la escalera trasera que, normalmente, estaba reservada para el servicio. Entró en la primera habitación que encontró y cerró la puerta tras de sí. Se giró hacia Grace. Respiraba aceleradamente. Tenía el cuerpo en llamas. En ese instante, la deseaba más de lo que jamás había deseado nada en su vida.

—Grace.

Eso fue todo lo que consiguió decir antes de atraerla hacia él. La besó con fuerza, saboreándola con la lengua mientras la acercaba a la cama. La echó encima de las sábanas y se colocó encima de ella, hundiendo la cara en su cuello, respirando su perfume, acariciándola por todas partes. Se desabrochó los pantalones a oscuras, maldiciéndose en voz alta mientras lo hacía.

—No soy un animal, Grace. No sé por qué no puedo controlarme. Necesito sentirte. Necesito estar dentro de ti. No puedo evitarlo.

Ella lo miró con los ojos brillantes por la luz de la luna que entraba por la ventana.

—Yo también quiero volver a estar cerca de ti. Te he echado de menos. No pasa nada, Christian.

Pero sí que pasaba. Aquella no era la manera como un hombre de su edad y posición le hacía el amor a una mujer, y mucho menos a su esposa. Sin embargo, ya tenía los pantalones en los tobillos y se estiró encima de ella, levantando con las manos una y otra capa de tela, desesperado por encontrarla. Cuando, al final, consiguió arremangar la toda la falda en la cintura, le separó las piernas y se colocó en medio. Sentía que, de un momento a otro, el corazón se le saldría del pecho. Apenas podía respirar. Dio gracias al cielo cuando descubrió que Grace estaba, al menos, excitada parcialmente y entonces la penetró, gritando desesperado mientras se hundía en ella.

Cuando volvió en sí, estaba jadeando y sudoroso. Incluso mientras estaba allí encima de ella, apoyado en su cuello, no podía creerse lo que acababa de hacer. Acababa de llevarse a su mujer a una habitación de invitados de la casa de uno de sus mejores amigos mientras medio Londres bailaba en el salón que tenían debajo y se había derramado dentro de ella no una vez, sino dos. No sabía cómo, pero estaba seguro de que en esos momentos su abuelo se debía estar riendo a carcajadas.

Se separó de Grace sin decir nada. Se puso de pie y se apresuró a abrocharse los pantalones. Se giró hacia ella. Todavía estaba tendida en la cama, mirándolo. Una media se le había resbalado hasta el tobillo y el pelo era un revoltijo de rizos encima de la almohada. Tenía los ojos muy abiertos y llenos de esa maldita adoración con que siempre lo miraba. Estaba increíble, tanto que Christian notó que volvía a excitarse, incluso después del esfuerzo que acababa de hacer.

Le bajó las faldas y descubrió, para su desgracia, que en su arrebato de pasión le había arrugado todo el vestido. Miró a Grace y ella lo miró a él durante unos instantes.

—Me temo que no podremos volver al baile. Te he destrozado el peinado.

Grace se tocó la cabeza con la mano.

—No importa. No me preocupa el baile. Yo sólo quiero estar contigo.

Christian se quedo de pie. Aquellas no eran precisamente las palabras que necesitaba oír en ese momento.

—Avisaré a mi madre de que nos vamos. Me encargaré de recoger las capas y llamar al cochero. —La miró—. Grace no tengo ningún derecho a esperar que entiendas…

Christian no pudo terminar la frase porque ella se había levantado y suavemente había colocado el dedo índice en sus labios.

—Shh. Por favor, no estropees este momento, Christian.

Le brillaban los ojos y tenía una sonrisa de ensueño en la cara. Él le apartó el dedo.

—Grace, tú no te das cuenta, pero las relaciones entre un hombre y una mujer no suelen ser así. Los hombres que se comportan como yo lo he hecho son animales. Un hombre debería poder controlar sus impulsos el tiempo suficiente como para llevar a una mujer a un dormitorio como Dios manda y esperar a que, al menos, se quite los guantes.

De repente, Grace se miró las manos como si se diera cuenta ahora que todavía los llevaba. Lo miró.

—Pero, Christian, no ha sido nada horrible, ni siquiera lo fue la primera noche en Westover Hall. Si aquella noche hice algo malo para que te fueras tan rápido, lo siento. Sólo es que no sabía que me dolería tanto, aunque sólo fue un momento, y lo que habías hecho hasta entonces, sobre todo los besos, fue muy dulce. Y esta noche no me ha dolido nada. Sólo me ha sorprendido un poco, pero espero que nos acerque más.

Christian la miró. ¡Por todos los santos! Se estaba echando la culpa. No podía creer que le estuviera pidiendo perdón por la manera tan terrible cómo le había hecho perder la virginidad.

—¡Maldita sea, Grace! ¡Eres una soñadora! —Quería sacudirla, quitarle esas ideas románticas de la cabeza—. No puedo permitir esto. ¡Esto no volverá a suceder!

Christian cerró los ojos. Estaba tan furioso por haber dado rienda suelta a su pasión otra vez que quería romper algo. Sólo pensar en lo que había hecho, arrastrarla hasta allí, sacarla de un baile lleno de gente, meterla en un cuarto de invitados en casa de Robert, tomarla allí mismo, derramarse dentro de ella, lo llenaba de rabia y sentía que iba a estallar. Era un marqués, heredero de una de las mayores fortunas del país. Lo habían educado para que reprimiera todos sus sentimientos y emociones, para que los disimulara detrás de una fría manta de indiferencia. Así era como se comportaban los Westover y se había pasado veinte años cultivando ese carácter frío y reservado que lo había mantenido a salvo del resto del mundo. No sabía qué tenía esa mujer que hacía que se olvidara por completo de quién era. Sin embargo, fuera lo que fuera, esa locura tenía que terminar. Estaba decidido a que así fuera.

Mientras caminaba hacia la puerta para arreglarlo todo para marcharse, hizo un enorme esfuerzo para olvidar sus ojos, su dulzura, mientras se hacía una promesa que no rompería.

Si eso quería decir alejarla de él y encerrarla en una casa de campo, lo haría, pero nunca rompería su promesa.

No volvería, bajo ningún concepto, a acostarse con su mujer nunca más.

16

Christian tuvo que repetirse su promesa dos veces más durante las siguientes dos semanas. Cada vez que se lo recordaba, estaba determinado a que fuera para siempre. Y cada vez que sucumbía, se enfadaba más consigo mismo.

Tenía que hacer algo con esa locura.

Gracias a Dios, Grace había estado muy ocupada preparando su primera fiesta como anfitriona. Al parecer, había sido idea de Catriona, una manera para que se acabara de introducir en la alta sociedad. A excepción de pedirle algún consejo a Eleanor o a lady Frances y consultar la lista de invitados con Christian, estaba completamente volcada en organizarlo todo sola. Se enviaron invitaciones a una docena de personas, entre los que estaban los amigos de la familia, algunos socios de los Knighton y figuras importantes de la sociedad. Ningún invitado declinó la invitación, y eso era una buena señal, porque quería decir que la aceptaban como una más del selecto grupo al que pertenecían.

Mientras estaba delante del espejo del vestidor, Christian no pensaba en la lista de invitados ni en la cena que se serviría. Lo que le preocupaba era el mensaje anónimo que había recibido dos días antes y que el mayordomo, Forbes, había encontrado en el escalón de la entrada.

Iba dirigido a él y estaba sellado con lacre negro, algo reservado a la correspondencia necrológica. La letra no era claramente femenina o masculina y no había remitente, así que no había manera de averiguar quién lo había enviado. En el interior sólo había una frase:

«Uno nunca sabe lo que se siente al perder algo querido hasta que realmente lo pierde.»

Terriblemente enigmáticas, las palabras tenían un matiz más serio de lo que él quería aceptar. Lo había releído una docena de veces y cada vez había sentido una punzada en el estómago. Si no hubiera sido demasiado tarde, habría suspendido la fiesta. No quiso comentar con nadie lo que pasaba porque esperaba descubrir él solo quién se lo había enviado y solucionarlo sin preocupar a los demás. Pero lo que más intrigado lo tenía era que no sabía quién podía habérselo enviado, aunque las posibilidades eran muchas. La amenaza afectaba a todos los miembros de la familia: a Grace, a Eleanor, a lady Frances y hasta a él mismo; es decir, todos estaban en peligro. Además, ese mensaje hizo que por primera vez se enfrentara a algo de lo que había intentado huir los últimos veinte años.

Había alguien más que sabía la verdad sobre su pasado y había esperado hasta ahora para decirlo, justo después de su boda y de la presentación en sociedad de Eleanor. No podía haber elegido un momento menos oportuno.

Cuando escuchó que Peter, su ayudante de cámara, entraba en la habitación con un par de botas relucientes, se giró.

—Esa chaqueta os sienta muy bien, milord. La azul marino ha sido una buena elección. —Dejó las botas en el suelo junto a la silla—. ¿Desea algo más, milord?

Christian negó con la cabeza mientras el ayudante hacía una reverencia y se disponía a marcharse. Antes de irse, sin embargo, añadió:

—Lady Knighton me ha pedido que le diga que lo espera en el salón con los demás invitados.

Christian se arregló los puños de la camisa.

—¿Ya han empezado a llegar?

—Sí, milord. Los duques de Devonbrook y lord y lady Edenhall ya están aquí, y lady Frances y lady Eleanor también están en el salón. Cuando he subido, había dos o tres carruajes más que llegaban a la puerta.

Christian asintió. Se puso las botas, se arregló el cuello frente al espejo y salió de la habitación, deseando olvidarse de las amenazadoras palabras del mensaje durante unas horas.

Mientras bajaba la escalera, oyó voces y risas que venían del salón. No entró inmediatamente, sino que se quedó en la puerta observando en silencio. Mientras estudiaba las caras de los invitados, le vino a la cabeza una idea terrible: ¿Y si el remitente del mensaje era uno de sus invitados esta noche? Devonbrook y Edenhall no podían ser, porque eran sus mejores amigos, pero muchos de los otros invitados ya eran amigos de la familia cuando su padre estaba vivo. ¿Y si alguien había sabido la verdad todo ese tiempo?

Mientras observaba el salón, vio a Grace junto al fuego hablando con Catriona y Augusta. Se detuvo un momento para mirarla. La transformación del último mes era muy evidente. Ya no había ni rastro de la dócil e inocente chica de pueblo que se había presentado temblorosa en el altar de la iglesia de Little Biddlington. En su lugar había una joven que estaba haciendo todo lo posible para cumplir a la perfección con su nuevo papel de marquesa. Christian había visto el vestido que Grace había escogido para la fiesta unas horas antes, cuando pasó por delante de su puerta y lo vio a los pies de la cama. Era un vestido de seda color lavanda con brillantes. Recordó que había pensado que le quedaría precioso con el color de ojos y el pelo dorado. Y no se había equivocado.

Si, al menos, no se hubiera equivocado con su habilidad por controlar su lujuria.

Antes de recibir el mensaje, había estado pensando en enviar a Grace y su doncella por una temporada a Westover Hall ya que, según él, ésa sería la manera más adecuada de poner tierra por medio entre ellos, para poder recapacitar y volver a la idea inicial del matrimonio de conveniencia. Sin embargo, eso ya no sería posible, no cuando necesitaba tenerla a ella y al resto de la familia cerca ante la amenaza que había recibido. Si a alguna de aquellas mujeres le ocurriera algo por su culpa, nunca podría perdonárselo.

La risa de Eleanor lo volvió a la realidad. Miró hacia donde estaba su hermana, muy animada en conversación con alguien. Estaba radiante y Christian se alegró mucho de que se lo estuviera pasando bien hasta que vio que la persona con quien estaba charlando tan animadamente era lord Herrick. Inmediatamente se quedó helado cuando vio la manera informal, casi íntima, cómo el conde hablaba con Eleanor. No recordaba haber visto el nombre de Herrick en la lista de invitados que Grace le había enseñado. En realidad, recordaba perfectamente haberlo buscado para asegurarse de que el conde no estaba entre todos los invitados.

Entonces, ¿por qué lo había invitado Grace?

Christian entró en el salón y se dirigió lentamente hacia su mujer para preguntárselo. Tuvo que pararse varias veces para saludar a los invitados.

—Knighton, me alegro mucho de verte —dijo lord Rennington, uno de los antiguos miembros del club de su padre.

Lady Rennington era una de las pocas amigas que le quedaban a su madre en la ciudad. Las dos familias se conocían desde hacía dos generaciones. Christian se preguntó si el mensaje lo habrían enviado ellos.

Se quedó junto a ellos un momento para intercambiar unas amables palabras y luego se disculpó y se fue hacia Grace. Mientras caminaba, repasó mentalmente todos los invitados. Lord y lady Faneshaw. El vizconde Chilburn, con su segunda mujer. Los Talbot. Los Fairfield. Los Sykes. Incluso Herrick. Cualquiera de ellos podía haber enviado el mensaje. Intentó recordar si alguna vez alguno de ellos había mencionado algo sospechoso, pero no recordó nada.

—Christian —dijo Catriona, cuando vio que se acercaba—. Precisamente ahora le estaba diciendo a Grace que tenéis que venir a vernos a Devonbrook Hall este otoño. Todavía no has visto la casa después del incendio.

Christian sonrió, muy amable, para relajar un poco los músculos de la cara, que estaban rígidos.

—Nos encantaría, Catriona. Proponed una fecha y allí estaremos —Cogió a Grace por el brazo—. Y ahora, señoras, espero que no les importe que me lleve a mi mujer un segundo. Tenemos que hablar de algo sobre la cena de esta noche.

Mientras Catriona y Augusta asintieron, Christian salió del salón con Grace. Una vez fuera, la sonrisa desapareció de su cara. Intentó disimular su enfado, aunque no lo consiguió.

—¿Te importaría decirme qué demonios hace lord Herrick aquí?

Grace estaba muy sorprendida. Miró por encima del hombro de Christian a Eleanor y al conde junto a la mesa de las bebidas.

—Pensé que a Eleanor le haría ilusión. Habla de él a menudo.

—Su nombre no estaba en la lista de invitados que me enseñaste.

—Es que no pensé en él hasta más tarde. Quería decírtelo, pero como últimamente no has estado mucho en casa. ¿Es que hay alguna razón especial por la que no debería haberlo invitado?

—No quiero que Eleanor se encapriche del primer hombre que conozca. Preferiría que conociera a varios caballeros en vez de centrar su atención en uno solo. Pero ahora es demasiado tarde. El daño, al menos por esta noche, ya está hecho.

Luego, ignorando la expresión herida de Grace, se giró y la dejó allí de pie en el vestíbulo, deseando que la inesperada aparición del conde y el mensaje fueran una coincidencia. Le parecía poco probable y, mientras volvía al salón, se preguntó si habría otros invitados sorpresa esa noche.

Grace estaba sentada en un extremo de la enorme mesa de caoba que estaba decorada con varias piezas de plata que brillaban a la luz de las velas, fruto de varios días de limpieza. El servicio era impecable, el comedor estaba precioso y cada plato preparado y presentado con exquisitez. Aún así, se preguntaba si podía ir peor después del desastre que había sido su primera conversación con Christian esa noche.

Cualquier buena perspectiva de mejora desapareció detrás del ceño fruncido que su marido mostraba por encima de la copa de vino desde su silla, al otro extremo de la mesa. El enfado de ver a lord Herrick en la fiesta no fue nada comparado con la desagradable sorpresa de descubrir quién estaba sentado a su lado. Grace pensó que invitando al duque de Westover y sentándolo junto a Christian, de algún modo se sentirían obligados a hablar y, quizás, podrían encontrar la manera de limar asperezas. Sin embargo, las miradas asesinas que Christian le lanzó durante toda la cena le hicieron darse cuenta de que era lo peor que podía haber hecho.

Además, para empeorar las cosas, en el comedor había un silencio sepulcral. Las cenas se organizaban para que la gente se viera y hablara, comentara noticias, intercambiara opiniones e ideas. Con las únicas excepciones de pedir más sal o vino, nadie decía nada. En lugar de eso, se miraban unos a otros y, luego, la miraban a ella. Al final, afortunadamente, Catriona habló:

—Robert —le dijo a su marido—. ¿Por qué no les explicas a todos el pez que pescó nuestro pequeño James la primera vez que lo llevaste a pescar el mes pasado?

Cuando el duque empezó con el relato, Grace se inclinó hacia Augusta, que estaba sentada a su izquierda, y le susurró:

—¿Por qué nadie dice nada?

Augusta bebió un sorbo de su vaso: un brebaje de leche con canela, un antojo que solía tener ahora que estaba embarazada y que la cocinera le había preparado encantada.

—No soy una experta en protocolo, la experta era mi madrastra, pero creo que no hablan porque, hasta hoy, no se habían visto obligados a pasar tanto tiempo en compañía del otro.

—Pero, no lo entiendo. Me aseguré de sentar a cada marido con su mujer.

—Y ese es exactamente el problema —dijo Augusta, señalando con la cabeza el otro lado de la mesa—. ¿Ves a lord Faneshaw? No ha prestado ni la más mínima atención a su mujer; en cambio, ha estado toda la noche lanzándole miradas a lady Rennington, que está sentada tres sillas más abajo delante de él. Lo hace porque, normalmente, en fiestas así suelen sentarse juntos.

—¿De verdad?

Augusta dejó la cuchara en el plato y dijo, como si fuera lo más normal del mundo:

—Claro, querida. Es su amante.

Grace se tapó la boca con la servilleta justo a tiempo para esconder una exclamación de sorpresa.

Augusta asintió.

—Y lady Faneshaw suele sentarse junto al vizconde Chilburn, cuya nueva esposa, lady Chilburn, suele disfrutar de la compañía de lord Sykes por la misma razón. Entre las anfitrionas habituales no se considera «moderno» sentar al marido junto a su mujer, por lo que Catriona y yo acudimos a muy pocas fiestas. A nosotras nos gusta hablar con nuestros maridos, pero nunca nos sientan juntos y, en su lugar tenemos que soportar a groseros como lord Rennington o a obscenos como Chilburn.

Grace sólo podía agitar la cabeza.

—No lo sabía. Deben creer que soy una estúpida.

—En absoluto, querida. A mí me gusta lo que has hecho. Normalmente estoy muy ocupada en el observatorio. Trabajo de noche y duermo de día, de modo que no tengo demasiadas oportunidades de ver a Noah todo lo que me gustaría. Me parece que últimamente estoy durmiendo cada vez más, aunque debe ser por el bebé. Nos hemos pasado toda la noche hablando de cosas que, normalmente, deberíamos hablar durante el desayuno. Me ha gustado mucho disfrutar de estas horas juntos, sabiendo que ninguno de los dos tendría que estar en otro lugar. No te preocupes por los demás. Deja que Catriona se encargue de la situación. Cuando acabe, habrás establecido otra moda para sentar a los invitados en las fiestas.

Como si lo hubiera oído, la duquesa volvió a hablar:

—Lady Rennington, ¿la noche del baile en nuestra casa, no me dijo que a su nieto Charles le gustaba escribir poesía? Me encantaría leer alguna; soy una gran admiradora de este género literario. Me pregunto de quién habrá heredado el talento. De usted, ¿quizás?

—Oh, no, Excelencia. A mí jamás se me dio bien lo de escribir poesía, pero lord Rennington sí que solía escribir algo hace años. Hace tanto tiempo que ya casi lo había olvidado.

—Querida, no seas tan modesta. Cuando éramos joven, se te daba muy bien escribir poesías.

La condesa miró a su marido por primera vez en toda la noche. Surgió una chispa de ternura ya casi olvidada que, al parecer, inundó el salón.

Lady Talbot intervino en la conversación:

—Lord Talbot también era un artista cuando era joven. Me solía enviar dibujos cuando estaba en Florida.

—Era un joven tonto que echaba de menos su casa —respondió lord Talbot, claramente incómodo por la intimidad del comentario.

—Tus cartas eran tan bonitas. Por eso me casé contigo, Henry.

Al cabo de poco, todos estaban intercambiando recuerdos de tiempos pasados. Fue increíble. Haciendo referencia a un hecho sin importancia, lo orgullosa que una abuela se sentía de su nieto, Catriona había conseguido que todas esas personas recordaran qué les había atraído de su pareja en un principio. A partir de ese momento, no estuvieron callados ni un segundo.

Más tarde, después de cenar, se retiraron a otra sala a jugar a cartas. Grace ganó dos partidas. Nonny, que era toda una experta en jugar a cartas, le había enseñado muy bien.

Después Eleanor los deleitó con la flauta, mientras Grace la acompañaba al piano. Eleanor tenía mucho talento para la música. Grace nunca había escuchado a alguien tocar la flauta con tanta pasión y sentimiento, y mucho menos a una dama, porque normalmente a las mujeres se las relegaba a tocar el arpa o el piano.

Pasada la medianoche, los invitados empezaron a marcharse, y Grace y Christian los despedían en la puerta. A pesar del tropiezo inicial, la noche había acabado siendo todo un éxito.

Cuando Catriona fue a despedirse de Grace, ésta le dio un fuerte abrazo.

—No sé cómo agradecerte lo que has hecho esta noche. No quiero ni imaginar el desastre que hubiera resultado si no llega a ser por ti.

—Bobadas, Grace. Lo que pasa es que eres demasiado modesta. Que la noche haya sido de lo más agradable es únicamente mérito tuyo. Algunos sólo necesitaban que les abrieran los ojos, eso es todo.

Grace miró a los invitados mientras se dirigían a sus carruajes y luego se giró para despedir al último. Forbes estaba ayudando al viejo duque con el abrigo. Christian había desaparecido.

—Le agradezco que haya venido, Excelencia —dijo Grace mientras el duque le besaba la mano—. Espero que haya disfrutado de la velada.

—Como mínimo he visto que no me equivoqué contigo. Reconozco que al principio fui un poco tosco, pero todo ha salido como lo había imaginado. Algún día, serás una duquesa excelente.

Grace le sonrió mientras el duque se inclinaba hacia ella y le susurraba algo al oído:

—Un pequeño consejo, querida. No pierdas el tiempo intentando arreglar algo si no sabes lo profundo que es el corte. Algunas cosas no están destinadas a funcionar.

Y luego, cogió el bastón, se cubrió la cabeza con el sombrero y se subió al carruaje, que ya lo estaba esperando en la puerta.

Cuando se marchó, Grace cerró la puerta y se giró. Se asustó cuando vio a Christian detrás de ella, apoyado en la puerta del estudio. Tenía los brazos cruzados y una expresión sombría y peligrosa.

—Bravo, milady —dijo, en un tono que rozaba el insulto—. Has conseguido ganarte la confianza de un hombre al que creía completamente insensible. —Los ojos se le llenaron de odio—. Nunca, jamás, vuelvas a cometer el error de ponerme en la situación de esta noche.

Y con eso se giró, entró en el estudio y cerró la puerta de golpe. Lo que siguió fue el inconfundible sonido del cerrojo.

17

Grace miró de reojo el pequeño reloj que tenía encima de la mesita de noche. Con la única iluminación de la luz de la luna que entraba por la ventana de su habitación vio que ya eran las tres de la madrugada. Había pasado otra hora. Unas horas más y volvería a ser de día, y Christian todavía no había subido a acostarse.

Había dejado abierta la puerta que comunicaba los dos dormitorios a propósito para oírlo cuando subiera. Incluso se había quedado sentada en la silla que había enfrente de la puerta para asegurarse que lo veía. Tenían que hablar. Esta noche se había enfadado porque ella había invitado a lord Herrick y al duque a cenar. Después de las duras palabras que le había dicho en el vestíbulo, sabía que no podría dormir sin antes hablar con él y explicarle sus razones, sin importarle lo poco diplomáticas que fueran.

Durante más de un mes había intentado romper la barrera que Christian levantaba a su alrededor, pero no lo había conseguido. Estaba tan lejos de él ahora como aquella mañana en la iglesia de Little Biddlington. Eran marido y mujer, pero él seguía evitándola. ¿Por qué? ¿No le parecía bien como esposa, pensaba que era incompetente para su posición? Ella había intentado portarse como creía que lo haría una marquesa. Se preocupaba de qué ponerse, dónde iba y a quién veía. A pesar de que a veces se equivocaba sabía que, a grandes rasgos, lo estaba haciendo bien porque en lugar de la ignorancia habitual, Christian la abrazaba, la besaba y la tocaba de maneras tan íntimas que ella jamás había imaginado. Después, sin embargo, cuando estaban tan cerca el uno del otro, él siempre se separaba de manera muy abrupta y ella no lo veía durante varios días. Había intentado una y mil veces saber por qué, pero parecía que siempre acababa haciéndose la misma pregunta: ¿Qué tenía ella que siempre acababa provocando que Christian se alejara?

Había llegado la hora de obtener una respuesta y, dado que Christian no tenía ninguna intención de acercarse a ella, sería ella la que tendría que ir a buscarlo. Se puso la bata y se ató el cinturón. Apagó la vela y salió del dormitorio.

El pasillo estaba oscuro y no se oía nada. Las puertas de los dormitorios de lady Frances y Eleanor estaban cerradas. Cuando el gran reloj de la entrada tocó las tres y cuarto, empezó a bajar lentamente la escalera. Al llegar abajo, vio la luz del fuego por debajo de la puerta del estudio de Christian. Se quedó frente a la puerta un momento, dubitativa, estudiando un poco lo que le diría. Seguro que él se enfadaría con ella. Haría caso omiso de sus intentos de acercamiento, pero ella sabía que tenía que mostrarse firme. Sencillamente, no podía continuar así.

Después de respirar profundo, colocó la mano en el pomo y deseó que la puerta no estuviera cerrado con llave. Lo giró lentamente y la puerta se abrió. Entró.

Christian estaba sentado en uno de los sillones orejeros que había delante del fuego, con la copa de coñac en la mano y observando las llamas. Se había quitado la chaqueta, y arremangado la camisa hasta medio antebrazo. Se había aflojado el nudo de la corbata y desabrochado los primeros botones de la camisa. Estaba despeinado por las muchas veces que se había cogido la cabeza entre las manos durante las últimas horas, allí sentado solo, en la oscuridad, negándose a subir a su dormitorio si no era para hacer el amor con su mujer.

—¿Christian?

Él se volvió sorprendido cuando escuchó la voz de la mujer que lo estaba atormentando. El giro tan seco hizo que tirara un poco de coñac. Ni siquiera la había oído entrar. Por un momento, se preguntaba si no estaría soñando y se la estaba imaginando allí de pie en la puerta.

Grace se movió y Christian se dio cuenta de que no era ninguna alucinación.

Ella se quedó de pie en la puerta, con el pelo rizado cayéndole encima de los hombros. Parecía tan inocente con su virginal camisón abotonado hasta la barbilla. Avanzó descalza por el suelo de madera. Se colocó el pelo detrás de la oreja y con ese sencillo gesto, Christian sintió que los músculos del estómago se le tensaban como le sucedía cada vez que perdía el sentido y el control sobre sí mismo y acababa haciendo el amor con ella. Tenía que hacer algo. Tenía que evitar romper su promesa. Luchó por controlar su deseo con la única arma que tenía: la ira.

—Vete, Grace —dijo, con mucha rabia, antes de girarse otra vez hacia el fuego y esperar a que ella se fuera, se desvaneciera igual que había aparecido.

Había estado pensando en ella toda la noche, pensando en lo mucho que lo intrigaba, y en el peligro que corría su vida por su culpa y por el maldito mensaje.

—No, Christian. Esta vez no me iré.

La miró.

—¿Qué has dicho?

—Tenemos que hablar.

Tenía tanta determinación en la mirada que estaba claro que no se iba a dejar pisotear. Sin embargo, él no estaba de humor para hablar. Lo que realmente le apetecía era tumbarla en el suelo y hacerle el amor salvajemente para olvidar lo miserable que había sido toda su vida. Y ella se lo permitiría, porque era una romántica empedernida, y sabía que eso quería decir que empezaba a quererla, y eso no podía ser. Querer significaba sentir. Y sentir quería decir ser vulnerable. Y ser vulnerable quería decir ser débil, algo de lo que siempre se había protegido.

Los resultados podían ser... mortales.

—Quizás en otra ocasión, señora. Ahora estoy ocupado.

Volvió a esperar que se marchara.

Y ella se volvió a quedar allí quieta.

—Christian, ¿qué he hecho para disgustarte tanto? Está muy claro que estás enfadado conmigo. ¿Es porque he invitado a cenar a tu abuelo esta noche? Debes saber que lo hice con muy buena intención.

—Si él está por medio, las buenas intenciones no existen.

Grace se acercó un poco más.

—No sé cuál es la causa del odio que le tienes. Ojalá lo supiera. Quizás entonces podría entenderlo. Sólo sé que tiene algo que ver con la muerte de tu padre.

Christian se asustó mucho.

—¿Qué te ha dicho?

Si se había atrevido a decirle algo, lo mataría.

—Tu abuelo no me ha dicho nada. La que me dijo que tus desavenencias con tu abuelo empezaron después de la muerte de tu padre fue la señora Stone.

—El servicio haría muy bien en recordar quién les paga el sueldo y mantener la boca cerrada —se dijo a sí mismo.

—Yo le pregunté, Christian. Ella no me lo dijo porque sí. Se lo pregunté porque quería ayudarte.

—No te metas en asuntos que no te incumben, Grace. No necesito tu ayuda.

Grace se acercó más y se quedó a su lado. Él podía sentir su calor y ni siquiera lo estaba tocando. Sin embargo, su aroma ya llenaba toda la habitación.

—Sé lo que se siente al perder a un padre, Christian. Yo perdí a mi padre a mi madre.

Esas suaves y tiernas palabras despertaron en él un sentimiento de que compartían algo. ¿Se lo podría decir? ¿Se atrevería? Sintió que empezaba a ceder y luchó por contenerse, porque no quería revelar el doloroso secreto que tanto tiempo había guardado con recelo. Si lo hacía, Grace sabría realmente con quién se había casado. No con un noble heredero, sino con un asesino. No podría soportar la mirada de horror en sus ojos, en los ojos de la persona que lo había adorado desde el principio. En lugar de eso, dijo:

—No sabes nada de cómo me siento.

—Christian, soy tu mujer. Me preocupo por ti.

—¿Cómo puedes preocuparte por un ase…?

Christian sólo pudo dar gracias al cielo por haberse callado antes de terminar la frase, antes de decir «asesino». Cerró los ojos y luchó por controlar las emociones que estaban a punto de desbordarlo. «No puedes decírselo.» Al cabo de un segundo, el corazón volvió a su ritmo normal, y entonces pudo respirar mejor. A continuación, más calmado, dijo:

—¿Cómo puedes preocuparte por un hombre al que no conoces? ¿Quién es mi artista favorito, Grace? ¿Cuál es mi color favorito? ¿Sabes cómo me tomo el té? ¿Tienes la menor idea de qué día es mi cumpleaños?

La miró y vio que en sus ojos ya no se reflejaban la suavidad y dulzura de hacía un momento. Ahora lo estaba mirando, muy seria, y dijo:

—Con leche, sin azúcar y el veintitrés de septiembre.

Él la miró perplejo.

—En lo primero me fijé y lo segundo se lo pregunté a tu hermana. Sabría lo demás si me hubieras dejado averiguarlo. No esperaba saberlo todo de ti a las pocas semanas de la boda. Nos casamos sin conocernos demasiado bien…

—¿Demasiado bien? —exclamó Christian—. No nos conocíamos en absoluto.

—Ha habido otros matrimonios que han empezado así y que han resultado bien. Cuando accedí a casarme contigo, sabía que necesitaríamos tiempo para conocernos. Y pensé que pasaríamos más tiempo juntos para lograrlo. ¿No pensabas igual?

En un mundo perfecto, aquello hubiera sido cierto. Sin embargo, el mundo de Christian estaba lejos de ser perfecto y no podía permitir que su desgracia arruinara otra vida. Tenía que mantener a Grace lejos de él, porque si se acercaba podría resultar herida. Quizá podría morir. Tenía que olvidarse de sus estúpidas ideas románticas, del amor, el matrimonio y la devoción. Tenía que enfrentarse a la realidad que Christian no era el hombre perfecto con el que ella creía que se había casado. Necesitaba con urgencia una dosis de realidad. Cuánto antes se diera cuenta de que no se había casado con el perfecto caballero que ella creía, mucho mejor para ella.

—Eres una soñadora, Grace. ¿No lo entiendes? No me casé contigo por arte de magia ni porque estuviera escrito hace siglos. No vi tu nombre escrito en las estrellas. No acudiste a mí en un sueño. Me casé contigo porque tuve que hacerlo. No porque yo quisiera, sino porque alguien te escogió para mí. —La miró y, con la máxima frialdad posible, concluyó—: Francamente, Grace, podrías haber sido cualquiera.

Todas y cada una de las palabras fueron como un mazazo en el estómago que, poco a poco, fueron apagando la luz de los ojos de ella hasta que al final sólo había nubes. Parpadeó un par de veces para intentar disiparlas. Notó que los ojos se le llenaban de lágrimas y tuvo que luchar por contenerlas. Miró a Christian fijamente, en silencio. Al final, hablando en un susurró, dijo:

—Siento haberte hecho perder el tiempo.

Se giró y, lentamente, salió del estudio, con los pies pesados, los brazos colgando. Mientras la veía marcharse, Christian sólo podía pensar que su abuelo debería estar muy orgulloso de él porque se había convertido en alguien hecho a su imagen y semejanza, un hombre al que había odiado toda la vida. Se había convertido en un ser despiadado, es decir, alguien merecedor del título de duque de Westover.

18

Cuando aquella mañana Grace salió de su habitación, era más tarde de lo habitual. En lugar de bajar a tomar las tostadas con huevos habituales, se quedó en la cama con una taza de té y escuchando a Christian mientras se arreglaba en la habitación contigua. Oyó el ruido de sus pisadas por el pasillo y, cuando pasó por delante de su puerta, contuvo la respiración mientras miraba y esperaba a ver si la abría. Aunque sabía que no lo haría, ella siguió esperando. Sin embargo, él pasó de largo, bajó la escalera, se paró a hablar con Forbes y se marchó. Grace se acercó a la ventana y vio cómo se subía al carruaje y le decía a Parrott que le llevara al club White's. No levantó la mirada ni una vez para mirarla.

Más tarde, mientras estaba de pie en la puerta del estudio era casi como si las palabras de la noche anterior nunca se hubieran pronunciado. La luz del día se había llevado la oscuridad y las sombras que la habían envuelto hacía tan sólo unas horas. El fuego se había reducido a cenizas. Ni siquiera había ni rastro de él en la butaca. Sin embargo, nada podía borrar el recuerdo de las horribles palabras que Christian le había dicho y que incluso ahora le resonaban en la cabeza.

«Francamente, Grace, podrías haber sido cualquiera.»

Desde el primer momento que vio a Christian, desde el suelo de su vestidor la noche del baile en Knighton House, supo que era el hombre del que le había hablado Nonny, su perfecto caballero, el hombre al que querría toda la vida. La podía acusar de ser una soñadora, pero jamás ningún sueño había sido tan claro, tan absolutamente convincente. Todo había sido como Nonny le había dicho: se dio cuenta de que, mientras viviera, el hombre que ocuparía su corazón sería él. Sin ninguna duda.

Sin embargo, Nonny no le había dicho qué tenía que hacer si su amado no la correspondía.

Christian no la quería; ni siquiera le gustaba. Saberlo, sin embargo, no disminuía su amor por él. Es más, el nuevo día le trajo otra revelación sobre sus sentimientos.

No importaba lo mucho que ella lo quisiera o lo mucho que deseara que él la quisiera, Christian nunca la querría.

Sólo había aceptado la verdad mientras escuchaba las duras palabras de él; una verdad que había intentado evitar cada día de su breve y desgraciado matrimonio. Siempre había pasado algo, algo extraño, algo que se echaba de menos. Sólo ahora sabía lo que era. El duque había obligado a su nieto a casarse con ella a la fuerza. En su caso, aunque fuera su tío el que hubiera arreglado el matrimonio, la decisión de convertirse en la mujer de Christian la había tomado ella. Lo deseaba, por Dios, se había volcado por completo en esa aventura. Nunca se había planteado que él hubiera dado el paso en contra de su voluntad. Estaba tan entusiasmada con la idea de compartir el resto de su vida con el apuesto y encantador hombre que había conocido en el baile de los Knighton, tan rendida al mito de las promesas de Nonny, que nunca se había parado a pensar en lo que él pensaba, sentía o no sentía.

Y ahora que se había enfrentado a la verdad de la que había huido, sólo podía pensar en una cosa: ¿Cómo iba a pasar el resto de su vida junto a él, viéndolo, estando cerca de él, sabiendo que no la quería y que nunca lo haría?

Durante horas estuvo dando vueltas en su dormitorio pensando en esto. Y siempre con la misma imagen en la cabeza: la cara de Christian iluminada por el fuego en el estudio la noche anterior, la dureza de su mirada mientras le decía aquellas horribles palabras. La dejó más vacía de lo que jamás se había imaginado.

Sus padres habían preferido viajar por todo el mundo y dejarla al cargo de otra persona; sólo le hacían una visita de vez en cuando para ver lo mucho que había crecido como si aquello fuera más una obligación que un deseo. El tío Tedric, en su papel de tutor, buscó disponer de ella por la vía más lucrativa y rápida posible. Incluso Nonny, que había sido la única persona constante en su vida, se había ido y con ella se había llevado la única vida que Grace conocía. Y ahora Christian. Era como si su destino fuera que las personas que quería, y que deberían haberla querido a ella, siempre la abandonaran.

Por la tarde, casi a la hora de cenar, se quedó sola sentada en el salón. La casa estaba en silencio porque todos se habían marchado y la atmósfera era tan solemne como si las mismas paredes supieran que allí no tenía futuro. El té de la tarde se le había quedado frío en la mesa. El libro que había estado intentando leer durante la última hora estaba boca abajo encima de una silla. Christian no había vuelto en todo el día y, en palabras de Forbes, no había dicho cuándo volvería ni si lo haría. A Grace se le pasó por la cabeza que podría estar con otra persona, alguien con quien nadie le hubiera obligado a estar, alguien que hubiese elegido libremente. A pesar de que sabía que esas cosas eran normales entre los de su condición, la sola idea de imaginárselo tocando a otra mujer como la había tocado a ella, demostrándole el cariño que le había demostrado a ella, provocó que se le hiciera un nudo en la garganta y que los ojos se le llenaran de lágrimas.

Intentó no pensar en eso y volvió a coger el libro, la *Eneida* de Virgilio. Sólo intentaba distraerse leyendo algo para apartar de su mente los pensamientos corruptos que la habían asaltado durante todo el día. Quizá Virgilio podría ofrecerle algunas respuestas. De repente leyó una frase muy reveladora: *Fata viam invenient*.

Susurró en voz alta la traducción:

—«El destino encontrará un camino.»

En ese momento llamaron a la puerta. Grace levantó la mirada y vio que Forbes entraba por la puerta.

—Milady, disculpe la interrupción, pero tiene visita. Un tal señor Jenner.

—¿Jenner? —preguntó Grace—. Me temo que no conozco a nadie con ese apellido.

Forbes se acercó a ella con una bandeja y, haciendo una reverencia, le ofreció la tarjeta del caballero.

—Me ha dado esto y ha preguntado si podía hablar con usted.

Grace cogió la tarjeta y leyó la inscripción: «Charles Jenner, Abogado».

—Quizá lo ha entendido mal, Forbes. Creo que, siendo abogado, querrá hablar con lord Knighton y no conmigo.

—Dijo su nombre muy claro, milady. De hecho, se refirió a usted como la antigua lady Grace Ledys de Ledysthorpe.

Llena de curiosidad, Grace le dijo a Forbes que hiciera pasar al caballero. Al menos, la entrevista la sacaría un poco del abatimiento en el que estaba sumida. Dejó el libro y se levantó para recibirlo.

El señor Charles Jenner, abogado, era un hombre bajo, robusto y llevaba unos anteojos que le hacían los ojos más grandes de lo que eran en realidad. Llevaba traje, como todos los abogados, sombrero y zapatos con la punta cuadrada y atados en la parte delantera. Se detuvo en la puerta, sonrió e hizo una reverencia.

—Buenas tardes, lady Knighton. Le agradezco que me reciba sin cita previa.

Grace asintió y le invitó a sentarse. Ella se sentó delante de él. Le pidió a Forbes que trajera té caliente y esperó mientras el señor Jenner removía un montón de papeles en la cartera de mano que llevaba.

—Lady Knighton, no le quitaré demasiado tiempo. Traigo unos documentos que necesito que firme.

—¿Unos documentos? ¿Para mí?

—Sí, milady. Es para la transferencia de una propiedad.

Grace asintió y sonrió porque vio confirmadas sus sospechas iniciales.

—Es lo que pensaba, señor Jenner. Debería hablar con mi marido, lord Knighton, o quizá con su abogado. Ellos se han encargado de los papeles de mi dote.

El señor Jenner negó con la cabeza y siguió buscando entre sus papeles.

—Oh, no milady, no me refiero a ninguna propiedad de su dote. He venido por una propiedad de su familia que he mantenido en fideicomiso para usted hasta ahora. Antes era de su abuela, lady Cholmeley, mi antigua cliente. Recibí órdenes de traspasársela a usted cuando se casara.

Grace estaba muy confundida.

—Pero yo creía que todas las propiedades de la familia Ledys habían pasado a ser de mi tío Tedric, lord Cholmeley.

—Esta propiedad no es de la familia Ledys, milady. Es de los MacRath.

—¿MacRath? Era el apellido de soltera de mi abuela.

—Exacto, milady. Usted hereda esto a través de ella, es un regalo, una casa que usted debía recibir después de su matrimonio.

Siempre que habían hablado del futuro y de la eventual boda de Grace, Nonny nunca le había dicho nada sobre ninguna casa que pasaría a ser suya después de casarse. Aunque, obviamente, debía saberlo.

—Señor Jenner, ¿dónde está esa casa?

—Déjeme ver —buscó entre los papeles—. En Escocia. Se llama Skynegal. Es la casa solariega de la familia de su abuela en el lago Skynegal en la zona norte de los Highlands. Además, tengo una carta de su abuela para usted.

Grace cogió el pergamino doblado que le ofreció el señor Jenner. Contuvo el aliento cuando vio su nombre escrito con la letra tan familiar de su abuela. Y cuando lo tuvo entre los dedos sintió algo parecido a un escalofrío que le recorrió todo el cuerpo.

—¿Me perdona un momento, señor Jenner? Me gustaría leer la carta de mi abuela en privado.

El hombre asintió y Grace le dio las gracias. Salió del salón y se encontró con Forbes que venía de la cocina con una bandeja de té; Grace le dijo que atendiera a su invitado hasta que ella volviera. Cruzó el vestíbulo, entró en el estudio de Christian y cerró la puerta. Se sentó en un banco junto a la ventana y, con un dedo, rompió el lacre para abrir la carta de su abuela. Cuando empezó a leerla, los dedos empezaaron a temblarle.

«Mi querida niña, si estás leyendo esta carta es porque yo me he ido a reunir con mis seres queridos

en el cielo. Cariño, espero que no estés triste porque yo he esperado este momento durante mucho tiempo. Te voy a extrañar. Te has convertido en una muchacha preciosa y te pareces mucho a mí cuando tenía tu edad. Desde que perdí a tu padre y a tu madre, tú has sido mi única felicidad, pero cada año que pasa me siento más cansada. Recibiré con los brazos abiertos el descanso eterno.

Como le he encargado al señor Jenner que te haga entrega de esta carta, también habrás tenido noticias por primera vez de Skynegal y de que ahora es tuya. El nombre de la casa viene del término gaélico original «Sgiathach», que significa el castillo alado y sabrás por qué cuando la veas. Me hubiera gustado enseñártela yo misma y ver a mis bisnietos correr por las mismas colinas por donde yo jugaba de pequeña, pero como no ha podido ser, te encomiendo a ti ese trabajo. Skynegal es mi regalo para ti. Fue mi casa cuando era pequeña y siempre fue un lugar muy especial. Allí es donde conocí a mi caballero, donde bailamos por primera vez y donde supe que sería mi único amor.

Poco después de mi matrimonio, Skynegal se quedó vacía. Debía haber sido de tus padres y luego tuya pero, como sabes, eso no fue posible. Durante años, he estado recibiendo informes sobre las cuentas de la casa y he hecho lo que he podido por mantenerla desde la distancia. Mi último deseo es que acabes lo que yo empecé y que utilices tus dones naturales para que Skynegal vuelva a ser el lugar especial que fue hace años.

Hay una cuenta con una cantidad de dinero importante para que cumplas ese deseo. Skynegal for-

ma parte de ti, cariño. Es tu pasado y tu futuro. Es tu herencia y yo te la regalo. Confío en que allí encontrarás lo que estás buscando.

Ahora y siempre, de tu querida abuela,

Nonny.»

Grace dobló la carta con cuidado. Sin embargo, no se levantó inmediatamente para volver al salón. Se giró, miró por la ventana, observó la calle, los carruajes y la gente que caminaba. Se oía un pájaro piar desde un nido cercano. Un perro ladraba. El tiempo pasaba y ella seguía escuchando los ruidos de la vida en la calle y pensó en las últimas palabras de su abuela: «Confío en que allí encontrarás lo que estás buscando».

En ese momento, lo vio todo claro. Durante toda su vida había sentido que le faltaba algo, un plan o un destino que tuviera que cumplir. Siempre había vivido con la constante sensación de estar buscando algo, pero nunca supo el qué. Creía que el vacío que sentía en su interior era, primero, por la pérdida de sus padres y, después, de Nonny. Cuando se casó con Christian, pensó que podría llenar el vacío con él, siendo su mujer, amándolo, notando cómo sus hijos crecían en su interior, formando parte, por fin, de una familia en vez de recuerdos. Sin embargo, quizás ese no era su destino.

Grace creía que toda criatura, desde el león más fiero al ratón más inofensivo, tiene un destino. Nonny solía decirle: «Las cosas pasan por algo. Nos hacen avanzar por el camino que Dios nos ha marcado».

Cuando era pequeña, recordaba que había estado a punto de perder los dedos de las manos por jugar demasiado cerca de los aparejos de labranza. No dejaba de correr de aquí para allá, pasaba junto a las herramientas e hizo caer un eje que estaba apoyado en la pared. Sin embargo, por alguna razón, cuando el eje cayó, la hoja se clavó a unos pocos centímetros de su mano. Recordaba que se había quedado mirando la hoja del eje hundida en el suelo tan cerca de su mano y pensando lo estúpida que había sido. Si hubiera tenido la mano un poco más adelante, se la hubiera cortado y jamás hubiera podido disfrutar de algo que le gustaba tanto como dibujar o tocar el piano.

Y todavía había más cosas. Cuando las niñas jugaban con muñecas y juegos de té de porcelana, a ella sólo le gustaban los edificios. Había estudiado todos los grabados de los grandes arquitectos: Wren, Adam, Inigo Jones. Más tarde, cuando fue más mayor y ya hubo descubierto su gusto por el dibujo, no dibujaba flores o pájaros sino edificios, casas, iglesias… cualquier estructura que veía. A los diez años, cuando debería haber aprendido a bailar y a bordar, a lo que se dedicó fua a diseñar una casa de madera para el árbol. Se pasaba horas y horas dibujando y retocando hasta que consiguió que tuviera de todo, incluso ventanas de guillotina y montaplatos. Con el consentimiento de Nonny y la ayuda de algunos trabajadores de la casa, pudo construir la casa encima de un gran roble a la orilla del río Tees en Ledysthorpe. Aquella casa se convirtió en el lugar especial de Grace, donde iba a soñar y a reflexionar mientras los pájaros construían los nidos a su lado. Recordaba que solía mirar por el periscopio que le había regalado su padre para ver si sus padres venían por el Mar del Norte, milagrosamente vivos.

Durante toda su vida, no importa lo mucho que lo intentara, jamás había conseguido hacerse una idea clara de lo que debería ser: la perfecta dama que canta con una voz más dulce que un pájaro y que baila como si flotara en el aire. Ahora se daba cuenta de que, durante todo ese tiempo, había intentado ser una persona que, en su corazón, sabía que nunca sería. Había necesitado casarse con Christian y fracasar como esposa para finalmente ver la verdad que había estado evitando desde siempre. Sin embargo, ahora lo veía todo muy claro.

«Utiliza tus dones naturales para que Skynegal vuelva a ser el lugar especial que fue hace años.»

Las palabras de su abuela le abrieron una puerta, la puerta de su futuro. No lo evitaría nunca más, no haría oídos sordos a la llamada del destino. Ya era hora de que tomara las riendas de su vida en vez de seguir el camino «correcto» aunque equivocado.

Ya era hora de que abrazara a su destino.

Salió del estudio y volvió al salón donde el señor Jenner todavía la esperaba. Él levantó la cabeza de la taza de té, con la boca llena con una galleta de limón, y sonrió.

—Señor Jenner, gracias por esperarme. Estoy lista para firmar los documentos que ha traído.

Mientras el abogado colocaba los papeles encima de la mesa, Grace continuó:

—Cuando hayamos terminado, ¿le importaría quedarse un poco más? Hay algo que quiero comentarle.

—¿De qué se trata, milady?

—Me gustaría contratarlo como mi abogado personal para que se encargue de todo lo relacionado con Skynegal. Tengo un proyecto en mente, pero debo advertirle que se trata de un asunto que requiere discreción y fortaleza, porque quizá mi marido se oponga. Es un hombre muy influyente. Y su abuelo, el duque de Westover, lo es todavía más. No le conozco, señor Jenner, pero el hecho de que mi abuela confiara en usted ya me inspira total confianza. ¿Le gustaría ayudarme?

El señor Jenner no le respondió inmediatamente. Por un momento, Grace pensó que le diría que no. Al fin y al cabo, los Westover eran una de las familias más poderosas de Inglaterra. Muy pocos se atreverían a enfrentarse a ellos por miedo a las posibles represalias. Cuánto más tiempo pasaba sin decir nada, más convencida estaba de que le diría que no.

Sin embargo, unos minutos más tarde, el señor Jenner se levantó y le ofreció la mano.

—Siempre me han gustado los retos, milady. Servir a su abuela durante tantos años fue uno de los mejores trabajos de mi vida. Era una mujer realmente extraordinaria. Usted me recuerda a ella. Será un honor trabajar para usted, milady, y ayudarla en lo que haga falta.

Dos días después, Grace se había marchado.

Segunda Parte

*¡Adieu! —gritó ella
y agitó la blanca mano.*

John Gay

19

Wester Ross, Highlands escoceses

El castillo de Skynegal estaba enclavado frente al Minch, un canal marítimo en constante movimiento que separaba las islas Hébridas y la costa oeste de Escocia, con un espeso bosque de robles y pinos que bordeaban la arena de la orilla de una pequeña cala del lago Skynegal. Para algunos, aquel rincón del mundo era primitivo y salvaje, muy lejos de la civilización de Londres. Sin embargo, a Grace le parecía la tierra más bonita que jamás se hubiera podido imaginar, un paisaje salpicado de preciosos azules, verdes, violetas y rosas, con unas montañas majestuosas y unas colinas llenas de arbustos de distintos colores.

Se había marchado de Londres hacía quince días con Liza, su doncella, y había hecho creer a los sirvientes que se iba a visitar a su tío, lord Cholmeley. Seguramente no habían tardado demasiado en averiguar que no había ido a Cholmeley House, puesto que en realidad había cogido un carruaje en dirección a la oficina del señor Jenner en Lincoln's Inn y, desde allí, otro con el que emprendieron aquel largo viaje.

Las dos mujeres viajaron por tierra hasta Liverpool y luego hacia el norte por mar porque había muy pocas carreteras que cruzaran el territorio de los Highlands y, las que había, eran muy estrechas y sólo llegaban hasta Wester Ross. Había sido un viaje agotador y el tiempo sólo les había dificultado el trayecto porque no había dejado de llover ni un día desde que salieron de Londres. Sin embargo, y a pesar del cansancio, Grace se quedó de pie en la cubierta del barco que la llevaría al final de su viaje, cautivada por todo lo que la rodeaba.

Aquella mañana, a primera hora, el cielo estaba despejado y soplaba una fresca brisa escocesa que le acariciaba la cara. En el aire flotaba el olor que parecía ser característico de los Highlands: olor a tierra, a agua salada y a pinos. En la costa había varias casas blancas con unos gruesos tejados que hacían que parecieran champiñones repartidos por la costa rocosa. La voz que se avistaba tierra se extendió muy rápido y los viajeros se asomaron a la cubierta para observar, curiosos, cómo el barco avanzaba entre las aguas azules grisáceas del lago. En tierra, los perros ladraban nerviosos y los niños saludaban con la mano y corrían descalzos hasta la orilla, como si quisieran llegar hasta el barco. Las reses lanudas de los Highlands apenas levantaron la cabeza para mirarlos antes de volver a centrarse en los verdes y deliciosos pastos.

El gran lago estaba lleno de pequeñas islas, todas ellas cubiertas de una espesa vegetación. Era tan extenso que, desde donde estaban, no veían la otra orilla; sólo se veían algunos barcos flotando en el agua que parecían manzanas vistas de lejos. En el otro extremo, como el guardián de aquel místico refugio secreto, se levantaban las centenarias piedras del castillo de Skynegal.

Desde el mismo momento en que se vislumbró la silueta detrás de la niebla, Grace contuvo la respiración. Estaba en un lugar más antiguo que el tiempo y parecía más mágico de lo que se había imaginado, lleno de una historia muy rica, la historia de su familia. Era un lugar al que, por fin, podría sentirse ella misma.

En lo alto de una pendiente, o *leathad*, la torre principal se levantaba rectangular y alta, con un tejado excesivamente puntiagudo, y estaba rodeada a ambos lados por unas torres de planta cilíndrica que, sin ninguna duda, se habían construido y añadido más tarde. Estas dos torres, una en cada extremo, eran las que le habían dado el nombre gaélico al castillo: *Sgiathach* o castillo alado. Cuánto más se acercaban, más clara era la imagen, hasta que llegó un momento que parecía que las torres se agitaran como alas al viento. Había gaviotas por todas partes, cientos de ellas, de color blanco, posadas en los pretiles de las torres, planeando sobre sus cabezas, anidando donde querían, dándoles una sonora bienvenida.

No fue hasta que tomaron tierra en una playa a los pies de Skynegal que Grace vio lo que quedaba de la verja del castillo y las tierras abandonadas. Desembarcaron todas las pertenencias y subieron por un camino de hierba hasta la torre principal. Echó la cabeza hacia atrás y contó, como mínimo, siete pisos de ventanas con los marcos castigados por el clima; estaban colgando y los cristales rotos reflejaban el brillo del sol. Sólo podía pensar que aquello parecía más una ruina que una casa habitable. Además, los gritos de los pájaros parecían, de repente, un lamento por el patético estado del castillo.

Grace se mordió el labio, pero no estaba desanimada. Quizás el castillo no era tan magnífico como se había imaginado, pero con un poco de trabajo para devolverle el esplendor del pasado, Skynegal volvería a brillar.

Miró a Liza, que estaba junto a ella, y a los dos hombres que las habían acompañado desde Mallaig. McFee y McGee las estaban esperando en el muelle con una carta en la mano firmada por el señor Jenner. Él los había contratado para que las acompañaran durante la última parte de su viaje a los Highlands. Se quedarían con Grace en Skynegal para ayudarla con su misión.

Tenían un aspecto bastante peculiar. Los dos envueltos en una tela escocesa de distintos colores y las narices enrojecidas por la constante exposición a la brisa marina. No se les veía la parte inferior de la cara porque quedaba detrás de una espesa barba, una pelirroja y la otra grisácea. Grace sólo había encontrado una manera de distinguirlos: McFee era el de la barba color fuego (por la efe) y McGee, el de la barba gris (por la ge). Era un sistema bastante austero, sí, pero le funcionó.

También les había acompañado la robusta Flora, una mujer con una perpetua expresión seria debajo del pelo castaño que llevaba cubierto con un descolorido pañuelo de lino. Era la hermana de uno de los hombres y, en los dos días de viaje desde Mallaig, no había abierto la boca. Mientras McGee y McFee se encargarían de abastecer el castillo con turba para quemar y de comprar los víveres necesarios, Flora lo haría de las tareas domésticas hasta que se contratara a los demás sirvientes.

—Por favor, milady —dijo Liza—. Dígame que nos hemos equivocado y que este montón de piedras no es Skynegal.

Grace miró a Liza antes de preguntar, educadamente:

—Perdonen, señores. ¿Están seguros de que esto es Skynegal?

McGee sonrió mientras se rascaba la barba.

—Sí, *mileddy*. Le aseguro que esto es *Skee-na-gall*.

McFee asintió detrás del humo que salía de la pipa, y añadió:

—No creo que lo hayan cambiado de lugar de un día para otro. Esto ha sido *Skee-na-gall* durante los últimos seiscientos años.

—Sí, pues parece que en todo ese tiempo aquí no haya vivido nadie —susurró Liza.

Flora, por supuesto, seguía sin decir nada.

Grace se volvió a girar para mirar el edificio, aunque esta vez miró lo que había sido el hogar de su abuela con unos ojos mucho más críticos, los de alguien que se había pasado años estudiando edificios.

Necesitaba algunas reformas inmediatas, como un tejado nuevo, porque el que había estaba lleno de agujeros. Las paredes también necesitaban algunos arreglos y se tendrían que cambiar las ventanas. Grace no veía nada más del edificio porque había empezado a oscurecer y la torre se había perdido detrás de una neblina muy espesa. Todo lo que veía estaba cubierto por una hiedra oscura y descuidada que trepaba por las paredes desgastadas por el tiempo. Frunció el ceño y arrugó las cejas mientras observaba los laterales, donde la piedra parecía que estaba a punto de derrumbarse. Se preguntó si la hiedra sería lo único que lo mantendría en pie.

—No creo que mirarlo de esa forma le haga ningún bien —le comentó Liza.

—Bueno, no puede estar completamente destruido. El señor Jenner dijo que un administrador había vivido aquí desde que mi abuela se marchó. Quizá ya sea hora de que le conozcamos.

Grace se dirigió a la primera puerta que vio, tremendamente pequeña comparada con todo el edificio, y que tenía un picaporte de hierro en forma de anilla en el medio. Cuando lo cogió para llamar, chirrió como si nadie lo hubiera tocado desde que colocaron la primera piedra y la pintura negra que lo cubría se desprendió.

No era buena señal, se dijo a sí misma mientras dejaba el picaporte en su sitio.

Esperaron en compañía del ruido del agua y los continuos chillidos de los pájaros. Cuando no obtuvieron respuesta, Grace miró a Liza. La doncella levantó una ceja, escéptica, pero no dijo nada. Grace volvió a llamar a la puerta, esta vez golpeando fuerte el picaporte varias veces. Esperaron. Nada. Oyó a McFee y a McGee caminando de aquí para allí detrás de ella.

—Qué extraño —dijo—. Estoy segura de que el señor Jenner me dijo que…

De repente, la puerta se abrió y apareció un hombre bajo, gordo y bastante calvo. Inmediatamente, Grace pensó en Humpty Dumpty, el protagonista de un cuento que leía cuando era pequeña. Un hombre con un traje de cuadros escoceses rojos y blancos, con calcetines blancos y zapatos de piel negros.

El hombre los miró y se giró, dándoles la espalda.

—¡Deirdre! —gritó hacia el interior del castillo—. ¡Tenías razón! Tenemos invitados. Ven a darles la bienvenida conmigo.

Al cabo de unos segundos, apareció una mujer menuda, que no debía llegar al metro y medio, encima de los hombros llevaba un chal de cuadros escoceses marrones que arrastraba por el suelo. Tenía una de esas caras a las que es difícil poner edad, pero Grace supuso que debía estar entre los veinte y los cuarenta. Llevaba el pelo escondido debajo de un pañuelo muy bien atado una falda que debió de ser negra, aunque ahora ya estaba muy descolorida, y una blusa. Para su sorpresa, Grace vio que iba descalza.

—Bienvenidos a Skynegal —dijo el hombre, acercándose a ellos—. Yo soy Alastair Ogilvy, el administrador del castillo, y ella es Deirdre Wyllie. Es la viuda de uno de los antiguos renteros y se encarga de mantener la casa en condiciones.

Grace asintió, sonriéndole.

—¿Y a quién tenemos el placer de recibir? —preguntó el señor Ogilvy, con la curiosidad reflejada en la cara.

—Es la nueva señora de Skynegal —respondió Deirdre, avanzándose a Grace.

Alastair se giró sorprendido hacia aquella pequeña mujer.

—¿Cómo lo has sabido antes de que ella diga nada? ¿Cómo lo has hecho? ¿Ha sido una visión, Deirdre? ¿Te lo han dicho los espíritus?

Deirdre agitó la cabeza.

—No, Alastair. Ya te he dicho que esas visiones de las que hablas no existen —dijo, metiendo la mano en el bolsillo y sacando una carta—. Lo sé por esta carta que llegó ayer.

Alastair cogió la carta y la leyó rápidamente, abriendo cada vez más los ojos.

—Deirdre, ¿por qué no me dijiste antes que llegaba la nueva señora de Skynegal? —Y sin dejarla responder, se inclinó frente a Grace—. Milady, por favor, perdone que no haya bajado a recibirla a la playa. No sabía que venía, si no la hubiera estado esperando junto al lago.

Grace agitó la cabeza.

—No hay nada que perdonar, señor Ogilvy. Prefiero dejar las ceremonias para otro momento. ¿Podemos entrar y sentarnos? Ha sido un viaje muy largo y estamos al límite de nuestras fuerzas.

—¡Por supuesto! —exclamó Alastair, con las dos manos sobre la cabeza—. ¿Dónde están mis modales? Por favor, milady, entre. Entren todos.

Se movía bastante deprisa para un hombre de su envergadura. Los guió por un estrecho pasillo, subieron dos tramos de escalera de caracol y siguió disculpándose todo el camino. Llegaron a una sala grande y tenebrosa que fácilmente tenía la altura de dos pisos. Grace oyó varios pájaros revolotear por encima de sus cabezas. Seguramente, iban a los nidos que se habían construido junto a las grandes vigas de roble que atravesaban el techo.

El escenario de tantas fiestas, el gran salón que había recibido a ilustres personajes. Según el señor Ogilvy, la torre principal se construyó en el siglo XII y las laterales eran posteriores. Los pájaros de la torre habían estado allí desde siempre.

—La leyenda cuenta que, mucho tiempo antes de que construyeran este castillo, la diosa celta Cliodna visitó este rincón de la tierra. Era muy bonita y dicen que fue ella quien trajo a los pájaros, unos pájaros mágicos cuyo dulce cantar curaría a los enfermos.

Mientras escuchaba a Alastair explicar la leyenda, Grace caminó por el salón lentamente. Estaba casi vacío; sólo había un par de sillones y una mesa junto al fuego del suelo. Había un pequeño fuego encendido y una tetera encima colgando de una cadena. El fuego desprendía olor a tierra, muy distinto al de carbón al que ella estaba acostumbrada. El otro punto de luz de la sala venía de los candelabros que había encima de la mesa y que reflejaban las sombras en las paredes de piedra desnudas. En toda la sala no había ni una sola ventana.

—¿No quiere sentarse, milady?

Alastair le acercó uno de los sillones a Grace. La tela estaba bastante vieja y, en algunos puntos, el relleno con pelos de caballo salía del cojín.

—Por favor, acepte mis disculpas por el mobiliario tan viejo, lady… ah, lady… Cielos, me temo que he leído la carta tan deprisa que no recuerdo su nombre.

—Es lady Grace, marquesa de Knighton —dijo Deirdre, acercándose al fuego y avivándolo un poco con más leña.

—Llámeme lady Grace, por favor.

—De acuerdo, lady Grace. Y usted puede llamarme Alastair. Cuando oigo señor Ogilvy, siempre pienso que se están refiriendo a mi padre, aunque ya hace casi diez años que descansa en paz.

Grace sonrió y se reclinó en el cojín del sillón, dándose cuenta por primera vez de lo cansada que estaba. No podía ni mover las piernas y estaba segura de que, si cerraba los ojos, se quedaría dormida en ese sillón, lleno de pelos de caballo por todas partes, hasta el día siguiente.

—De acuerdo, Alastair —dijo, señalando el otro sillón—. Ella es Liza Stone, mi doncella. Y ellos, los señores McGee y McFee y la señora Flora, su hermana. Han venido para ayudarnos a acondicionar el castillo.

Alastair la miró con los ojos como platos y asintió.

—¿Acondicionar? Entonces, ¿se va a quedar en Skynegal? ¿Será esta su casa durante una temporada?

«Casa.» Grace miró a Alastair y, muy decidida, dijo:

—Sí, Alastair. Voy a quedarme en Skynegal indefinidamente.

Alastair sonrió.

—¿Y lord Knighton? ¿Se unirá a nosotros también?

Grace parpadeó, un gesto que sólo Liza sabía lo que significaba. Era una pregunta para la que no estaba preparada y le hizo pensar en Christian y en Londres y en la vida que había dejado atrás. Grace pensó, y con esa ya iban cientos de veces, qué debió hacer Christian cuando descubrió que se había ido. ¿Se habría alegrado? ¿Habría intentado encontrarla? Grace sabía que, si lo había hecho, había sido por obligación y no movido por ningún tipo de afecto hacia ella. Eso había quedado claro aquella última noche en su estudio.

Sin embargo, aunque lo hubiera intentado, no la habría encontrado. Con la ayuda del señor Jenner, había viajado utilizando el nombre de soltera de su abuela, MacRath, para evitar levantar lógicas sospechas si se hubiera sabido que la marquesa de Knighton, pariente de los Westover, cruzaba el país sola.

Pero ahora que ya estaba allí, estaba decidida a no volver la vista atrás. Iba a empezar de cero una nueva vida, se labraría su propio futuro, se construiría su propia felicidad allí, en Skynegal.

Miró a Alastair.

—Lord Knighton se quedará en Londres. No está previsto que viaje a Skynegal en los próximos meses.

«En realidad —pensó Grace—, sería un milagro que viniera algún día.»

20

Alastair no insistió más sobre la ausencia de Christian. Aunque pensara que era muy extraño que Grace hubiera cruzado el país sola con su doncella, no dijo nada ni hizo el más pequeño comentario sobre sus sospechas de que algo iba mal en ese matrimonio. Prefirió guardarse para él sus pensamientos y, en lugar de eso, empezó a explicarle a Grace cómo se había convertido en administrador de Skynegal hacía quince años. Se había criado en una granja de los alrededores y, más tarde, fue a la Universidad a Edimburgo. Grace lo escuchaba educadamente, luchando con todas sus fuerzas por mantener los ojos abiertos.

—Y cuando regresé a los Highlands…

—Discúlpeme, Alastair —lo interrumpió Grace—. Me encantaría escuchar todo lo que tiene que explicarme sobre su vida aquí, pero me temo que el viaje me ha dejado más agotada de lo que esperaba. Apenas puedo mantener los ojos abiertos. Si no le molesta, ¿podemos dejar todo esto para mañana?

—¡Oh! Entonces, ¿no va a cenar nada, milady? Deirdre ha preparado un delicioso estofado. Y sus tartas de avena son las mejores. Las hace con un poco de miel que les da un sabor único. Seguro que después del viaje tan largo que ha hecho está hambrienta.

Grace sonrió.

—Suena tentador —dijo, y se giró hacia Deirdre—. Pero me temo que estoy tan cansada que no puedo ni comer. Si no le importara traerme un poco de tarta, una taza de té y mostrarme mi dormitorio, le estaría muy agradecida.

—¡Las camas! —exclamó Alastair, con las manos delante de la cara—. Milady, siento tener que decirle que no he preparado ninguna cama porque como no sabía que venía…

—La cama de la habitación de la señora está hecha con sábanas limpias. También he hecho una cama al lado para la doncella —dijo Deirdre—. Los demás pueden dormir aquí abajo en las habitaciones que hay junto a la cocina. Pensé que lady Grace vendría acompañada, así que también preparé las de aquí abajo.

Alastair miró a Deirdre atónito porque se las había arreglado para prepararlo todo para la llegada de lady Grace sin que él se percatara.

—Pero Deirdre, ¿por qué no me has dicho…?

Deirdre agitó la cabeza.

—Si te hubiera dicho que venían, no me hubieras dejado tranquila en todo el día. Ahora todo está arreglado. Sólo tienes que acompañar a lady Grace hasta la habitación de la señora. Yo le subiré la tarta y el té.

Alastair se quedó mirando a Deirdre hasta que recordó su deber con lady Grace. Cogió uno de los candelabros y le indicó que lo siguiera.

—Por supuesto, milady. La acompañaré. Si hace el favor de seguirme.

Grace levantó una mano cuando vio que Liza se disponía a seguirlos.

—Por favor, Liza, no te preocupes por mí. Quédate con los demás, cena y ya subirás cuando termines. Yo puedo arreglármelas sola.

—Pero, milady, no ha comido nada desde el mediodía.

Grace agitó la cabeza.

—Creo que como el agua estaba tan agitada, se me ha revuelto el estómago. Eso o es que sencillamente estoy tan cansada que he perdido el apetito. La tarta y el té bastarán, de verdad.

Liza se encogió de hombros y Grace le dirigió una tranquilizadora sonrisa antes de girarse para seguir a Alastair hasta una puerta que, con lo cansada que estaba, le pareció una boca bostezando en lugar de una puerta abierta. Alastair la llevó por un oscuro pasillo donde hacía bastante frío. La luz del fuego dibujaba unas sombras muy extrañas en la pared mientras los pasos resonaban por todas partes. Al final del pasillo, abrió una pequeña puerta arqueada y subió por una estrecha escalera de caracol que daba a las habitaciones de la torre.

Alastair siguió hablando mientras subían por la escalera.

—Como ya debe haber visto al llegar, una parte del castillo se derrumbó hace unos años. Hicimos lo que pudimos para mantenerla en pie y hemos intentado recuperar todos los muebles, los hemos puesto en otras habitaciones para cuando se necesiten. Tengo un inventario completo…

Grace asintió mientras bostezaba.

—Por supuesto, pero podemos hablar de eso por la mañana.

Abrió una pequeña puerta y entró en un pasillo con puertas cerradas a ambos lados, muy parecido al de abajo. No había nada en las paredes ni en el suelo, aunque por las señales se intuía donde habían estado colgados los cuadros y las alfombras. Alastair abrió la primera puerta y entró.

El fuego ya estaba encendido y llenaba la habitación de una calidez muy agradable. Había varias velas en candelabros que iluminaban una cama de roble con grabados en la madera. La cama estaba en medio de la pared más lejana a la puerta. A los pies había una pequeña cama para Liza, como Deirdre había dicho.

Grace caminó muy despacio hasta una ventana desde donde se veía el lago. Junto a la ventana había un lavamanos y agua limpia. Dejó la capa en una silla, echó un poco de agua en el lavamanos y se lavó la cara. Estaba helada, pero ni siquiera la impresión del contacto con su piel la despertó. Estaba tan cansada que no sabía ni cómo había aguantado hasta entonces. Se secó las mejillas con una toalla, se pasó una mano por el pelo y se giró hacia Alastair.

—Es una habitación preciosa —dijo, colocándose frente al fuego. El hogar era ridículamente grande, casi tan alto como ella y no tenía repisa. Sólo era un agujero en la pared. Había marcas negras de los fuegos que se habían encendido allí durante siglos.

—No acabo de creerme que el fuego esté encendido o que la cama esté hecha, milady. Como sabe, lo ha hecho Deirdre, aunque todavía no entiendo por qué no me dijo nada.

—Posiblemente no quería preocuparlo.

Alastair se encogió de hombros.

—Supongo que tiene razón. Posiblemente no lo ha notado, pero a veces tengo cierta tendencia a sobresaltarme.

Grace se limitó a sonreír.

—¿Puedo hacer algo más por usted, milady? ¿Necesita que le suba algún baúl para esta noche?

—Tengo más equipaje, pero puede decirles al señor McFee y al señor McGee que se encarguen de eso cuando acaben de cenar. Ahora lo único que quiero es una taza de té y, si no le importa, me muero de ganas de acostarme y esperar a que Deirdre me lo traiga.

—Claro, claro. —Sin embargo, no se fue hasta que se dio cuenta de que Grace quería desvestirse. Entonces volvió a abrir los ojos—. ¡Oh! Claro, milady. Le ruego que me perdone. Quiere acostarse. Me voy. Voy a ver qué pasa con la taza de té —dijo y se inclinó dos veces—. Buenas noches, milady.

Cuando Alastair se fue, Grace se apretó con una mano un punto de la espalda que le había estado doliendo todo el día. Había sido un día muy largo y agotador. Se habían levantado con las primeras luces del amanecer para poder llegar a Skynegal aquella misma noche. Y ahora ya estaba allí, en la casa de su abuela. Estaba tan cansada que apenas apreciaba el significado de todo aquello.

Echó la cabeza hacia atrás y la movió de un lado a otro para relajar los músculos de la nuca. Miró la cama, tan cálida y acogedora. Se sentó en la silla, se quitó las botas, las medias y movió los dedos de los pies. Se levantó y empezó a desabrocharse el vestido, que tenía los botones en la espalda, mientras pensaba que ojalá se hubiera puesto algo más fácil de quitar. Intentó desabrochar los botones en vano, y cuando estaba a punto de darse por vencida y acostarse con lo que llevaba puesto, escuchó una suave voz a sus espaldas y que alguien la cogía de las manos y se las colocaba a ambos lados.

—Deje que la ayude, *mileddy*.

Deirdre desabrochó el vestido y lo dejó en el suelo para que Grace sacara las piernas. Todavía con las enaguas, empezó a sacarse las horquillas del pelo, se lo sacudió y le cayó encima de los hombros. Se giró hacia ella. En los ojos de aquella mujer vio tanta amabilidad que se sintió muy cómoda con ella.

—Gracias, Deirdre.

—De nada. Le dejaré el té en la mesa para que se lo tome antes de acostarse.

Grace sonrió y asintió. De repente, se acordó de aquellas noches que se bebía un vaso de leche caliente en la cama mientras su abuela le explicaba alguna historia de aventuras fascinante. También recordó cómo se quedaba profundamente dormida escuchando su dulce voz, y lo segura que siempre se había sentido en su cama y agarrada a la almohada mientras dormía. Le parecía que habían pasado siglos desde entonces, desde aquellos días de infancia y seguridad.

Grace se agachó para recoger el vestido del suelo y, cuando se levantó, vio que Deirdre estaba delante de ella con un camisón doblado en las manos.

—He pensado que necesitaría algo para dormir esta noche, de manera que he sacado esto de un armario y se lo he lavado esta mañana. Era de su abuela cuando todavía no se había marchado para casarse con su abuelo.

Grace cogió el camisón con tanto cuidado que parecía que lo hubieran bordado con hilos de oro. Cualquier pensamiento de soledad o aislamiento que hubiera podido tener hasta ese momento, desaparecieron en el mismo momento en que sintió el lino sobre su piel. La cubría desde la barbilla hasta los pies y olía igual que su abuela, un olor que ahora reconocía como característico de los Highlands. Si cerraba los ojos, podía imaginarse que estaba entre los brazos de Nonny otra vez.

—Oh, Deirdre, gracias —susurró Grace cuando vio que ésta le estaba sirviendo una taza de té.

Había algo en esa mujer menuda que le recordaba a Nonny. Todavía no sabía muy bien qué, sobre todo porque no se parecían en nada, ni en edad ni en tamaño. Sin embargo, ese parecido, fuera el que fuera, le daba a Grace la misma sensación de comodidad de cuando era pequeña.

Se metió en la cama y se tapó hasta la cintura. Cogió la taza de té que Deirdre le ofrecía y bebió un sorbo. Tenía un sabor extraño: hierbas, flores. Muy relajante.

—Huele de maravilla. ¿Con qué está hecho?

—Es una valeriana con un poco de *sobrach* y *brog na cubhaig*.

Grace la miró fijamente, sin entender ni una palabra de gaélico.

—Dos tipos de prímula —tradujo Deirdre mientras le ofrecía un plato con un trozo de tarta—. La relajará y dormirá muy bien, *mileddy*.

—Recuerdo que mi abuela solía beberse un poco de vino de prímula por las noches.

Deirdre asintió y Grace se comió un bocado de tarta, masticándola lentamente. Era dulce, pero no demasiado, lo suficiente para el estómago tan revuelto que le había dejado el largo viaje. Se comió otro bocado y dejó el plato en la mesa para terminarse el té.

Deirdre apagó todas las velas excepto la de la mesa, avivó el fuego y se fue.

—Buenas noches, *mileddy*. Si necesita algo, llámeme.

—Gracias, Deirdre —dijo Grace, dejó la taza encima de la mesa y se dejó caer en la almohada. Era muy blanda y olía a hierbas. Cerró los ojos; estaba tan cansada que apenas podía mantenerse despierta—. ¿Deirdre?

—¿Sí, *mileddy*?

—Gracias por recibirnos tan cálida y amablemente. Sé que ha debido ser...

Cayó rendida antes de acabar la frase.

Deirdre sonrió, apagó la vela que quedaba encendida, arropó a Grace y salió silenciosamente de la habitación.

21

El primer día de Grace en Skynegal amaneció oscuro y lluvioso, con el viento soplando muy fuerte, los truenos haciendo temblar los pocos cristales que quedaban en las ventanas y con todos reunidos alrededor del fuego en el interior
del castillo. Grace pospuso la excursión que tenía prevista
para visitar los alrededores del castillo y los señores McFee y
McGee tuvieron que esperarse para salir a buscar las provisiones que necesitarían en los próximos días.

Sin embargo, la lluvia les permitió hacer una cosa: contar exactamente los agujeros del tejado de la torre principal.
Diecisiete.

Grace, que estaba sentada junto al fuego de la enorme
sala de abajo arropada con un chal de lana grueso, observaba
detenidamente la lista que habían confeccionado en las últimas horas. Habían escrito todo lo que tenían que arreglar y
lo que necesitaban comprar en Ullapool, la ciudad más cercana, que estaba a un día en barco. Cada vez que abrían una
puerta de alguna de las habitaciones que durante todo ese
tiempo habían estado abandonadas, descubrían nuevas cosas
que hacer: limpiar los rincones de ratones que se habían
adueñado de ellos, tapar las aspilleras que ya habían quedado en desuso. La lista empezaba a parecer interminable, pero
Grace estaba decidida a hacerlo todo. Se centró en el primer
punto: un tejado seguro. Llamó a Alastair que estaba poniendo una tetera en el fuego.

—Estaba pensando que si los hombres de los alrededores son buenos mamposteros y carpinteros, podríamos contratar a unos cuantos para que empezaran las obras del castillo en vez de ir a buscarlos a Edimburgo. Me parece una elección más prudente, más económica y, de paso, nos evitamos esperar a que lleguen de la capital. Si continúa lloviendo, y tal como está el tejado, puede que cuando lleguen ya nos hayamos inundado.

—Claro, milady. Hay hombres que pueden hacerlo y, el que está más lejos, está a medio día de viaje. Con las «mejoras» que el gobierno está haciendo en el norte y el este, un buen número de habitantes de los Highlands se han tenido que trasladar del interior a la costa y les está costando mucho seguir adelante.

Grace lo miró, extrañada.

—Pero ¿cómo es posible que las mejoras en una zona hagan que sus habitantes se marchen?

—Milady, las mejoras no siempre significan algo bueno en esta parte de Escocia. Aquí significa una decisión que ha hecho que mucha gente tenga que abandonar sus casas. No les renuevan el contrato de arrendamiento, así que tienen que coger lo que puedan llevarse y marcharse, abandonar las cosechas, las casas y dejar atrás toda una vida. Los que pueden permitírselo, se marchan a Nueva Escocia y a América.

—Entonces, si no les renuevan el contrato de arrendamiento de las tierras, ¿qué harán con ellas?

—Las van a destinar a pasto para los ganados.

Grace miró a Alastair un poco incrédula.

—¿Obligan a la gente a abandonar sus casas para convertir las tierras en pastos para los ganados?

—Sí. Para muchos terratenientes esa es la mejor manera de sacar partido a las tierras.

Grace estaba horrorizada. Recordó el sentido tan fuerte de comunidad que siempre había prevalecido en Ledysthorpe.

—Pero ¿no sienten ningún tipo de vínculo emocional ni ninguna responsabilidad hacia la vida de esas personas?

Alastair agitó la cabeza.

—Muchos de los antiguos terratenientes escoceses tuvieron que exiliarse cuando se produjo la revolución jacobita, y dejaron aquí a todas sus gentes que pasaron a depender de extraños que se apoderaron de las tierras. Los nuevos terratenientes, la gran mayoría ingleses, perdóneme, milady, veían a los renteros como un estorbo más que otra cosa.

Grace se levantó y se acercó al fuego. Observó las llamas chocando contra la piedra. Se arrodilló para servirse una taza de té caliente, bebió un sorbo y permaneció en silencio. Pensó en todos aquellos que habían tenido que abandonar sus hogares dejando todo lo que habían creado y amado. Le llegó al corazón; era una injusticia, una pena. Era un sentimiento que ella conocía muy bien de cuando tuvo que dejar Ledysthorpe para irse a vivir a casa de su tío en Londres, y de cuando tuvo que volver a recoger todas sus cosas para irse a Knighton House con Christian. La única diferencia es que ella no se había quedado sin ningún recurso para sobrevivir. Siempre había contado con un techo donde cobijarse y un plato de comida en la mesa. Esa pobre gente se había quedado con las manos vacías.

Entonces se volvió hacia Alastair.

—Me gustaría que publicara una nota invitando a cualquier persona de los alrededores que esté interesada en trabajar para reparar el castillo a que venga a Skynegal. Carpinteros, mamposteros, yeseros, todos. Y a los que no sepan, les enseñaremos.

Alastair abrió los ojos como solía hacer.

—¡Milady, vendrán muchos!

—Y a todos les daremos trabajo. Aquí hay mucho por hacer, no sólo tenemos que arreglar el tejado. La última voluntad de mi abuela fue que convirtiera Skynegal en el espléndido castillo que fue antaño. Pero necesitaré su ayuda para establecer sueldos justos para todo el mundo. Cuando tengamos una cantidad aproximada, le escribiré una carta al señor Jenner a Londres para que me envíe el dinero.

Alastair no dijo nada durante unos segundos. Sencillamente, se quedó mirándola, atónito. Al final, se echó a reír y cerró los ojos.

—¿Alastair? ¿Te encuentras mal?

El hombre agitó la cabeza y se rió con más fuerza. Grace vio que los ojos se le llenaban de lágrimas.

—Milady, anoche no pude dormir porque tenía miedo de que su interés por Skynegal fuera por los motivos que le acabo de mencionar. Skynegal está encima de unas tierras muy buenas para la cosecha, con bosques de robles y pinos y cañadas verdes. Como tierra habitable no da muchos beneficios, pero si se convirtiera en pastos sería altamente rentable. Ya ha habido vecinos que se han interesado en comprar partes de terreno para añadirlas a las suyas y sacarles el máximo provecho. Pero como la propiedad estaba depositada en fideicomiso, ni siquiera podíamos escuchar las ofertas, no hasta que el nuevo propietario, usted, tomara posesión de la propiedad. Y ahora, después de sus palabras, le doy gracias a Dios de que Skynegal haya ido a parar a sus manos.

Cada minuto que pasaba allí, Grace estaba más convencida que su futuro estaba en ese lugar.

—Le agradezco las amables palabras, Alastair. Pero me temo que no sé todo lo que debería de la administración de una propiedad como esta, así que tendrá que ayudarme y aconsejarme en muchos temas. Sólo sé que no puedo tolerar lo que me ha dicho que les ha pasado a los renteros de los alrededores. Mi abuela siempre decía que el verdadero motor de cualquier gran propiedad es la gente que trabaja en ella. Prometo que nunca permitiré que la codicia pase por encima de la moral.

Grace dejó la taza y se acercó a la ventana. En el exterior, seguía lloviendo con fuerza.

—Cuando amaine, me gustaría ver toda la propiedad y también visitar a los renteros de Skynegal. Me gustaría que me acompañara, Alastair, porque usted los conoce personalmente. Supongo que mi llegada les habrá hecho pensar lo mismo que usted anoche. Desconfiarán de mí. Quiero que les diga que, mientras Skynegal sea mío, las cosas van a seguir como siempre.

Alastair asintió.

—Y ahora, si me hace el favor de correr la voz de nuestra oferta, a mí me gustaría pasar lo que queda de día familiarizándome con el interior del castillo.

—Por supuesto, milady. Será un honor acompañarla y enseñarle…

Grace levantó una mano.

—Le agradezco el ofrecimiento, Alastair, de verdad, pero creo que me gustaría más explorar el castillo sola. Skynegal ha pasado de generación en generación dentro de mi familia y yo no sabía que existía. Aquí han vivido personas que ni siquiera he conocido y han pasado acontecimientos que desconozco. Me gustaría acercarme a mi historia en privado.

Alastair se inclinó en señal de comprensión.

—De todos modos —añadió Grace—. Si a media noche no he vuelto, quizá tenga que venir a buscarme.

Grace dejó en el suelo el último de los muchos libros que había encontrado en un baúl de madera abandonado, uno de los tantos que había en las habitaciones deshabitadas del castillo. Casi todos estaban llenos de documentos sobre el castillo y las tierras, objetos de interés del pasado y ropa vieja, casi descompuesta por la humedad.

Se apoyó en el baúl y cerró los ojos. Había separado varios libros sobre administración de fincas y cultivos porque le había parecido que les podrían ser muy útiles en los meses venideros. Ya llevaba varias horas en esa habitación, sentada con las faldas a su alrededor y sucias por todo el polvo que se había acumulado en todos los objetos durante siglos. En el cuello llevaba un pequeño reloj colgando de una cinta. Lo cogió y lo miró detenidamente, tal y como había hecho varias veces durante ese día.

Lo había encontrado hacía horas en la primera habitación donde había entrado. Sólo tenía una aguja y no funcionaba demasiado bien. Pero no le importaba. Le gustaba por la sencillez del grabado. Ovalado y de plata envejecida, en la parte posterior había una inscripción en gaélico.

Is e seo m' uair-sa. Deirdre se lo había traducido: «Mi hora ha llegado».

Grace no podía saber qué habían significado esas palabras para el que las había hecho grabar, ni el motivo que movió al propietario original a inscribirlas. Pero no le importaba, porque para ella no habrían tenido más significado si las hubiera escrito ella misma.

«Mi hora ha llegado.»

Por primera vez en su vida, le había encontrado sentido a todo, sentía que su existencia tenía una razón de ser. Sus padres, aunque la querían y estaban orgullosos de ella, siempre la habían visto más como un inconveniente para realizar los viajes que habían planeado después de casarse, viajes donde no estaba incluida una tercera pasajera. Nonny se había encargado de ella, la había criado con mucho amor y le había dado mucha seguridad, sí, pero nadie le había pedido su opinión en eso. Nonny lo asumió como una obligación después de que sus hijos abandonaran a su hija «no deseada».

El repentino traslado a casa del tío Tedric, un soltero que estaba acostumbrado a entrar y salir a placer, la hizo sentir como una carga inoportuna. Y con Christian, más de lo mismo, porque ya se había encargado él de dejarle muy claro que se había casado con ella porque su abuelo lo había obligado, en contra de su voluntad.

Durante toda la vida había estado esperando, buscando, como si el mundo diera vueltas a su alrededor y ella sólo pudiera verlo pasar. Pero había llegado su hora, la hora de dejar de ser un inconveniente, ya nadie la aguantaría por obligación. Ahora le tocaba seguir su propio camino.

Grace volvió a mirar el reloj y cerró el puño mientras salía por la puerta.

Sí, había llegado su hora.

22

La mañana siguiente, el sol salió espléndido por encima de las montañas del este, donde todavía estaba acumulada la niebla de toda la noche. Después de comerse un abundante desayuno a base de copos de avena, tarta y té, Grace y Alastair lo prepararon todo para ir a visitar a los renteros de las tierras de Skynegal. Flora, Deirdre y Liza se quedaron recogiendo el agua que había entrado en el castillo por los agujeros del tejado con las lluvias del día anterior. Como llovió todo el día, habían aprovechado las horas para preparar galletas dulces de mantequilla para que Grace y Alastair las repartieran entre los renteros. Con eso gastaron todo el azúcar y casi toda la harina y la mantequilla que Grace había traído de casa. McFee y McGee habían salido esa misma mañana en barco hacia Ullapool para comprar carne, azúcar y todo lo necesario para abastecer la casa.

También se habían llevado una carta que Grace le había escrito al señor Jenner a las oficinas de Londres para que le enviara más dinero de la cuenta que había para la restauración de Skynegal. Hasta que el dinero llegara, tendría que salir adelante con lo que Nonny le había dado hacía años.

Recordaba que fue uno de los primeros días de primavera que Nonny se le acercó con un paquete en la mano: «Mi madre me dio esto cuando era una chica de tu edad, poco antes de casarme con tu abuelo. A las mujeres no se nos ha permitido tener nuestro propio dinero y casi siempre, en épocas de necesidad, nos quedamos con las manos vacías. Cuando mi madre me lo dio, me hizo prometer que sólo lo utilizaría en situaciones de extrema necesidad. He tenido la suerte de no verme nunca en una situación así, de modo que te lo entrego a ti y espero que nunca tengas que enfrentarte a episodios de desgracia y penurias, pero uno nunca sabe lo que le depara el destino. Si alguna vez te encontraras en una situación así, recuerda que este dinero te ayudará a no perder la esperanza.»

Grace nunca lo había abierto, ni siquiera para mirar lo que había dentro, hasta el día que se marchó de Londres hacia Skynegal. Sabía que había dinero, pero no sabía cuánto, y cuando vio que había varias monedas de cinco guineas y cuatro billetes de cincuenta libras se quedó boquiabierta. El descubrimiento de ese tesoro había sido lo que la había acabado de convencer de marcharse de Londres, y lo que le había reafirmado en su interior que hacía lo correcto.

Grace y Alastair cruzaron las verdes colinas montados en caballos escoceses, pasando por prados llenos de jacintos silvestres, prímulas y anémonas salvajes. Siguieron el curso del río Sgiathach, un recorrido muy tranquilo amenizado por el cantar de los pájaros que iban de un árbol a otro a su paso. Durante todo el viaje, Alastair le explicó historias de su infancia en esa tierra, una tierra donde su abuelo había trabajado muy duro hacía más de un siglo.

—Habla de su amor por esta tierra como alguien hablaría de su amor por una mujer —dijo Grace, cómodamente sentada de lado a lomos del caballo—. ¿Se ha casado alguna vez, Alastair?

Alastair se quedó callado, algo inusual en él, y Grace inmediatamente se disculpó por su naturaleza excesivamente curiosa.

—Lo siento, no debería haberle preguntado algo tan personal. No es de mi incumbencia.

—No, milady, no se disculpe —dijo Alastair, agitando la cabeza—. Es que no había pensado en eso desde hacía tiempo. No, no me he casado nunca. Una vez, estuve a punto; hasta me puse de rodillas para pedirle matrimonio.

—¿Lo rechazó?

—No, milady. Iseabail aceptó y lo preparamos todo para casarnos al verano siguiente. A mí me faltaba un año para acabar la universidad, estaba en Edimburgo, y ella empezó a impacientarse. Quería adelantar la fecha pero yo no podía dejar los estudios. Así que un día me escribió diciéndome que había decidido casarse con otro. —Se calló un momento y luego continuó—: evidentemente, el lazo que creía que había entre los dos no era recíproco.

Grace conocía perfectamente el tormento de querer a alguien que no te correspondía.

—Lo siento mucho, Alastair.

Él sonrió agradecido.

—Ahora hace diez años que vive en Nueva Escocia, pero mientras viva nunca olvidaré el primer día que la vi. Fue en un *ceilidh* y vino mucha gente de otros pueblos para cantar y bailar. Yo no conocía a Iseabail, pero cuando la vi por primera vez, estaba cantando una preciosa balada escocesa. Tenía la voz más dulce que jamás había oído. Me quedé sin palabras, igual que todos los que la escuchaban.

Al recordar todo eso, los ojos reflejaron una mirada melancólica mientras seguían avanzando por las verdes praderas. Alastair miró hacia delante y empezó a canturrear con un acento irlandés que hasta entonces había mantenido escondido.

Cabalgaron en silencio, cada uno inmerso en sus pensamientos. Grace escuchaba a Alastair cantar; y no tanto la letra como el amor con el que le decía el amor que sentía por la chica que le había roto el corazón hacía años.

Una parte de ella se preguntaba si Christian pensaría en ella tanto como ella pensaba en él y si las cosas habrían sido distintas si se hubieran conocido en otras circunstancias. Pensaba en esto mucho más de lo que querría; por la noche, cuando se despertaba y se quedaba estirada en la cama, mirando la luna por la ventana. Se preguntaba si Christian recordaría con el mismo cariño que ella los momentos íntimos que habían compartido, las emociones que su unión les había hecho sentir. Sabía a ciencia cierta que la pasión que habían compartido, aunque breve, a él le había llegado al corazón. Posiblemente, no tanto como a ella, pero debía haber algo que hiciera que volviera a ella una y otra vez. Grace se negaba a creer que era únicamente por el acto sexual porque, si tanto le disgustaba que ella se hubiera convertido en su esposa, habría buscado el placer con otra. Pero no lo había hecho. Y eso era lo único que mantenía una pequeña llama de esperanza en su corazón.

Al cabo de un rato abandonaron la orilla del río y siguieron un arroyo. Delante de ellos vieron una casa de piedra a los pies de una colina. De la pequeña chimenea, o *lum*, como la llamó Alastair, salía una columna de humo por encima del tejado muy maltrecho por los vientos de los Highlands.

En la colina había unas cuantas ovejas pastando en los prados. La brisa que bajaba de las colinas traía consigo sus balidos. Cuando se acercaron a la casa, Grace vio una pequeña cara que los observaba a través de uno de los muchos agujeros en la pared, que no tenía ni una ventana; únicamente una tela que volaba al viento para proteger la casa. Los perros empezaron a ladrar y a rodear a los caballos, que eran tan dóciles que no les dijeron nada. Junto a la casa había un pequeño muro donde había un caballo y un perro lanudo que ni se inmutaron por su presencia.

Estaban desmontando de los caballos cuando un hombre se acercó a saludarlos. Llevaba una camisa de lana de manga larga, una falda escocesa atada a la cintura, unos calcetines de cuadros hasta las rodillas y zapatos de piel. Detrás de él, asomados a la puerta, había una mujer con un pañuelo en la cabeza y con los pies descalzos debajo de la falda, que le llegaba hasta los tobillos. A cada lado tenía a un niño pequeño.

—*Là math*, Alastair —dijo el hombre en gaélico.

Alastair lo saludó con un movimiento de cabeza.

—Calum, tienes buen aspecto. ¿Cómo está tu familia?

El hombre le respondió en un gaélico muy fluido, mirando a Grace con recelo mientras hablaba.

—Calum —dijo Alastair—. Te presento a lady Grace, marquesa de Knighton. Lady Grace es la nueva propietaria de Skynegal. Lady Grace, le presento a Calum Guthrie.

Calum inclinó la cabeza en muestra de respeto y dijo:

—Milady.

Ya no dijo nada más en gaélico, pero cuando levantó la cabeza para mirarla, Grace vio la inconfundible mirada de sospecha en sus ojos; una mirada de sospecha y miedo por lo que su llegada a Skynegal pudiera suponer para ellos.

—Es un placer conocerle, señor Guthrie —dijo Grace, con una amplia sonrisa con la que esperaba disipar un poco sus miedos. Como Calum no dijo nada, Grace dirigió su atención hacia la mujer, que seguía de pie en la puerta—. ¿Es su mujer?

Calum asintió.

—Sí. Se llama Mary. Y éstos son nuestros dos hijos: Calum e Ian.

Grace dejó el caballo y caminó hacia ellos, sonriendo. Le ofreció la galleta dulce de mantequilla, envuelta en un paño.

—Hola, Mary. Es un placer conocerla.

Sin embargo, la mujer no la miró, ni dijo nada ni hizo ningún movimiento de coger la galleta. En lugar de eso, miró a su marido un poco avergonzada.

—Sólo habla gaélico —dijo Calum, a la vez que se colocaba junto a su mujer.

Le dijo algo en gaélico y ella asintió, luego se giró hacia Grace e inclinó la cabeza, sonriendo.

—Esto es para usted —dijo Grace, ofreciéndole la galleta.

Mary miró a Calum, que asintió, y ella cogió el paquete. Cuando vio lo que era, sonrió, aunque tenía la misma nube de miedo en los ojos que su marido.

—*Taing is buidheachas dhut, baintighearnachd do.*

Ahora fue Grace la que miró a Calum avergonzada.

—Me temo que no entiendo el gaélico, todavía.

—Le da las gracias, milady.

—Dígale que no las merece.

Mientras Calum le traducía la frase a su mujer, Grace se agachó y le ofreció la mano al mayor de los chicos. Debería tener unos siete años y era alto y delgado como su padre. Grace vio que llevaba la ropa rota y que iba descalzo. El niño no le dio la mano, pero se quedó mirando el guante que llevaba ella. El otro niño hizo lo mismo, mirando desde detrás de la falda de su madre.

—Papá, no tiene mano —dijo el mayor.

Calum lo hizo callar con un «shhh» y el niño se giró hacia ella muy asustado, como si fuera a comérselo de un bocado. Grace lo acarició y agitó la cabeza.

—No pasa nada.

Empezó a estirar de los dedos del guante mientras el niño la observaba con una mezcla de fascinación y miedo. Cuando hubo estirado todos los dedos, se sacó el guante y le mostró la mano.

Se arrodilló.

—¿Ves? Sí que tengo mano. Sólo estaba escondida debajo del guante.

El miedo en los ojos del niño pasó a curiosidad. Cogió el guante que Grace le ofrecía y lo miró como si estuviera hecho de oro.

—¿Ahora me vas a dar la mano? —preguntó Grace.

El niño le dio la mano, apretando fuerte los dedos.

—¿Cómo te llamas?

—Calum —dijo él, muy ocupado mirando el guante, las costuras, la flor bordada. Se lo puso encima de la mano para ver la diferencia de tamaño.

—Tendría que haberlo adivinado, porque eres igual que tu padre.

Vio al otro niño detrás de su hermano. Debía de tener tres o cuatro años, era pelirrojo y la nariz llena de pecas. Grace se sacó el otro guante y se lo dio.

—Entonces, tú debes de ser Ian.

—Sí —respondió el niño, con un hilo de voz—. Es muy guapa.

Grace sonrió.

—Gracias, amable caballero.

—¿Qué es un caballero?

—Es otra manera de llamar a un chico mayor como tú.

El niño sonrió y siguió jugando con el guante.

Grace se levantó y echó un vistazo al interior de la casa, pero no vio demasiado porque estaba completamente a oscuras. Miró a Calum, que seguía junto a Mary.

—¿Puedo entrar? Nunca he estado dentro de una casa de rentero.

Calum y Mary intercambiaron una mirada curiosa y él asintió, un poco reacio a dejarla entrar aunque temeroso de no hacerlo.

Grace se quitó el sombrero de montar y entró en una sala que hacía las veces de comedor, cocina y dormitorio. A pesar de no contar con demasiados muebles, era sin lugar a dudas muy acogedora. El fuego estaba encendido y había una tetera colgada de un gancho. La esquina más lejana de la puerta estaba completamente ocupada por una enorme cama de pino. En el centro de la sala había una mesa llena de boles con copos de avena. Al menos había seis. A Grace le pareció muy extraño, porque, de hecho, sólo habían salido a recibirla cuatro personas.

Mary entró rápidamente y, cuando vio que Grace miraba los boles, empezó a retirarlos. Ella se giró hacia Calum.

—Espero que me disculpen si les he interrumpido el desayuno.

Él agitó la cabeza.

—No se preocupe, milady. Ya habíamos terminado.

—Tienen una casa preciosa —dijo Grace, observando los detalles femeninos que la inundaban: flores frescas en botellas de cristal encima de la mesa y una tela de colores a modo de cortina.

Grace se paseó por la habitación. Se detuvo delante de un baúl para observar la manta de lana que lo cubría. Tejida con puntos complicados, le recordaba al chal que su abuela le había regalado hacía años.

Mientras la acariciaba se dio cuenta de que salían ruidos del baúl, ruidos parecidos a los gemidos de un niño y luego se oyó un «shhh» tranquilizador.

Sin dudarlo, levantó la manta y abrió el baúl. Escuchó que Mary gritó cuando descubrió a una mujer con una niña de unos dos años acurrucadas dentro. La mujer estaba temblando y la miraba horrorizada. La niña empezó a llorar de inmediato. Mary gritó algo en gaélico y hundió la cara en el pecho de Calum, llorando.

Grace miró a Calum.

—¿Qué pasa? ¿Por qué está aquí escondida esta mujer?

El rostro de Calum reflejaba la tristeza más grande.

—Sé que no puedo esperar que perdone algo así, milady, pero por la gracia de Dios le pido que entienda que no tenía adónde ir.

—¿Perdonar? ¿Qué tengo que perdonar? Me temo que no entiendo nada.

Alastair se acercó a ella para explicárselo.

—Milady, la mujer del baúl es la hermana de Mary, Elspeth, y ésta es su hija. Antes vivían en una propiedad vecina hasta que las desalojaron —dijo, mirando a Calum y luego a Grace otra vez—. Lo que Calum intenta decirle, milady, es que entre los terratenientes existe un acuerdo tácito según el cual, si una familia acoge a otra que ha sido desalojada, sufrirá el mismo castigo. —Hizo una pausa—. Ahora temen que usted los eche de su casa.

Grace observó todas las caras que la miraban fijamente: Calum, los niños, Mary, llorando, y Elspeth, que ahora estaba de pie dentro del baúl. A juzgar por el horror en sus miradas, ella parecía ser la reina del infierno.

Dentro de ella empezaron a hervir la rabia, la furia y el dolor. Era horroroso que esta pobre gente tuviera que vivir bajo una amenaza tan terrible todos los días de su vida; que tuvieran que tener miedo por acoger en su casa a su propia familia. Miró a los dos niños, Calum e Ian, caminó lentamente hacia ellos, que no dejaban de mirarla mientras dejaban los guantes encima de la mesa, como si con ese sencillo gesto quisieran pedirle que perdonara a sus seres queridos.

Grace intentó impedir que las lágrimas que le inundaban los ojos le corrieran mejillas abajo. Miró a Elspeth, que seguía de pie detrás de ella. Tenía a su hija en brazos, con la cabeza apoyada contra el pecho de su madre. Grace le ofreció los brazos.

—Por favor, deje que se la coja y así usted podrá salir del baúl.

Elspeth se quedó muy confundida. Calum le dijo algo en gaélico, asintiendo, en un tono tranquilizador. Lentamente, Elspeth soltó a su hija y se la dio a Grace. Ésta la cogió y la sostuvo en brazos mientras Elspeth salía del baúl con la ayuda de Calum. La niña la miraba con la barbilla temblorosa. Ella le sonrió y la acarició.

—Shhh, no pasa nada —dijo, y le dio un beso en la frente antes de devolvérsela a su madre.

Grace respiró hondo y se giró hacia Calum.

—Tiene miedo de que les desaloje por decisiones que han tomado otros que están en la misma posición que yo. Le doy mi palabra, Calum Guthrie, que eso no sucederá. Ni hoy ni nunca. En Skynegal las «mejoras» que se han implantado en otras propiedades no se llevarán a cabo. Hágame el favor de decírselo a los demás renteros.

Calum la miró durante unos segundos, un poco incrédulo, y luego empezó a reír. Rápidamente tradujo las palabras de Grace a Mary y Elspeth. Mary se tapó la boca con las dos manos, muy sorprendida, mientras que Calum e Ian corrieron hacia Grace y se abrazaron a sus faldas. Grace miró a Calum, que estaba abrazando a su mujer y a su cuñada. Tenía los ojos cerrados como si estuviera conteniendo las lágrimas.

Luego miró a Alastair, que estaba a un lado, observando toda la escena. Sonreía, llorando de alegría, y cuando sus ojos se encontraron con los de Grace, asintió y pudo leerle en los labios:

—Gracias, milady. Gracias.

23

Londres

Algunas personas tienen un mal día; otras tienen una mala semana. Christian Wycliffe, marqués de Knighton, había pasado los dos peores meses de su vida y, camino del tercero, las perspectivas no eran demasiado alentadoras.

Había perdido a su mujer. Prefería la palabra «perdido» a admitir que lo había «abandonado», porque eso parecía muy definitivo, irrecuperable, y no tenía ninguna intención de darla por perdida, sólo quería encontrar a Grace, lady Knighton, aunque sólo fuera para leerle la cartilla por haber desaparecido sin haber dejado ni rastro.

Jamás olvidaría el día que se percató de no estaba. Lo primero que le vino a la cabeza fue que el autor del mensaje anónimo la había raptado. La idea de que Grace pagara por sus pecados le destrozó más que nada en este mundo. Pasó los dos primeros días culpándose de la desaparición de su mujer, hasta que una de las doncellas le dijo que también faltaban algunos vestidos. Cuando subió a su habitación, resultó que sólo habían desaparecido los vestidos de soltera, igual que los zapatos, las medias y las cintas del pelo. Aún así, no fue hasta que Eleanor descubrió que sus dibujos también habían desaparecido, que no supieron a ciencia cierta que se había marchado por propia voluntad.

Mientras miraba el armario medio vacío, Christian se dio cuenta de que no tenía ni idea de que le gustara dibujar. Eleanor tampoco dejó pasar la ocasión de mencionarlo.

—Lo habrías sabido —le dijo, muy enfadada—, si le hubieras prestado un mínimo de atención mientras estuvo aquí.

Christian no pudo responderle, sencillamente porque sabía que no podía decir nada para defenderse. Grace se había marchado por su culpa, y no era el único que lo pensaba. Los sirvientes también lo acusaban. De hecho, estaba empezando a pensar que la cocinera salaba la comida más de la cuenta a propósito. Lo veía en sus ojos y lo escuchaba en sus comentarios, incluso cuando hacían ver que pronto volvería. Las doncellas seguían cambiando las flores de su cuarto a diario. Un día, incluso vio a Forbes llenar los jarrones como si así pudiera conseguir que apareciera por la puerta y le diera las gracias por cosas que él siempre había dado por sentadas.

Cada día, cuando se despertaba y sabía que en la habitación contigua no había nadie, se apoyaba en el umbral de la puerta y desde allí miraba la cama, perfecta con las sábanas azules y el cubrecama color azul cielo con bordados y lazos, intacta desde hacía semanas. Quería saber cómo estaba, dónde dormía, si se encontraba a salvo. La idea de que pudiera correr peligro después que él la hubiera forzado a huir no lo dejaba dormir. Por las noches paseaba por su habitación y constantemente se asomaba a la ventana para ver si, por arte de magia, aparecía en la puerta.

Sin embargo, no aparecía.

Incluso llegó al punto de plantearse si su aparición en su vida no habría sido más que un sueño, un delicado producto de su imaginación. Todo le recordaba a ella. La maravillosa sonrisa que tenía el día que entraron en el baile de los Devonbrook del brazo, como marido y mujer por primera vez. Pensó en la entrega total que le había demostrado, sin ningún temor, incluso cuando se había portado muy mal con ella. Habría creído que sólo había sido una alucinación si las caras melancólicas de los criados no le recordaran constantemente que Grace no había sido ningún sueño, ni ninguna alucinación, sino un regalo que él había dejado escapar.

Cuando descubrió que había desaparecido, inmediatamente contrató a cuatro agentes para que la buscaran, cada uno en una dirección. Pensó que la tendría en casa al cabo de pocos días, pero en dos meses y pico nadie había conseguido encontrar ni una huella. Christian empezó a imaginarse lo peor. Cuántos más días pasaban sin tener noticias suyas, más culpable se sentía por haber provocado que se fuera; aunque había una cosa que tenía muy clara: cuando la encontrara, suponiendo que la encontrara, lo primero que haría sería confesarle lo equivocado que había estado y lo mucho que se arrepentía de su comportamiento.

Había sido necesaria la reprimenda de Eleanor para abrirle los ojos ante la realidad de que Grace también había sido víctima del matrimonio acordado, igual que él. Se había preocupado tanto por su odio hacia su abuelo, se había enfurecido tanto por su impotencia ante una situación impuesta, que lo había pagado con ella, como si Grace hubiera tenido alguna culpa. Se había portado muy mal. Cada vez que pensaba en aquella última noche cuando ella se había acercado a él, prácticamente rogándole que la quisiera, se estremecía de dolor. Ante ese ruego, él sólo había mostrado indiferencia y egoísmo. Estaba tremendamente enfadado consigo mismo porque a pesar de las promesas que se había hecho de no dejar que ella lo afectara, lo cierto es que le resultaba imposible resistirse a sus encantos. Aquella noche había sido un blanco perfecto. Allí, de pie, con el camisón, tan vulnerable, rogándole que le diera una pequeña muestra de cariño. Y cuando ya le había abierto su corazón, él sólo la había mirado fijamente, arrogante y orgulloso como todos los Westover.

«Podrías haber sido cualquiera.»

Sabía que nunca podría olvidar la cara de Grace mientras él le decía esas palabras; la había destrozado. Había sido muy desconsiderado y no podía culparla por querer alejarse de alguien como él. Por lo que sí podía culparla era por haber desaparecido sin dejar ni rastro. Quería ir a buscarla él mismo en vez de estar allí sentado, impotente, pero ni eso podía hacer. Todavía tenía que solucionar la situación de Eleanor.

Con casi todos los hombres solteros de Inglaterra en Londres para la temporada, al parecer Eleanor se estaba empezando a enamorar del único hombre con el que no podía casarse: Richard Hartley, conde de Herrick. Durante las últimas semanas, Christian se había pasado los días intentando encontrar a su mujer y las noches haciendo lo imposible para evitar que Eleanor y Herrick crearan un lazo demasiado fuerte. No era un trabajo fácil, porque tenía que hacerlo sin levantar las sospechas de su hermana. Por desgracia, desde pequeños Eleanor siempre había tenido la asombrosa habilidad de detectar los problemas, por muy escondidos que estuvieran.

Se había dado cuenta del recelo de Christian de inmediato y le había preguntado abiertamente por qué no le gustaba lord Herrick. Él le había respondido que preferiría que se tomara la temporada con calma y que conociera a varios jóvenes antes de comprometerse con el primero que se le presentara.

En otras palabras, había mentido.

Gracias a Dios, esa misma mañana se había enterado de que a Herrick lo habían reclamado en su propiedad en York y que se había ido de Londres. Su ausencia le daría unas semanas de respiro. Quizás el destino le sonriera y Eleanor conociera a otro hombre y se enamorara de él.

Miró pensativo un retrato en miniatura de su hermana que estaba encima de la chimenea. Si le explicara la verdad a Eleanor sobre su reticencia hacia Herrick, entendería por qué no podía casarse con él. Sin embargo, sabía que nunca podría decírselo porque, si lo hacía, saldría a la luz toda la verdad, y eso era algo que había estado ocultando durante toda su vida.

Los golpes en la puerta del estudio lo sacaron de su ensimismamiento. Dejó el retrato de Eleanor en su sitio mientras Forbes entraba.

—Milord, lord Cholmeley ha venido a verle.

«¡Por Dios!», pensó Christian, mirando el reloj. Eran las nueve y todavía no había terminado de desayunar. No le apetecía nada ver al tío de Grace.

—Dile que no estoy.

—Ha insistido mucho, milord. Incluso…, bueno, ha amenazado con…

Christian levantó una ceja.

—¿Amenazado?

—Sí, milord, amenazas que sólo provocarían más escándalos.

Christian frunció el ceño. Había temido esto desde el primer día. Al parecer, su tiempo para arreglar los asuntos de su matrimonio en privado se había agotado. Ya no podía esconder más la ausencia de Grace con excusas como dolores de cabeza o malestar estomacal. Si Cholmeley hablaba, pronto todo el mundo sabría que su mujer lo había abandonado cuando la tinta del contrato de matrimonio apenas se había secado.

Respiró hondo.

—Entonces supongo que tendrás que hacerlo pasar.

Mientras Forbes iba a buscar al marqués, Christian se sirvió una segunda taza de café, y esta vez le añadió un chorro de coñac, porque sabía que le haría falta.

Tedric, lord Cholmeley, entró por la puerta con la educación y el refinamiento de un huracán violento. Sin esperar a que Christian le saludara, le increpó:

—¿Qué demonios has hecho con mi sobrina, Knighton?

Christian lo miró, intentando mantener la calma.

—Siéntate, Cholmeley.

Pero Tedric lo ignoró.

—Todos saben lo reservados que sois los Westover. ¿Qué has hecho? ¿La has matado? ¿Dónde está, enterrada en el jardín como abono para tus plantas?

Christian miró hacia la puerta, donde Forbes estaba de pie sin decir nada.

—Puedes marcharte, Forbes. Y cierra la puerta.

Lo último que necesitaba era que uno de los sirvientes escuchara las barbaridades que Cholmeley estaba diciendo. Dentro de poco lo conocerían en todo la ciudad como el asesino de su esposa.

Esperó, contó hasta diez incluso después de que Forbes se marchara. Bebió dos sorbos de café, volvió a mirar a Cholmeley y dijo, lentamente:

—Siéntate, Cholmeley. Ahora.

El marqués cerró la boca y se sentó delante de Christian. Sin embargo, seguía reflejando su ira en la cara y los dedos no paraban quietos en los brazos de la silla.

Christian lo miró.

—En primer lugar, deja ya el teatro. Sabes perfectamente que no he matado a Grace.

—Entonces, ¿dónde está? Sé que no está aquí. Se lo he preguntado a los criados. Nadie la ha visto en las últimas semanas.

—No, no la vemos desde que dijo que te iba a visitar. Deberías haber sido la última persona que la vio —dijo Christian—. Quizás debería interrogarte yo a ti sobre su paradero.

Tedric agitó la cabeza, indignado.

—Knighton, un hombre que no puede seguirle la pista a su mujer no tiene derecho a llamarse hombre.

Christian no podía discutírselo, pero eso no quería decir que le gustara oírlo, sobre todo de boca de alguien como el marqués.

—Sea como sea, te prometo que estoy haciendo todo lo que está a mi alcance para encontrarla.

Tedric se echó hacia delante.

—¿Todo lo que está a tu alcance? Si estás tan desesperado, ¿cómo es que te quedas aquí —dijo señalando la mesa—, en vez de estar allí fuera —añadió, señalando hacia la ventana—, buscándola tú mismo?

—Sí, Christian —dijo una voz familiar, aunque no por eso más agradable—, dínoslo. ¿Por qué estás aquí en lugar de estar buscando pistas sobre su paradero?

24

Christian no disimuló su renuencia cuando miró hacia la puerta, sabiendo a quién se encontraría, aunque rezaba porque estuviera equivocado. Seguramente, tener que aguantar las reprimendas de Cholmeley y de su abuelo el mismo día debía ser un castigo de los ángeles.

El duque de Westover estaba de pie en la puerta, con el bastón en la mano, escuchando inmóvil la conversación entre Christian y Cholmeley. Tenía la boca torcida y su ya habitual luz oscura y amenazadora en los ojos. Podía leerle el pensamiento como si lo llevara escrito en la frente:

«¿Qué has hecho, chico? ¿Te consigo una esposa perfectamente aceptable y la pierdes? ¿Qué clase de duque pretendes ser si ni siquiera puedes conseguir que una simple mujer sea feliz a tu lado?»

Sin embargo, mientras pensaba esto, Christian sabía que tampoco podía culpar a su abuelo por la marcha de Grace. Él y sólo él había provocado esa situación.

Christian no dijo nada en absoluto hasta que su abuelo entró en el estudio y se sentó al lado de Cholmeley. Intercambiaron un saludo con la cabeza y luego le miraron censurándolo.

Respiró hondo.

—Sí, es verdad. Grace se ha ido. Y sí, tanto si me creéis como si no, he intentado encontrarla. He contratado a cuatro agentes para que la busquen, pero hasta ahora no han conseguido dar con ninguna pista útil.

—No ha podido ir muy lejos —dijo Cholmeley, en un tono despectivo—. Al fin y al cabo, sólo es una mujer.

«Sólo una mujer.» Christian pensó que eso era algo que nunca más volvería a pensar de Grace.

—Milord, hace tiempo aprendí a no subestimar al sexo débil —dijo Christian, lanzándole una mirada a su abuelo que sólo ellos podían entender—. Sin embargo, teniendo en cuenta que Grace disponía de pocos medios, si disponía de alguno, me cuesta creer que haya salido de Londres, y esa es la razón por la que no me he movido de la ciudad. Tengo la esperanza de que todavía esté en la ciudad. Si es así, tarde o temprano la encontraré. Debía tener algo ahorrado para poder mantenerse fuera de casa y sola tantas semanas. ¿Sabía usted si contaba con algunos ahorros, Cholmeley?

El marqués negó con la cabeza.

—No. Eso es imposible. Yo lo habría sabido.

«Y te lo habrías gastado», pensó Christian.

—A menos que…

—Que ¿qué?

—A menos que mi madre le dejara algo antes de morir. No me extrañaría nada. Estaba a favor de la independencia de las mujeres, nada menos.

El duque se aclaró la garganta y se apoyó en el bastón.

—Supongo que es una posibilidad pero, ¿es factible que lo que su madre le dejó pudiera mantenerla a ella y a su doncella, porque sé que se ha llevado a una, todo este tiempo? Tarde o temprano se le acabará el dinero. Y entonces, ¿qué hará?

Antes de que nadie pudiera responder, Forbes llamó a la puerta, entró e inclinó la cabeza.

—Milord, ha venido un señor llamado Jenner que pregunta por usted.

—¿Jenner? —preguntó Cholmeley—. ¿No era el hombre de confianza de mi madre para los negocios? ¿El que redactó los contratos de matrimonio?

—En su tarjeta dice que es abogado, milord —dijo Forbes, respondiendo a la pregunta de Cholmeley.

—Posiblemente ha venido porque en el contrato había una cláusula que decía que si la novia desaparecía, el matrimonio quedaba anulado —bromeó Cholmeley.

A Christian no le hizo ninguna gracia.

—En tal caso, usted ya no tendría derecho a su parte del contrato.

El duque sonrió, y Cholmeley palideció mientras Christian se dirigía a Forbes.

—Dile que ahora mismo estoy muy ocupado y que, si quiere, puede dejar los papeles que tengamos que revisar.

—Dice que se trata de algo urgente, milord. Tiene que ver con lady Knighton y una carta que le ha enviado.

—¡Por todos los santos! Podrías haber empezado por ahí. Hazlo pasar.

Mientras el mayordomo iba a buscar al caballero, Christian miró primero a su abuelo y luego a Cholmeley.

—Ni una palabra hasta que lleguemos al fondo de este asunto. Yo hablaré con el señor Jenner.

El duque asintió y se echó hacia atrás. Cholmeley se encogió de hombros y se levantó para servirse una copa de coñac.

Al cabo de un momento, Forbes entraba en el estudio seguido de un hombre menudo con los dedos llenos de tinta. El abogado miró nervioso a los otros dos caballeros antes de sentarse en la silla que, hasta entonces, había ocupado Cholmeley.

Christian desconocía cuánto sabía, si es que sabía algo, el señor Jenner sobre la desaparición de Grace, así que decidió medir sus palabras.

—Señor Jenner, es un placer volver a verle. Creo que ha recibido una carta de lady Knighton, ¿no es cierto?

Jenner miró al duque y a Cholmeley, que ahora estaba de pie junto a él. Los dos lo estaban mirando, haciéndolo sentir muy incómodo. Sin embargo, cumplieron su palabra y no dijeron nada.

—Sí, ah, lord Knighton. He recibido una carta de lady Knighton, pero creo que este asunto deberíamos tratarlo en privado, milord. Usted y yo.

Christian agitó una mano.

—Diga lo que tenga que decir, señor Jenner. Ya sabe que los caballeros son de la familia. Y están al corriente de la… —hizo una pausa para encontrar una palabra más adecuada—. Del traslado de Grace.

Jenner miró al duque y a Cholmeley. Se aclaró la garganta.

—Lady Knighton me ha enviado esta carta —dijo, ofreciéndosela a Christian—. En realidad, es la tercera que recibo.

Christian empezó a leer la carta mientras Jenner continuaba.

—No puedo darle los fondos que me pide sin la firma de su marido porque, aunque la cuenta esté a su nombre, yo…

—¿Cuenta? —interrumpió Cholmeley—. ¿Qué cuenta?

Christian miró al marqués por encima del papel.

—Cálmate, Cholmeley, hasta que sepamos de qué se trata.

Cuando acabó de leer la carta, miró a Jenner.

—¿Le importaría ponerme al corriente de la situación?

—Por supuesto, milord.

Jenner empezó a rebuscar entre sus papeles y al final le dio unas páginas a Christian.

—La propiedad estuvo retenida en fideicomiso hasta la boda de lady Knighton, aunque tal como se estipula aquí, no podía entrar en los contratos de matrimonio. Pasa a ser suya hasta que muera, y entonces pasará a un descendiente directo que ella escogerá. Me encargaron informar a lady Knighton de la existencia del documento de fideicomiso y de lo que era suyo, aunque sólo después de casarse. Vine a Knighton House hace algunas semanas para explicárselo todo.

Christian miró por encima los papeles que Jenner le había dado.

—¿Y esa cuenta de la que habla?

Cholmeley se acercó más.

—La cuenta también es exclusivamente de ella y, por lo tanto, no es un bien compartido con su marido. Los fondos sólo pueden utilizarse para la mejora de la propiedad.

—No deja de hablar de esa propiedad —interrumpió Cholmeley—. ¿De qué se trata? Que yo sepa, el marquesado de Cholmeley no dispone de ninguna propiedad.

Christian le devolvió los papeles a Jenner.

—Al parecer —le dijo a Cholmeley—, cuando Grace se casó conmigo, pasó a ser propietaria de una propiedad en Escocia, el castillo de Skynegal.

Cholmeley se echó a reír.

—¿Aquel montón de piedras viejas? Conozco ese castillo. Era propiedad de la familia de mi madre. Lleva años deshabitado. Ni siquiera se puede llegar hasta allí por carretera. Creía que, a estas alturas, ya debía haberse derrumbado.

—Dudo que eso llegue a suceder —dijo Christian—. Sobre todo considerando que existe una cuenta con trescientas mil libras para mantenerlo.

—¡Trescientas mil libras! —Cholmeley casi se ahoga con el coñac, hasta que Jenner se levantó y le dio unos golpes en la espalda. Al cabo de un momento, ya estaba recuperado.

—¿Me está diciendo que esa chiquilla dispone de una fortuna mientras yo me veo obligado a vivir casi en la pobreza?

—El dinero no está a su disposición, Cholmeley —le recordó Christian—. De acuerdo con el fideicomiso, ese dinero sólo se puede utilizar para restaurar Skynegal. Y, a juzgar por la carta que le ha enviado al señor Jenner, eso es exactamente lo que Grace está haciendo.

—Con su aprobación —dijo Jenner, volviendo al tema que lo había traído a Knighton House—. Como marido de lady Knighton, todas las transacciones de dinero de esta cuenta deben contener su aval.

—Bueno, al menos el fideicomiso es razonable —murmuró el duque—. ¡Imagínense regalarle trescientas mil libras a una mujer!

—Igual que también deben contener el aval de lady Knighton —añadió Jenner.

El abogado parecía muy incómodo ante la presencia del duque y, siempre que podía, evitaba hablarle directamente. Lo miraba de vez en cuando, pero nunca fijamente. Christian se dio cuenta y lo entendió.

—Bueno, entonces acabemos con esto —dijo Christian, cogiendo la pluma y mojándola en tinta.

Empezó a firmar el documento que Jenner le había dado, donde autorizaba que Grace recibiera el dinero que había solicitado.

—¿No firmarás para que se gaste todo ese dinero restaurando ese viejo castillo? —exclamó Cholmeley.

—Pues eso es exactamente lo que voy a hacer, milord. —Christian dejó la pluma en su sitio y le devolvió el documento a Jenner—. Le agradecería mucho que me informara cuando se haya realizado la transacción.

Jenner asintió.

—Por supuesto. Entonces, milord, ¿me encargo yo de contratar a un mensajero para que le haga llegar la noticia a lady Knighton?

—¿No sabe que usted ha venido aquí?

Jenner agitó la cabeza.

—Supe que necesitaba su firma después de que ella se marchara. Por eso he tardado tanto en venir aquí. Después de recibir la tercera carta, empecé a preocuparme por ella. Sólo espero que pueda perdonarme por haber roto la promesa que le hice. Discúlpeme, milord, pero ella me pidió que no le dijera a nadie dónde estaba.

Christian miró al abogado. Al cabo de un momento, sonrió.

—No hará falta ningún mensajero, señor Jenner. Yo mismo iré a Escocia a darle la noticia a lady Knighton.

25

Skynegal, Highlands

Grace estaba de pie junto a la ventana de la habitación, observando la nube de humo que eclipsaba el sol de la mañana.

¿Acabarían algún día con los incendios?

Lo que más odiaba era saber que, mientras ella estaba a salvo en su casa, otra familia de los Highlands había sido desalojada injustamente. Últimamente sucedía tan a menudo que el horizonte del este parecía que siempre estaba cubierto por una nube de humo.

Empezaba con una visita inesperada. La familia abría la puerta y se encontraba con un regimiento de soldados que les daban una orden de desalojo firmada por el dueño de la propiedad. Allí mismo les decían que tenían que recoger sus cosas. El caos se apoderaba de una zona donde, hasta entonces, había reinado la tranquilidad. Les daban el tiempo justo para llevarse todo lo que pudieran cargar antes de que los soldados prendieran fuego a las precarias casas de madera, destrozando todo lo que alguien había conseguido con mucho esfuerzo durante toda una vida.

Mientras su casa se quemaba, los renteros intentaban salvar lo básico: la viga del techo. Sin ella, quizá no encontrarían madera suficiente para construir otra casa, y acabarían como la mayoría de sus vecinos, buscando refugio en una cueva o, en el peor de los casos, en la intemperie.

Si tenían la suerte de gozar de buena salud, podrían irse a la costa, donde quizá tendrían la oportunidad de volver a empezar. Sin embargo, los mayores y los enfermos eran los que salían peor parados, si no podían salir de la casa por sí solos, los sacaban a la fuerza, sin ningún reparo, los tiraban al suelo y los dejaban que sobreviviesen sin nada, si es que sobrevivían.

De repente, le vino un escalofrío y cogió el chal que había encima de la silla y se lo echó encima de los hombros. La nube de humo era cada vez más alta. Notó un cosquilleo en la mano y miró a Dubhar, que estaba sentado en el suelo lamiéndole la mano y esperando paciente una caricia detrás de las orejas. Grace accedió. Al parecer, este perro de caza se había paseado por todas las casas del condado buscando comida y un fuego donde tumbarse. Todos lo conocían, pero no era de nadie. Tenía el pelo de color gris, aunque no como la barba de McGee, y cuando se ponía de pie, era más alto que ella. Cuando llegó a Skynegal, una mañana lluviosa poco después de su llegada, estaba muy débil y tenía fiebre. Debajo de la capa de barro que le cubría el cuerpo, sólo había piel y huesos; además caminaba muy despacio y cojeaba. Alastair dijo que posiblemente le había mordido una víbora y, efectivamente, le encontraron el mordisco en la pata izquierda posterior. Alastair dijo que moriría, pero Grace se empeñó en que eso no sucediera. Se quedó junto al perro, le hizo compañía toda la noche y, con la ayuda de Deirdre y de un emplasto de corteza de serbal, al día siguiente ya no tenía fiebre.

Ahora no parecía el mismo. Había engordado y corría más rápido que el viento. Lo habían bautizado Dubhar, la palabra gaélica para designar la sombra de su dueña en que se había convertido, porque seguía a Grace a todas partes. Ella le había salvado la vida, así que él no se separaba de ella ni un segundo.

Mientras le rascaba la cabeza, miró por la ventana la riada de gente que se acercaba por el campo. Igual que Dubhar, venían a Skynegal para salvarse.

La mayoría eran renteros de otras propiedades que se dirigían hacia el viejo castillo de Skynegal porque habían oído hablar de la que ellos llamaban *Aingeal na Gáidhealthachd*, el Ángel de los Highlands. La noticia de que la nueva dueña de Skynegal había prometido que en su propiedad no se desalojaría a nadie se había extendido muy deprisa. Acudían en masa buscando comida, ropa, un techo y un poco de compasión. Algunos tenían planeado emigrar a Nueva Escocia o a América y sólo hacían una pausa en Skynegal hasta que el barco zarpara de Ullapool. Otros hacían un alto en su camino hacia Glasgow. Grace no le negaba la entrada a nadie, no podía, y se dedicaba en cuerpo y alma a ayudarles a prepararse para su nueva vida.

Después de la revolución de los escoceses del año 1745, se dictó la llamada Ley de Proscripción que diluyó a los habitantes de los Highlands en lo que se conoció como «la etapa gris». Se prohibieron las telas coloridas tan características de la zona, el gaélico y las pipas bajo amenaza de expulsión. Aunque la ley fue abolida cuarenta años después, el daño ya había afectado a una generación entera. Cuando Grace supo lo de la ley y su posterior abolición, inmediatamente se puso a trabajar con Alastair, Liza y Deirdre en un diseño nuevo para las telas. Los colores los crearon a partir de las plantas de Skynegal. Un verde intenso precioso de la hierba de los prados, un rojo precioso del *crotal*, el gris del liquen que habían sacado de las rocas y el negro de las grandes cortezas de los robles de los Highlands. Utilizaron esa tela para hacer la ropa de los refugiados de modo que, aunque se fueran a otra parte de Escocia o a otro continente, siempre llevaran consigo un recuerdo de Skynegal y de su pasado escocés.

Como la mayoría de los habitantes de los Highlands sólo hablaba gaélico. Grace, Liza, Alastair y Deirdre habían empezado a enseñarles inglés, a leer, a escribir y un poco de matemáticas. Habían colocado camastros llenos de hierba en el salón para acoger a aquellos que no tuvieran familia o un lugar donde quedarse y, cuando el salón estuvo lleno, ocuparon otras habitaciones. Los renteros de Skynegal, siguiendo el ejemplo de Grace, y también a acoger extranjeros.

A cambio, todos los que recibían refugio trabajaban para los demás. Mientras las mujeres tejían y cosían la ropa para los que más la necesitaban, algunos hombres se ocupaban de los animales y otros ayudaban en los trabajos de restauración del castillo o de las casas de los renteros de la propiedad. En el espacio de unas semanas, desde la llegada de Grace a Skynegal, esta propiedad antaño abandonada y descuidada se había convertido en una pequeña y eficaz comunidad.

Sin embargo, Grace sabía que toda comunidad necesitaba dinero para crecer y el dinero era cada vez más escaso. Hasta la fecha, no había recibido ninguna respuesta del señor Jenner a la carta que le había enviado pidiéndole más dinero. Según sus cálculos, debía haberla recibido hacía un mes, y eso le daba tiempo de sobras para haberle contestado. Al cabo de quince días, le escribió una segunda carta y luego una tercera por miedo a que no hubiera recibido ninguna de las anteriores. Se estaba quedando sin dinero. Con la carne y las necesidades más básicas ya se había gastado gran parte del dinero que Nonny le había dado. La semana anterior, empezó a buscar entre sus joyas para ver qué podía darles a McFee y McGee para que lo vendieran y pudieran comprar comida. Al final, decidió dárselas todas excepto el reloj que encontró el primer día que llegó a Skynegal y la alianza de matrimonio.

De repente, se giró al escuchar el chirrido de la puerta, pero se alegró de ver que era Liza que llegaba con la ropa recién lavada.

—Empezaba a pensar que dormiría todo el día —dijo la doncella, mientras preparaba un vestido, unas enaguas y unas medias limpias para ella.

Grace agitó la cabeza.

—Liza, no sé por qué, pero siempre estoy muy cansada. No consigo levantarme de la cama tan pronto como antes.

Liza levantó una ceja.

—Trabaja demasiado, milady. Una dama como usted no debería trabajar tanto.

—¿Y qué se supone que debo hacer? ¿Quedarme por ahí mirándome en los espejos cuando hay tanto trabajo?

Cogió el cepillo y empezó a desenredarse las puntas del pelo.

—Supongo que el cansancio le viene de lo mucho que ha estado trabajando —dijo Liza—. Aunque el hecho de que esté en estado también influye.

El cepillo cayó al suelo e hizo un ruido estrepitoso. Dubhar se puso de pie inmediatamente para ver qué había pasado. Grace se giró hacia Liza, incrédula.

—Oh, milady, ¿no lo sabía? —y añadió, inmediatamente—. Claro, ¿cómo va a saberlo si nunca nadie le ha explicado nada sobre las mujeres y los bebés? Aunque estoy segura de que se habrá dado cuenta de que, desde que llegamos a Skynegal, no ha tenido la menstruación.

Grace agitó la cabeza y habló tan bajo que Liza casi no la oía:

—Pero ha habido más veces que no la he tenido y no estaba… Yo no… Yo…

Sintió que estaba a punto de desmayarse. Nunca se había desmayado pero suponía que si en algún momento una mujer tenía que desmayarse, era ése. Se agarró a la mesa y esperó que el mareo se le pasara.

Liza dejó la ropa, fue hasta ella y la ayudó a sentarse en la cama. Tomó las manos de Grace entre las suyas.

—Lo siento mucho, milady. Pensaba que lo sabía y que no había querido decírselo a nadie por los problemas con el marqués de Knighton.

«Christian.» Dios mío. Grace cerró los ojos porque volvió a marearse. Liza le apretó la mano con fuerza.

—Milady, puede que me haya equivocado. Yo sólo supuse que, tantos meses sin la menstruación y con lo que le aprieta el canesú… Además, soy su doncella, y me doy cuenta de esas cosas.

Grace se miró los pechos, advirtiendo por primera vez lo que habían crecido.

—¿Le duelen? —le preguntó Liza.

Grace se mordió el labio, miró a la chica y asintió.

—También he notado que utiliza el orinal más a menudo. Mi madre dice que es porque el bebé crece y le aprieta por dentro.

Sin embargo, Grace seguía bastante reticente a creerla.

—Pero ya hace mucho tiempo que nos fuimos de Londres. Si estuviera embarazada, ¿no se me notaría más?

Grace miró hacia abajo y se colocó mano sobre el abdomen. Sí que había notado que se le había ensanchado la cintura, pero lo había atribuido a las tartas de Deirdre. Y pensar que no tenía nada que ver con eso, sino con una pequeña vida que estaba creciendo en su interior.

—A algunas mujeres no se les nota enseguida. ¿Se encuentra bien, milady? ¿Está disgustada? ¿Está enfadada porque va a tener un hijo?

Grace miró a Liza. Al principio, la idea de un hijo la había asustado, porque no sabía nada de criar niños, sólo lo poco que pudo ver en Ledysthorpe. Pero, después de reflexionar unos minutos y tranquilizarse, se sintió como invadida por una ternura y una calidez que no podía dejar de sonreír.

—No, Liza, no estoy enfadada. En realidad, soy muy feliz.

Liza sonrió.

—¡Oh, me tranquiliza tanto oírla decir eso! Será muy divertido tener a un pequeño correteando por Skynegal.

—Al final le has acabado cogiendo cariño a este montón de piedras viejas, ¿verdad, Liza? —dijo Grace, recordando la primera reacción de la doncella cuando llegaron.

—Es uno de esos lugares que pasan a formar parte de uno —dijo Liza—. Pero sólo por cómo lo está dejando usted, milady. No conocí a su abuela, pero sé que si estuviera aquí y viera todo lo que ha hecho, estaría muy orgullosa de usted.

—Gracias, Liza.

La doncella sonrió.

—Entonces, si es una niña, cuando sea mayor, ¿le podré enseñar a pegar puñetazos?

—¡Liza!, las niñas no deberían aprender a pegar.

—No pensaría lo mismo si hubiera nacido en mi familia. Era la única manera de sobrevivir.

—Bueno, entonces supongo que no le hará ningún daño saberlo —dijo Grace—. Pero ¿y si es un niño?

Liza se quedó pensativa un momento, con la cabeza hacia un lado.

—Le enseñaré a zurcirse los calcetines.

Grace la abrazó con fuerza mientras se reían, sentadas al borde de la cama cuando, de repente, el sol de la mañana consiguió atravesar la nube de humo en el horizonte.

Grace no pudo dedicarse ni un minuto a sí misma hasta la noche. Había sido un día muy largo y ocupado, con muchas cosas que hacer e inesperadas interrupciones.

Poco antes de mediodía había llegado otra familia de renteros únicamente con la ropa que llevaban puesta y una historia terrible del desalojo que acababan de vivir. Eran seis, el matrimonio y cuatro hijos. Llevaban casi tres días caminando, comiendo fresas y buscando raíces y tubérculos para saciar el hambre.

Después de escucharles y verles la cara, los había hecho pasar, les había ofrecido copos de avenas caliente y leche fresca y los habían colocado en camastros para que durmieran. Durante el resto de la mañana había estado actualizando los libros, anotando quién había llegado a Skynegal y quién se había ido.

Durante la comida, había perfeccionado los dibujos para la renovación del castillo mientras escuchaba la clase de inglés de unos niños. Más tarde, surgió una discusión entre dos de los trabajadores, y cuando Grace llegó, uno de ellos estaba a punto de golpear al otro con una piedra de las que se tenían que colocar en una pared. Al ver que ella lo miraba horrorizada, se quedó quieto, con la piedra a pocos centímetros de la cabeza del otro hombre. Tenía la cara ensangrentada y, seguramente, su enfado era una reacción a la actitud del otro antes de que ella llegara. Después de escucharles por separado, siguió sin entender los motivos de la discusión, pero logró que se tranquilizaran y se dieran la mano. Luego, volvieron al trabajo, cada uno en un extremo de la pared.

Por la noche, después de dar de cenar a todo el mundo, se puso sus botas de media caña preferidas, se quitó las horquillas del pelo y dejó que la brisa del lago se lo acariciara mientras ella paseaba por el camino que iba hacia el norte.

Antes de salir, se había cambiado de ropa y se había puesto el vestido y las medias de lana que le habían regalado algunas mujeres ese día. Lo habían hecho con la tela de Skynegal y, aunque el corte era bastante sencillo, abrigaba mucho y podría llevarlo perfectamente durante todo el embarazo.

Mientras caminaba entre la hierba, Dubhar la seguía sin prisa, siempre pegado a su pierna, aunque a veces se paraba a olfatear algo. No la dejaba ni siquiera para ir a buscar el palo que le lanzaba. Los renteros que se encontraba por el camino, que estaban cuidando la avena, las patatas y la cebada que habían plantado la saludaban en el inglés que estaban aprendiendo y ella respondía en el gaélico que le estaban enseñando. Grace le respondió a uno de ellos, Hugh Darsie, cuando éste le preguntó si había pasado un buen día: «*Glè mhath, Hugh. An danns thu leamsa?*»

Cuando vio la cara extrañada del hombre, repasó mentalmente lo que había dicho y se dio cuenta de que, en vez de preguntarle cómo estaba, le había dicho si quería bailar con ella. Rápidamente corrigió, encogiéndose de hombros y él se rió, aplaudiéndola por el esfuerzo que estaba haciendo.

Un poco lejos del castillo había un acantilado desde donde se veía el lago. A Grace le gustaba mucho sentarse allí y mirar los pescadores de ostras que buscaban entre las rocas algo para cenar. A esa hora del día, con el sol poniéndose por el oeste, el agua parecía un saco de diamantes visto desde la distancia. El suelo estaba lleno de margaritas y ella se sentó en una mata de hierba. Al cabo de unos segundos, Dubhar se alejó un poco para meter el hocico por algún hueco en la hierba.

Grace cerró los ojos y se echó hacia atrás, apoyada sobre los codos, con la brisa acariciándola y escuchando el dulce murmullo del agua en la arena. Cuando volvió a sentarse, pensó en lo mucho que había cambiado su vida en los últimos meses. Ya no se pasaba el día y la noche preocupada por encontrar el vestido perfecto para un baile o por cómo le quedaban los tirabuzones. Ahora disfrutaba del placer de las cosas sencillas: unas medias gruesas de lana para combatir el frío de las noches escocesas, el olor de las tartas de Deirdre que venía de la cocina, las caricias de la brisa de los Highlands en la cara.

Se preguntó qué pensarían las señoras que van todo el día de tienda en tienda a comprar sus «necesidades básicas» de la marquesa de Knighton que, en lugar de perlas y diamantes, llevaba collares de conchas y piedras de colores que le hacían los niños. ¿Gritarían si supieran que bebía té de hojas de arándano? ¿Y que había renunciado a los vestidos de seda y muselina por la ropa mucho más cómoda de los Highlands?

Qué curioso, pensó, justo en ese momento, en un mundo tan lejano a ella ahora como era Londres, miembros de la elite social se estaban mirando en todos los espejos para asegurarse de que iban perfectos, que no harían el ridículo. Desde el mismo momento que se introdujo en esa vida, y su permanencia fue muy breve, supo que no encajaba con todo aquello, no como encajaba en Skynegal, donde se sentía verdaderamente querida por primera vez en su vida. Además, no quería que su hijo naciera rodeado de ese cambiante mundo, frío y solitario como…

Un ruido seco la hizo volver a la realidad y se incorporó, buscando a Dubhar y lo que fuera que había provocado sus ladridos. Sin embargo, cuando lo localizó, vio que no estaba haciendo nada; estaba sentado tranquilamente unos metros más allá con la cabeza inclinada mirando algo que había en el suelo.

¿Qué diablos…?

Pudo ver una pierna encima de la hierba.

Por Dios, había alguien herido.

Grace se levantó y corrió hacia allí, donde se encontró a un hombre encorvado sobre sí mismo. Tenía la pierna levantada porque se le había clavado un cardo muy largo y puntiagudo. Grace actuó con rapidez. Se envolvió la mano con los bajos de la falda, agarró la cabeza del cardo y la extrajo con mucho cuidado para no clavárselo ella. El hombre volvió a gritar y luego se quedó en silencio. Se alejó un poco y arrancó el cardo de la falda, arrancó las espinas con la suela de la botas y se volvió a acercar al hombre para ver si necesitaba algo.

—¿Se encuentra bien? Estos cardos son muy puntiagudos y pueden…

No pudo decir ni una palabra más porque se encontró de frente con la última persona que esperaba encontrarse allí.

Era Christian.

Estaba allí, en Escocia.

No llevaba ni botas ni calcetines.

Y lo más extraño.

Estaba sonriendo.

Empezó a pensar que quizá se había golpeado la cabeza al caer y estuvo a punto de expresar este pensamiento en voz alta.

Hasta que vio que él venía hacia ella.

Se quedó helada, sin la más mínima idea de lo que debía hacer.

26

—Hola, Grace.

Christian se le acercó, lentamente, como si creyera que ella iba salir disparada; una idea muy ridícula, la verdad. ¿Adónde iría? Ella se limitó a mirarlo, preguntándose si estaba realmente allí en ese acantilado o si Deirdre le había echado algo extraño al té.

Pero sí que estaba allí. Grace siempre había sabido que, algún día, volvería a verlo. Lo que no esperaba era quedarse así de pasmada, sin saber qué decir. Los últimos rayos de sol se reflejaban en su pelo, dándole unos matices marrones muy bonitos. No llevaba chaqueta y las mangas se agitaban con el viento. La miraba fijamente y, en el mismo instante que sintió que el corazón se le aceleraba, supo que los meses que habían estado separados no habían conseguido borrar el amor que sentía hacia él. Todo lo contrario, sólo habían conseguido que ese creciera.

Por Dios, no importaba lo mucho que intentara negarlo; todavía lo quería.

Incluso después de admitir eso, sabía que nunca podría revelarle sus sentimientos. El riesgo era demasiado grande y el recuerdo de sus últimas palabras demasiado doloroso, incluso ahora, después de tantos meses. Nunca podría confesar lo sola que se había sentido sin él las últimas semanas, lo mucho que había extrañado su piel, su cara, su voz. ¿Cuántas veces no habría soportado su indiferencia si eso tenía que servir para volver a verlo?

Intentó pensar en lo que la había hecho marcharse de Londres, en vez de escuchar su primer instinto, que le dictaba que se lanzara en sus brazos, esperó a que él estuviera delante de ella. Levantó la cara para mirarle a los ojos y contuvo la respiración. Volvía a sonreír, maldito fuera. Le miró los pies, desnudos sobre la hierba; cualquier cosa era válida para evitar volver a mirara esos ojos azules grisáceos y perderse en ellos.

—No llevas zapatos —dijo.

Era muy obvio, de acuerdo, pero al menos sirvió para que él mirara a otro lado.

—Sí, están cerca de donde me caí. Me los había quitado para acercarme sin que me oyeras. —Lo oyó reírse—. Al parecer, estaba tan ocupado mirándote que no presté atención por dónde iba o, mejor dicho, dónde pisaba.

Grace se arriesgo, y lo volvió a mirar; gran error, porque todavía la miraba fijamente y lo hacía de una manera tan cálida que casi no sentía la brisa fresca de la noche. Respiró hondo, miró hacia el lago y cruzó los brazos sobre el pecho. «Dios mío.»

—Según Deirdre, la leyenda cuenta que hace siglos, cuando los daneses vinieron a invadir Escocia, les pasó exactamente lo mismo que a ti. Vinieron de noche y se quitaron los zapatos para que nadie les oyera acercarse. Pisaron los cardos y empezaron a gritar tan fuerte que los escoceses se despertaron y pudieron prepararse para la defensa. Desde entonces, siempre se ha dicho que los cardos evitaron la invasión de los daneses y que, por lo tanto, son los salvadores de Escocia. Deirdre dice que es por eso que esta planta es tan apreciada por los escoceses.

La única razón que se le ocurría para haberle explicado esa historia era que quería hacer o decir algo en ese momento para evitar tener que hablar de los motivos que la movieron a marcharse de Londres.

Desgraciadamente, Christian no era un hombre fácil de distraer.

—Te he echado de menos, Grace.

Su voz la envolvió como un rayo de sol después de muchos meses de niebla. Ella se agarró con fuerza a su serenidad.

—Supongo que debería haberte dicho adónde iba.

—No importa.

¿Era posible que ese fuera el mismo Christian? ¿Su marido, el distante marqués de Knighton? Grace no estaba preparada para esa comprensión. Había recreado esa escena miles de veces en su cabeza, porque sabía que algún día llegaría. Sin embargo, siempre había creído que tardaría más en llegar y que Christian estaría furioso con ella. Esa comprensión no era lo que esperaba. En realidad, no sabía cómo tomárselo.

—Sí, bueno, es un poco tarde —dijo, a falta de algo mejor—. Tendría que regresar a casa.

Se giró y empezó a caminar hacia el castillo, un camino que pasaba inevitablemente junto a Christian. Rezó para que la dejara pasar sin más y le diera un poco de tiempo para recuperarse.

Ya casi lo había pasado cuando él alargó la mano y la cogió por el brazo. El corazón le dio un vuelco. Cerró los ojos y se obligó a no mirarlo.

—Grace, de verdad, si pudiera, borraría todo lo que te dije aquella noche.

A Grace se le inundaron los ojos de lágrimas. Pero evitó que le rodaran mejillas abajo.

—Te pedí que fueras sincero, Christian, y lo fuiste.

—¿No crees, por lo menos, que deberíamos hablarlo?

Grace respiró hondo, soltó el aire lentamente; sabía que tenía razón.

—Sí, Christian, tenemos que hablar. Tenemos muchas cosas que decirnos, pero aquí no. Ahora no. Necesito tiempo. No esperaba verte aquí. Necesito pensar cómo va a afectar esto a la vida que ahora tengo aquí.

Lo miró. La estaba mirando, callado, preocupado.

—Grace, ¿es que has...? —hizo una pausa—. ¿Hay alguien más en tu vida?

Grace vio que había algo distinto en sus ojos. ¿Era miedo de que ella hubiera encontrado a otra persona? ¿Esperanza de que no lo hubiera hecho? Si supiera lo imposible que era eso. La idea de sentir con otro hombre lo que había sentido con él era absurda. Grace agitó la cabeza.

—No, Christian. No hay nadie.

«Sólo tú.»

Era un pensamiento que no dijo en voz alta, sólo se giró y empezó a caminar.

Cuando llegó a Skynegal se encontró con otra sorpresa. Robert y Catriona, los duques de Devonbrook, y su hijo James habían venido con su marido. Al principio le extrañó que hubieran hecho un viaje tan largo hasta que Catriona le dijo que tenían una casa en Escocia, Rosmorigh, que estaba en la costa sur de Skynegal, a un día de viaje en barco. Christian había llegado a Skynegal gracias a ellos.

Estaban todos sentados en una pequeña sala contigua al gran salón que Grace había convertido en despacho. Mientras esperaban a que Grace volviera, Deirdre les había preparado té y ahora ella lo estaba sirviendo en tazas de loza, lejos de la fina porcelana a la que los Devonbrook seguro que estaban acostumbrados.

—Por favor, perdonadnos por el té —dijo—. Es una receta local que se hace con hojas de arándanos. A mí me gusta mucho, pero hay quien lo encuentra demasiado dulce.

—¿De arándanos? —dijo Catriona, cogiendo la taza—. En Rosmotigh solemos tomar té de arándanos, ¿verdad, querido?

Miró a su marido, el duque, que asintió. Grace vio que Christian ya no sonreía como antes en el acantilado. La cara de pocos amigos que ella tan bien conocía había vuelto, pero antes de que pudiera empezar a pensar qué había hecho para disgustarlo, Catriona continuó:

—Un día tengo que enseñarte a hacer té con hojas de trébol —dijo, acercándose un poco y susurrando—. Me gusta más que el té en tazas de porcelana.

Grace sonrió. Se había imaginado que una duquesa tan refinada mostraría su rechazo por la simplicidad de la vida en Skynegal. Se alegró de comprobar que se había equivocado.

—Nosotros ya hemos cenado —dijo—. Pero si tenéis hambre, puedo pedirle a Deirdre o a Flora que os preparen un guiso.

Justo en ese momento, la puerta se abrió y Alastair se asomó. No había llamado, porque Grace le había insistido en que no lo hiciera porque eran socios en la administración de la propiedad, y no dueña y criado. Cuando vio que había más gente, se detuvo.

—Perdón, milady. No sabía que tenía invitados.

Hizo una reverencia y empezó a retroceder para marcharse. Sin embargo, Grace lo hizo pasar.

—No pasa nada, Alastair. Por favor, entra. Quiero que conozcas a nuestros invitados.

Alastair llevaba la ropa de diario: pantalones de tela escocesa, chaleco a juego y chaqueta. También llevaba las gafas en la punta de la nariz, como siempre que estaba repasando los libros de cuentas.

—Alastair, te presento a los duques de Devonbrook...

Como esperaba, cuando oyó el título nobiliario, abrió los ojos como platos y se inclinó un par de veces.

—Y a lord Knighton —y luego añadió—: mi marido.

Alastair miró a Grace y luego inclinó la cabeza ante Christian.

—Es un honor conocerle, milord. Un gran honor —y luego se dirigió a Robert y a Catriona—. Y a ustedes también, excelencias.

—Os presento a Alastair Ogilvy. Es el administrador de Skynegal y lo hace realmente bien. No sé qué habría hecho sin él.

Alastair se sonrojó ante los halagos de Grace.

—Gracias, milady. Ha sido un placer, se lo aseguro.

Después de las presentaciones, todos se quedaron en silencio como si nadie supiera qué decir. Grace se llenó de valor y habló:

—¿Has venido para decirme algo, Alastair?

—¿Qué? ¡Ah, sí claro, milady! McFee y McGee acaban de regresar de Ullapool. Traigo la lista de lo que han podido comprar y cambiar.

Le dio una hoja de papel y Grace la leyó detenidamente, asintiendo.

—Parece que han conseguido hacer buenos negocios.

—Sí —Alastair hizo una pausa antes de continuar—: Milady, me temo que también traigo malas noticias.

Su cara reflejaba que había pasado algo muy grave.

—¿Qué ha pasado?

—Antes de que regresaran oyeron que el *Prospect* se hundió poco antes de llegar a la costa de Nueva Escocia. Al parecer, no hay supervivientes.

Grace sintió que se le agarrotaba todo el cuerpo. Dejó la hoja en la mesa y dio la espalda a sus invitados para ir a mirar por la ventana. Mientras observaba a los niños jugando, recordó una pequeña cara sonriente, con el pulgar siempre en la boca, unos ojos azules muy alegres debajo de los rizos rubios.

Thomas McAllum tenía la inocencia y energía de un niño de tres años. Había llegado a Skynegal una noche con sus padres y varios hermanos y enseguida les robó el corazón a todos. Cuando Grace entraba en el despacho, lo encontraba escondido debajo de la mesa esperando a que ella se acercara para asustarla y luego lanzarse a su cuello para darle un fuerte abrazo. Ella era «Lady *Gwace*» y él el «Caballero Thomas», su *pwotector* contra el mal, como los caballeros de los cuentos que ella le leía por la noche.

Cuando sus padres decidieron partir a Nueva Escocia, Thomas no quería irse. Grace nunca olvidaría como se agarraba a su falda, llorando y gritando que quería quedarse con ella. Al final, Grace lo convenció de que todos los caballeros tienen que ir a las cruzadas para proteger a otros del mal. Todavía lo veía, de pie en la cubierta del barco, agitando la mano mientras recordaba las últimas palabras que le había dicho: «Lady *Gwace*, te *quiewo*, y cuando vuelva de las *cwuzadas*, me *casawé* contigo.»

Cuando se giró, casi no podía ver a Alastair a través de las lágrimas.

—La familia de Thomas iba en el *Prospect*, ¿verdad?

Alastair asintió, aunque Grace sabía la respuesta incluso antes de preguntar, pero quiso asegurarse por si se había equivocado.

Se dio cuenta de que todos la estaban mirando y se secó las lágrimas. Miró a Christian, a Catriona, a Robert y, por último a Alastair. De repente, quería, necesitaba estar sola.

—Alastair, ¿te importaría acompañar a los duques a las habitaciones que hay enfrente de la mía? Deirdre y Flora ya habrán acabado de arreglarlas y estoy seguro de que nuestros invitados estarán cansados después de un viaje tan largo. Y, por favor, pregúntale a Deirdre si puede prepararles algo de cena. Seguro que a James le encantará la galleta dulce de Deirdre.

Alastair asintió y esperó a que Robert y Catriona les dieran las buenas noches a Grace y a Christian, y luego los acompañó a sus habitaciones. Cuando se fueron, Grace se giró hacia su marido.

—Christian, yo…

—Parece un buen hombre —dijo Christian, en referencia a Alastair.

Grace asintió.

—Me ha ayudado más de lo que jamás me habría imaginado. Es un amigo muy querido.

Christian la miró con extrañeza, como si no la acabara de entender.

—¿Lleva mucho tiempo como administrador de Skynegal?

—Desde mucho antes de mi llegada. Nació y se crió aquí.

—Eso está muy bien —dijo él—. Así, se las arreglará bien cuando vuelvas a Londres.

Grace lo miró, boquiabierta, como si Christian le acabara de decir que el cielo era verde y que la luna era un pudín de pasas y especias. «Volver a Londres.» Él quería que se marchara de Skynegal. Se lo esperaba, pero no tan pronto. Era como si estuviera ciego ante lo que acababa de pasar ante sus ojos, ante lo que lo rodeaba en todas las caras de las personas que los habían visto llegar juntos del acantilado.

Una rabia que Grace jamás había mostrado le salió de lo más profundo de su ser.

—¿Cómo te atreves? ¿Es que tu arrogancia no tiene límites? ¿Cómo te atreves a presentarte aquí de este modo y esperar a que deje de lado todo esto para volver a Londres, que abandone a toda esta gente por una vida que, voluntariamente, dejé atrás? ¿Por qué? ¿Porque tú quieres? No voy a volver a Londres, Christian. Aquí me necesitan.

Christian la miraba, atónito.

Grace intentó mantener la calma. Ahora veía claro que, en todo ese tiempo, él no había cambiado porque, aunque se arrepintiera de las palabras de aquella noche, seguía sin tener en cuenta sus sentimientos. Si lo hiciera, sabría de una vez lo terrible que era lo que acaba de decirle.

—Grace, lo que has hecho aquí es encomiable, pero soy marqués y los deberes me obligan a estar en Londres. Ni siquiera debería haberlos dejado para venir aquí, pero…

—Entonces, ¿por qué has venido?

Christian la miró fijamente.

—¿Perdona?

—¿Por qué has venido, Christian? ¿Por qué has hecho este viaje tan largo para venir a buscarme si tu presencia en Londres es tan necesaria?

—Eso es obvio, Grace. Eres mi mujer.

No pudo reprimir el desprecio en su voz cuando le respondió:

—Soy la mujer que no querías.

Christian la volvió a mirar durante unos segundos.

—No puedo retroceder en el tiempo y borrar lo que sucedió aquella noche.

—¿Es que no era verdad? ¿Vas a decirme que de verdad querías casarte conmigo?

—Grace, no hagas esto.

Sin embargo, ella no estaba dispuesta a rendirse. No ahora. No cuando la estaba amenazando con romper con todo lo que había aprendido a querer durante los últimos meses.

—¿Es que, de repente, como no estaba, has descubierto que me necesitas? ¿O es que estás demasiado avergonzado de que te dejara como lo hice? Christian, ¿puedes decirme, con la mano en el corazón, que me quieres?

Le estaba pidiendo la verdad y, ante eso, él sólo podía callar. Se quedaron mirándose un momento; la tensión flotaba en el aire.

—Lo suponía —susurró Grace, mirándolo fijamente y deseando no haber ido tan lejos.

Sentía un nudo en el estómago y tenía la boca seca. Era otra pregunta de la cual no quería saber la respuesta.

Se giró para marcharse. Cuando, al final, Christian habló, se detuvo en la puerta.

—¡Maldita sea, Grace! No sé si sé lo que significa querer a alguien, ni siquiera sé si podré saberlo algún día. No te conozco. Necesito pasar más tiempo contigo, saber más cosas de ti. Hay cosas sobre mí que no sabes. Y quizás el día que las sepas, tus sentimientos hacia mí cambiarán. Sólo sé que estoy aquí porque me he dado cuenta de que me porté muy mal contigo mientras estuvimos en Londres. Habría venido antes, pero no sabía dónde estabas.

Grace se giró y lo miró, en silencio.

Él continuó, ahora con la voz más suave.

—Grace, no sé lo que nos deparará el futuro. Nadie lo sabe.

Ella cerró los ojos y cruzó los brazos sobre el pecho. Quería creerlo, quería creer que algún día la querría como ella lo quería a él. Pero ¿podía hacer lo que él le estaba pidiendo? ¿Podía volver a Londres y correr el riesgo de perder lo que había creado en Skynegal? Para ella, querer a alguien significaba apoyarlo en sus ambiciones y sueños y Christian, que apenas llevaba allí unas horas, ya le había pedido que lo abandonara todo. Quería que dejara a las personas que dependían de ella por un futuro incierto a su lado en un lugar donde no quería estar.

¿Y si, una vez de vuelta en Londres, la volvía a dejar de lado como antes? ¿Y qué pasaría con su hijo? Si ahora le decía que estaba embarazada y él cambiaba de opinión, nunca sabría si era por ella o por la responsabilidad que sentía por el niño.

Era un riesgo demasiado grande como para jugarse su vida.

—Lo siento, Christian. No puedo irme de Skynegal. He empezado algo aquí que no puedo abandonar. No lo abandonaré.

—Grace, por lo que veo y por lo que el administrador ha dicho, estáis haciendo malabarismos para sobrevivir. Eres una marquesa, formas parte de una de las familias más ricas de Inglaterra, y vas por ahí con vestidos de lana como las renteras. Bebes té en tazas de loza.

—Perdone, milord, pero ¿es que sabe mejor en tazas de porcelana? ¿Por qué te sientes ofendido de que prefiera las penalidades reales de esta vida a la falsa e hipócrita sociedad de Londres? Aquí la vida es de verdad, no una gran farsa de la nobleza. Puede que la gente no lleve vestidos de seda importada, pero tampoco tienen la arrogancia que eso conlleva. Christian, cuando me miro al espejo veo una persona, no el rango social que tengo. De acuerdo, se nos está acabando el dinero, pero sólo hasta que reciba la transacción que le pedí al señor Jenner de la cuenta de Skynegal. Le he escrito tres veces y espero tener noticias suyas muy pronto. Yo…

De repente, Grace entendió cómo había descubierto Christian dónde estaba. Respiró desanimada, como si le acabaran de quitar la venda de los ojos.

—El señor Jenner. Fue él quien te dijo dónde estaba.

—No lo culpes, Grace. Necesitaba que firmara la transacción del dinero que habías pedido. Sabía que lo necesitabas. No tenía otra opción.

—¡Pero si la cuenta está a mi nombre!

—Y como marido tuyo, debo velar por la administración de esa cuenta. De acuerdo con las estipulaciones del contrato de fideicomiso, no puedo utilizar el dinero para otra finalidad que no sea la mejora de la propiedad; sin embargo, puedo desaconsejar la transacción del dinero si no estoy de acuerdo con el uso que se le va a dar.

Grace sintió que un escalofrío le recorría el cuerpo cuando escuchó la palabra «mejora», una palabra que significaba mucho más en los Highlands que en cualquier otro sitio. Sin embargo, sintió como si todo lo que había conseguido en esos meses fuera a dar un giro radical.

—¿Estás diciendo que no vas a darme el dinero?

—Yo no he dicho eso, Grace. Acabo de llegar. Quiero ver toda la propiedad, conocer de primera mano lo que quieres conseguir. Me quedaré unos días para analizar la situación. Sólo entonces tomaré una decisión.

27

Cuando Christian escuchó que alguien se le acercaba por detrás, dejó de observar la luna. Vio a Robert que bajaba por el camino para unirse a él a orillas del lago. Llevaba allí más de una hora, reflexionando sobre la relación con su mujer, intentando encontrarle algún sentido a esa situación. Sus años de estudiante en Eton no le servían para nada en esto.

—¿Catriona ya está acostada?

Robert sonrió, como siempre, cuando escuchó el nombre de su mujer, algo que seguía haciendo incluso cinco años después de haberse casado.

—Cuando me fui, estaba con Grace y James, escuchando embobada una de las historias de Deirdre. Jamás pensé que conocería a alguien que se inventara las historias tan bien como Angus, el padre de Catriona.

Se quedaron un momento en silencio. Y otro. Al final, Robert dijo:

—¿Las cosas no han ido bien con Grace?

—No especialmente.

—Amigo, si me estoy inmiscuyendo donde no debo, dímelo.

Christian cogió una piedra plana, la tiró al agua y observó los círculos que provocaba.

—Quizá me haría bien escuchar una opinión objetiva. Dios sabe que no sé hacia dónde ir.

—¿No quiere volver a Londres contigo?

—No.

Robert suspiró.

—Ya. Si Escocia te roba el corazón, es para siempre. No hay vuelta atrás.

—Sí, pero tú conseguiste convencer a Catriona para que se fuera a vivir a Londres.

Robert se encogió de hombros.

—No tuve que convencerla. Catriona me quiere y sabe que, no importa donde vayamos, siempre volveremos a los Highlands. Devonbrook Hall es una mansión ducal, un edificio más parecido a un museo que a un hogar y, por muchos cambios que haya hecho, siempre encuentro algún recuerdo del incendio. Las otras propiedades de la familia están deshabitadas y la casa de Londres la compramos más por conveniencia que por gusto. Sin embargo, Rosmorigh es nuestra casa. Forma parte de Catriona, igual que el pelo alborotado y la tozudez escocesa. Viviría allí con ella aunque fuera en una choza pequeña y sucia. Porque la quiero, y el amor te hace hacer cosas extrañas.

Christian miró a su amigo mientras asimilaba lo que le había dicho. De repente, lo vio claro; la respuesta a sus problemas, cómo conseguiría que Grace regresara a Inglaterra con él.

Tendría que enamorarla.

Y tenía tres días para hacerlo.

A primera hora del día siguiente, y después de un delicioso desayuno que les había preparado Deirdre y el té de arándanos y trébol de Catriona, Christian le pidió a Grace que le enseñara el castillo y los alrededores. Ella lo miró un poco extrañada, sin duda por la sorprendente petición, pero al final accedió.

Durante las próximas tres horas, lo guió por lo que sin duda era la parte más antigua del castillo, que llevaba de pie más de seiscientos años, muchos más que los que regía la autoridad de los todopoderosos Westover. Mientras caminaban por los solitarios pasillos, Grace le fue explicando las reformas que habían hecho. Le enseñó la buhardilla desde donde habían accedido al tejado para tapar los agujeros y le explicó cómo habían arrancado la hiedra que cubría libremente todo el muro delantero. El castillo de Skynegal era una fortaleza. La torre central, que acogía las habitaciones, se levantaba veinte metros por encima de las almenas. Estaba formada por seis pisos y una buhardilla cubierta por un tejado puntiagudo. Las habitaciones privadas ocupaban los últimos tres pisos, el gran salón, los dos centrales y las habitaciones del servicio estaban en el primer piso. Todos ellos comunicados por una estrecha escalera de caracol. En algunos pisos, se habían aprovechado los más de tres metros de grosor de la pared para hacer vestidores, armarios o despensas. Las dos torres laterales acogían la cocina y las otras salas de trabajo, como la despensa, el horno, la fábrica de cerveza y la oficina.

Grace terminó el recorrido llevando a Christian a las almenas de la torre norte, desde donde se veía todo el lago. Normalmente, cuando subía aquí, se quedaba de pie durante una hora o más mientras los pájaros volaban por encima de su cabeza. La brisa que venía del lago era fresca y le agitaba el chal y, en un día claro, se veían hasta las islas Hébridas. Les daba pedacitos de tarta a los pájaros y, a veces, también subía el cuaderno y dibujaba las casas de los renteros que se acumulaban a orillas del lago. Sin embargo, siempre que subía aquí, sentía una paz interior y una serenidad como nunca había sentido, indudablemente relacionada con aquel lugar único. Grace no tenía ninguna duda de que Skynegal, como cuenta la leyenda, había sido bendecido por una diosa.

Hoy, sin embargo, ni siquiera esa paz consiguió disipar la preocupación del pensamiento de Grace.

En el espacio de veinticuatro horas, había descubierto que estaba embarazada y se había encontrado con el marido que había abandonado en Londres. Ahora, además, tenía que enfrentarse a la amenaza de la posible disolución de todo por lo que había estado trabajando los últimos meses. Durante toda la noche, había estado pensando en la forma de convencer a Christian para que le diera el dinero que había pedido para la restauración de Skynegal. Se había pasado las horas leyendo varios textos, buscando algo, cualquier cosa, que pudiera ayudarla en su misión hasta que el sol apareció por detrás de las colinas Sgiathach, anunciando la llegada de un nuevo día.

Sin embargo, ahora, mientras estaba en la torre con él, viéndolo mirar el lago, con el pelo agitado por el viento, no pensaba en el futuro de los habitantes de los Highlands. Ahora sólo pensaba en él.

Durante la mañana, había querido decirle lo del embarazo en varias ocasiones, pero al final no se lo había dicho. Tenía demasiado presente todavía el hecho de que Christian se había casado con ella obligado por su abuelo, algo que había acabado aceptando en aquellos meses de reflexión. Ahora se daba cuenta de lo tonta que había sido al esperar que se enamorara de ella, una mujer que apenas conocía y a la que, con toda certeza, no quería. Incluso ahora sabía que la única razón que lo había traído a Escocia era el sentido de la obligación. Si le decía lo del niño es posible que se quedara, sí, pero ¿la acabaría odiando por eso? O peor todavía, ¿le daría el dinero en un esfuerzo de hacerla regresar a Londres para que su hijo naciera allí? Esa no era la vida que Grace quería, ni para ella, ni para Christian, y mucho menos para su hijo.

Cuando volvieron a la oficina ya era mediodía. Christian le había pedido si podía ver los libros de cuentas para hacerse una idea general de los gastos. Mientras él leía atentamente las cifras desde el otro lado del escritorio, Grace jugueteaba con la taza de té que tenía en las manos. Mientras, él pasaba las páginas del libro, pero sin decir nada; tenía una cara completamente inexpresiva. ¿Y si decidía que el castillo ya no necesitaba más reformas? Ahora era habitable, pero ella todavía quería hacer muchas más cosas. Si él hubiera visto cómo estaba cuando ella llegó, sería más capaz de apreciar el progreso que había alcanzado.

Durante esa mañana, en cada habitación y en cada escalera, Christian había escuchado con un interés sincero las explicaciones de Grace de todo lo que habían hecho. ¿Valoraría la importancia de su trabajo aquí? ¿La apoyaría en esto?

—Como puedes ver —dijo, incapaz de estar callada más tiempo—, hemos podido ahorrar mucho dinero contratando a los trabajadores locales y formando a los que no sabían.

Christian asintió.

—Una buena elección. Han hecho un trabajo excelente.

—Y sólo acabamos de empezar con la restauración. El tejado lo terminamos la semana pasada, y ese muro está casi listo. Cuando acabemos con eso, tenía previsto empezar con la cocina.

Sacó unos dibujos del cajón en los que se veía un edificio añadido contiguo a la cocina.

—¿Los has hecho tú?

Grace asintió.

—Siempre se me ha dado muy bien dibujar. —Apenas vio la cara de sorpresa de Christian mientras continuaba—. Ahora la cocina es muy pequeña y un lugar donde sería muy fácil que se produjera un incendio. Si cerráramos el patio y la colocáramos aquí, si se incendiara, estos pasillos —dijo señalando el dibujo—, evitarían que el fuego llegara a la torre principal.

Mientras Grace hablaba de tejas y cristales, Christian podía sentir la pasión por lo que había hecho en Skynegal en sus palabras. Era imposible no percibirla. Su entusiasmo era contagioso. Se le reflejaba en los ojos, brillantes y vivos, y en la cara. Y esa pasión era la misma con la que hablaba de los habitantes de los Highlands.

Grace se había pasado gran parte de la mañana explicándole a Christian los desalojos que se estaban produciendo en las propiedades vecinas y relatándole las vivencias de decenas de familias que se encontraban, de un día a otro, sin nada. Le presentó a varias de esas familias, a los pequeños y los mayores, y le explicó la historia personal de cada uno de ellos. Las historias que escuchó le horrorizaron pero, como él era terrateniente de una gran propiedad, entendía perfectamente los motivos que llevaban a los dueños a sacar el máximo partido de sus tierras, al igual que su derecho a hacer con ellas lo que quisieran. Sin embargo, después de haber visto a los empobrecidos renteros, moralmente no podía aprobar lo que se había hecho con ellos.

Aún así, por mucho que Grace quisiera ayudarlos, llegaría el día que no podría mantenerlos a todos ella sola. El dinero se acabaría. Se preguntaba qué haría entonces.

—Grace, creo que ha sido muy loable que hayas encontrado trabajo para todas las familias desalojadas, pero también debes ser consciente de que no habrá trabajo para siempre. ¿Has pensado qué vas a hacer cuando ya no haya qué restaurar?

Si esperaba que no tuviera ningún proyecto en mente, se iba a sorprender.

—La verdad es que sí que lo he pensado y se me ha ocurrido algo que beneficiará a todo el mundo.

Abrió el cajón de la mesa y sacó lo que parecía un mapa de Escocia con anotaciones y dibujos.

—Carreteras.

—¿Carreteras?

—Carreteras —repitió ella, asintiendo—. He estado leyendo algunos libros. Hace unos cincuenta años, asignaron a un general inglés llamado Wade que velara por la seguridad de los Highlands cuando la amenaza de los jacobistas era inminente. Sus soldados tuvieron muchos problemas para avanzar por los campos, así que diseñó una red de carreteras militares para llegar más fácilmente a los lugares más remotos del país. El general Wade solamente construyó las carreteras hasta llegar a Iverness y utilizó a los soldados como mano de obra. He leído todos los artículos de los terratenientes que están llevando a cabo los desalojos en los Highlands. Aparte de minimizar el impacto de sus acciones en la gente, mantienen que el motivo que les mueve a hacerlo es modernizar las tierras que hasta ahora, según ellos, han estado en manos de granjeros primitivos. La gente de esta zona puede ofrecer muchas más cosas, pero se encuentran con muchos obstáculos. El idioma es uno de ellos. Pero uno de los mayores que veo yo es la poca accesibilidad del terreno. El transporte de una zona a otra solamente puede hacerse por barco. Pero, si siguiéramos el ejemplo del general Wade…

Christian la miró fijamente.

—¿Me estás diciendo que quieres construir una red de carreteras para todos los Highlands escoceses?

Grace sonrió.

—Por supuesto, no pretendo hacerlo sola. Había pensado presentar una petición ante la Corona para que me prestaran el dinero.

De repente, Christian vio la imagen en su cabeza. Grace, de pie frente al recién coronado rey de Inglaterra, Jorge IV, con su vestido de lana escocés, intentándolo convencer de que recortara sus gastos en su ridícula mansión en Brighton para ayudar al campesinado escocés.

Dios mío, Christian se dio cuenta de que realmente estaba dispuesta a hacerlo.

¿Era posible que fuera la misma mujer que había entrado en un baile en Londres como si entrara en la guarida del tigre? ¿O nunca había sido así? ¿La había visto de aquella forma porque era el papel que esperaba de ella? Siempre había creído que no sabía ni servir una taza de té y, sin embargo, allí estaba, en un castillo que había reformado ella sola, ante cientos de personas que la adoraban y que escuchaban atentamente sus planes de invertir en los Highlands dinero de la Corona.

En algún momento durante los últimos meses, Grace había florecido, y no era algo atribuible a cómo iba vestida o a cómo llevaba el pelo. Era cómo se movía por todas partes y cómo hablaba con la gente con confianza, satisfacción y tranquilidad, incluso más, con una felicidad que la hacía sonreír como él nunca la había visto hacerlo. Christian se preguntó qué tendría que hacer para que ella le sonriera de esa misma manera.

Durante toda la mañana, la había estado observado mientras intentaba hablar en gaélico con las mujeres que hilaban la lana o mientras escuchaba atentamente a un niño que le repetía la lección de inglés. Grace escuchaba de verdad a todo el que se le acercaba. Si le hablaban en gaélico, intentaba con todas sus fuerzas entenderlos y no los despreciaba por no hablar ni una palabra de inglés. Los conocía a todos por el nombre de pila, desde la abuela más mayor hasta el bebé recién nacido. Sabía si habían estado enfermos o si se acercaba su cumpleaños. Al verla así sólo conseguía darse cuenta de su propia ineptitud.

Él apenas conocía los apellidos de las personas que atendían sus propiedades. Era algo que le había servido para mantenerse alejado de ellos, para no establecer ningún tipo de relación. Se lo había enseñado su abuelo cuando aún era un niño. Le había dicho: «Si les das demasiada confianza, ya no te respetarán. Y sin respeto, no puedes mandar».

La diferencia era que ella no tenía ninguna intención de mandar sobre esas personas. Sin embargo, el respeto que le tenían y la lealtad que sentían hacia ella era mayor de la que él esperaba de sus propios criados, gente que había vivido por y para su familia desde siempre. Esta gente la conocía desde hacía unas semanas y era obvio que serían capaces de luchar por ella, defenderla como si fuera una más de los suyos, hasta la muerte, si era necesario. Esto se hizo mucho más evidente el día que lo presentó a él como su marido y el nuevo dueño de Skynegal, y sólo recibió miradas de recelo.

Christian nunca se había sentido tan incómodo con su ropa como cuando estaba entre los trabajadores de Skynegal. Según las reglas de la sociedad de Londres, no vestía nada pretencioso, pero en las colinas de los Highlands, la chaqueta de terciopelo y los pantalones de algodón parecían un insulto ante los trajes de lana que llevaban todos, incluida Grace. Ella le había explicado que era la tela de Skynegal y la habían copiado de un trozo de tela que encontraron que había pertenecido a la familia de su abuela, los MacRath. Para los habitantes de Skynegal, era un símbolo de su lealtad, de que pertenecían a un lugar, y eso todavía lo hacía sentirse más extranjero.

Lo que Grace estaba haciendo aquí, reformar el castillo y ayudar a los que lo necesitaban, era intachable en todos los sentidos. Había sido una decisión movida por un sentimiento, por un propósito. Si no le daba el dinero para obligarla a volver a Londres por falta de fondos, la separación y la desconfianza que ya existía entre ellos se harían más patentes. En ese momento supo que nunca podría negarle el dinero que necesitaba para Skynegal. No quería renunciar a ella. En realidad, deseaba verdaderamente formar parte de todo aquello.

—Te va a costar mucho convencer a la Corona que te deje dinero para el proyecto de las carreteras.

Ella frunció el ceño ante tanto derrotismo.

—No lo sabré hasta que no lo intente. Y pienso intentarlo, Christian.

Él levantó una mano.

—No me has dejado terminar. Lo que iba a decir es que tendrías más posibilidades si presentaras tu idea ante la Cámara de los Lores.

—¿Los Lores? —exclamó ella, levantando una ceja—. Dudo mucho que quieran escuchar los caprichos de una mujer, por muy sensatos que sean.

—Quizá, pero seguro que se mueren de ganas de escuchar a uno o más de sus miembros.

Grace lo miró con una expresión que mostraba que sospechaba que quería ayudarla y que rogaba por no equivocarse.

—Deja que te ayude, Grace. Hablaré del tema con Robert. También es miembro de la Cámara de los Lores y, como terrateniente escocés, tendría un obvio interés en la propuesta. Quizá consiga convencer a otros terratenientes escoceses para que apoyen el proyecto.

Grace no pudo contener su alegría. Dio la vuelta a la mesa y se lanzó al cuello de Christian, rodeándolo con los brazos y hundiendo la cabeza en su pecho.

—Oh, Christian, gracias... Muchas gracias.

El contacto con su cuerpo y el olor de su pelo le despertaron de golpe. Se decía a sí mismo que se alejara de ella pero, al mismo, tiempo la abrazaba con fuerza. Durante las semanas que estuvo solo en Londres, no había tenido ni una tentación sexual. Había asistido a bailes llenos de mujeres preciosas a las que no había ni mirado. Ahora, sin embargo, le faltaba el aire y sólo podía pensar en desnudarla y tenerla jadeando debajo de su cuerpo.

Cuando ella levantó la cabeza para mirarlo, estaba sonriendo igual que antes con los niños. La sonrisa tan deseada por Christian. Eso fue su perdición. De repente, toda la habitación estaba caldeada y no se oía nada. Su única respuesta fue bajar la cabeza y besarla.

Fue un beso que contenía todas las emociones que ambos habían estado escondiendo todos esos meses. Fue largo e intenso. Y se interrumpió demasiado pronto.

—Oh... Dios mío, milady, milord... No sabía que...

Era Alastair, por supuesto, siguiendo el deseo de Grace de no llamar a la puerta de la oficina antes de entrar. Estaba tan avergonzado que se puso como una mora.

Inmediatamente, Grace se separó de Christian.

—No pasa nada, Alastair. A esta hora se supone que debo estar ayudando a Deirdre con las clases de inglés.

Miró a Christian un momento, muy seria, y se fue.

Cuando desapareció, la sala se quedó en un silencio muy incómodo.

—Le pido perdón, milord. Parece que tengo la mala virtud de llegar siempre en el momento más inoportuno.

Christian agitó la cabeza, le dio unos golpes en el hombro mientras pensaba que, en ese momento, no podía estar más de acuerdo con él. Salió al patio con la esperanza de que la brisa fresca de los Highlands apagara el fuego que le quemaba las venas.

28

Christian pasó gran parte de los dos días siguientes recorriendo la propiedad a caballo con Robert y Alastair. Le había comentado a Robert la idea de Grace de hacer que los habitantes de los Highlands construyeran una red de carreteras, y su amigo inmediatamente dijo que contaran con él. Juntos convencerían a otros miembros de la Cámara y presentarían la propuesta en la próxima sesión.

Eso quería decir que él tendría que quedarse en Skynegal algún tiempo para estudiar el terreno y preparar un plan detallado para la construcción de las carreteras. Todavía no había solucionado el tema de Eleanor y lord Herrick y se había pasado la noche tomando una decisión de la que no se alegraba en absoluto. Por mucho que intentara encontrar otra salida, siempre iba a parar a la misma conclusión. Tendría que negarle a su hermana la única cosa que siempre le había dicho que tendría. No tenía otra opción que avanzar el final de la primera temporada de Eleanor y traérselas, a ella y a lady Frances, a Skynegal. No había otra salida.

Mientras cabalgaban hacia el este, Alastair instruía a Christian sobre las características de Skynegal y las propiedades colindantes. Según el escocés, en comparación con las otras propiedades, Skynegal no era de las más grandes, pero lo que no tenía en tamaño lo tenía en belleza estética.

A orillas del lago Skynegal, la propiedad se adentraba hacia el interior limitando con el río Kerry al este hasta llegar al lago Dubh. Tenía un paisaje precioso, lleno de bosques y agua. Junto con la belleza del paisaje, Christian vio los restos de las casas quemadas en el horizonte que yacían en la colina de la propiedad colindante y donde una vez una familia había vivido, había trabajado y donde había visto sus recuerdos reducidos a cenizas.

Estaba allí de pie, bajo una fina llovizna que caía, sin prestarle ninguna atención porque se hallaba muy ocupado mirando un pedazo de tela a cuadros escoceses que colgaba de la rama de un árbol que había junto a una de las casas, un último y orgulloso símbolo de una época que ya no volvería. Se preguntó cómo era posible que los británicos supieran todo lo que estaba pasando al otro lado del océano y ni siquiera se oyera ni una palabra de las injusticias que sucedían aquí. Los británicos habían luchado muchos años para proteger a otros pueblos de gente como Napoleón y, sin embargo, ellos oprimían a los suyos. Tanta hipocresía lo ponía enfermo.

—Para los terratenientes es difícil de comprender —dijo Alastair, mirando la bandera casera de tela escocesa—. Los escoceses estamos muy unidos a nuestro pasado y a nuestra tierra. Muchos de nosotros nos hemos criado en tierras que ya antes habían sido de nuestros padres y abuelos. Al principio, los terratenientes prometieron mejorar su situación. Les ofrecieron a los renteros ocupar casas que se habían quedado vacías, pero de esa forma consiguieron ir colocándolos a todos en las zonas más rocosas y menos arables, quedándose ellos con las mejores.

—¿No podían resistirse y hacer venir a las autoridades para que intervinieran? —preguntó Christian.

Alastair agitó la cabeza.

—Desgraciadamente, milord, las autoridades son los mismos terratenientes. Los escoceses somos un pueblo muy devoto y algunos de nuestros sacerdotes incluso han obligado a la gente a reprimir sus protestas porque, según ellos, los desalojos son un castigo divino por los pecados de los alzamientos jacobitas.

Mientras lo escuchaba, Christian empezó a entender mejor el compromiso de Grace con lo que había empezado aquí. Aquella era su cruzada particular para salvar a la población de los Highlands de la destrucción.

—Al parecer, debe haber una manera de acusar a los que han tratado a los renteros de una forma tan inhumana.

—Sí, milord, una vez lo consiguieron. Fue con el más famoso, Patrick Sellar, en 1816. No habíamos conocido a un hombre tan despiadado como él desde Cumberland en 1745. Sólo escuchar su nombre hace llorar a todas las mujeres.

—Recuerdo haber leído que lo llevaron a los tribunales por sus delitos —dijo Robert.

—Sí, Excelencia, y lo absolvieron.

Christian miró a Robert.

—¿Has visto algo así en Rosmorigh?

—Habíamos oído hablar de los desalojos, pero no han llegado hasta allí arriba. Y si lo hubieran hecho, no te quepa la menor duda de que Catriona hubiera hecho lo mismo que Grace. Mi mujer se crió en una casa de renteros. Hasta que uno no se enfrenta a esta realidad, no sabe realmente de qué se trata.

Habían paseado lentamente mientras charlaban, bordeando la orilla este del lago, subiendo al norte para dar la vuelta y volver a Skynegal. Pasaron junto a un pequeño bosque de robles y Christian vio algo apoyado contra un tronco. A primera vista, parecía un montón de ropa que alguien se hubiera olvidado con las prisas del desalojo pero, cuando se fijó más, vio que de entre la ropa salía una pálida mano.

Detuvo el caballo, desmontó y se acercó corriendo hasta allí. Cogió la mano y le buscó el pulso en la muñeca. El latido era débil bajo la piel helada. Llamó a los demás para que lo ayudaran y suavemente giró a esa persona para verle la cara.

Christian contuvo el aliento cuando vio que era una mujer, puede que de unos treinta años, con el pelo enmarañado y apelmazado y la cara sucia, una cara tan demacrada que parecía que no había comido en días. Cuando Christian la giró, ella emitió un gruñido, como si se le fueran a partir los huesos. Alastair le dio a Christian una pequeña cantimplora con agua que llevaba encima y éste se la acercó a la boca.

—Tenga, señora, beba.

Al cabo de unos instantes, empezó a mover las pestañas y abrió lentamente los ojos, que luego entrecerró por la luz del sol. Sin embargo, cuando vio la cara de Christian, emitió un fuerte grito y empezó a hacer fuerza para intentar soltarse mientras decía:

—¡Oh! ¡*Sin Starke*! ¡*Sin Starke*!

Un segundo después, el peso de su cuerpo cayó en los brazos de Christian y dejó de gritar.

—Se ha desmayado, milord —dijo Alastair, agitando la cabeza consternado—. Debe venir de Sunterglen, una propiedad que está a muchos kilómetros al norte. Se ha pensado que usted era el señor Starke, el capataz de esas tierras, un hombre tan temido como el mismísimo Patrick Sellar. —Volvió a agitar la cabeza—. Pobre. Creo que ha perdido la razón.

Christian se arrodilló y la cogió en brazos. La mujer gimoteó por el movimiento brusco, pero luego volvió a perder el sentido. No pesaba más que un niño.

—Robert, ayúdame a subirla a mi silla. La llevaremos a Skynegal para que se lave y coma algo caliente.

Grace estaba en el patio con Deirdre acabando la lista de lo que tenían que comprar los señores McFee y McGee la próxima vez que fueran a Ullapool. Deirdre acababa de dejar a unos cuantos niños mayores en la cocina pelando las patatas de la cena.

—Necesitaremos sal para curar el bacalao antes de que llegue el invierno y…

La mujer se calló de golpe, mirando por encima del hombro de Grace primero con una expresión de curiosidad, aunque enseguida se convirtió en una expresión de preocupación.

Grace se giró y vio que se acercaban varias personas a caballo; sin duda debían de ser Christian, Robert y Alastair que volvían de su paseo. Salió del patio para recibirlos, tapando la luz del sol con una mano. Primero reconoció a Alastair, porque la tela de Skynegal llamaba mucho la atención. Robert iba a su lado montando a Bayard, su semental, aunque Grace apenas se fijó en él porque miraba a Christian. Parecía que traía algo encima de las piernas, aunque luego vio que no era algo, sino alguien.

—¡Deirdre, ven!

Las dos mujeres se acercaron corriendo.

—Por Dios, Christian, ¿qué ha pasado?

Él detuvo el caballo frente a la pequeña puerta por donde se accedía al castillo, desde donde Flora se asomaba para ver a qué se debía el escándalo.

Mientras se reunía cada vez más gente en la puerta, Robert y Alastair le explicaron a Grace que se habían encontrado a la mujer casi muerta y delirando en el otro extremo de la propiedad, a casi dos kilómetros. Christian la llevó a la habitación más cálida, la cocina, y allí, con suavidad, la depositó en el camastro que había excavado dentro de la pared, donde habitualmente dormía Flora. En cuanto él retrocedió, Deirdre se acercó para ver quién era, y en el mismo instante que le vio la cara, empezó a gritar desconsolada.

—¡*Gun sealladh Dia oirnn*!

Grace conocía esa expresión. «Dios se apiade de nosotros.»

—¿Qué pasa, Deirdre?

Los ojos de Deirdre estaban llenos de dolor y miedo.

—Es Seonag, la hermana de Tom, mi difunto marido.

En ese momento, Seonag volvió en sí y gritó: «¡*Leanabh*!».

Y, a continuación, Graze se quedó helada, porque había reconocido la palabra gaélica que significaba «bebé».

29

Seonag gritó cuando le vino otra punzada de dolor en el vientre. Era un dolor que iba y venía, que duraba un buen rato, y hacía que la pobre mujer se retorciera en el camastro de la cocina. Había anochecido y sólo las iluminaba el fuego de la cocina y una vela que habían dejado encendida.

—*Feumaidh tu dèan laighe* —le susurró Deirdre, obligando a Seonag a estirarse en la cama—. Tienes que relajarte, *piuthar*.

Seonag tenía las mejillas ardiendo y el pelo húmedo y pegado a la cara. Intentaba mantener el ritmo en la respiración mientras le venía otra fuerte contracción que la hizo gritar tan fuerte que se oyó hasta en el gran salón de la torre central.

Deirdre intentó tranquilizarla con palabras en gaélico y un paño húmedo sobre la frente mientras Flora ponía agua a hervir, iba a buscar ropa limpia y más velas; cualquier cosa para mantenerse ocupada en medio de aquel caos que se alargaba tanto.

Le habían quitado a Seonag la ropa que llevaba para lavarla y limpiarla del barro y el hollín que llevaba encima antes de ponerle un camisón de hombre limpio. Después, la habían tapado con una sábana hasta la cintura y colocado una tela debajo de la espalda y los brazos para que, llegado el momento, Flora y otra persona pudieran levantarla con facilidad.

Se hizo tarde, pero nadie dormía. Arriba, en el salón, todos estaban sentados en los camastros susurrando hasta que oían otro grito de Seonag. Entonces se callaban, esperando el llanto de un niño, mientras abrazaban a sus propios hijos.

Y cuando el llanto no venía, empezaban a rezar en gaélico.

Seonag era la hermana del difunto marido de Deirdre, Tom, y la única familia que le quedaba. Según las cuentas de ésta, no tenía que haber dado a luz hasta dentro de un mes; ella misma la había visto hacía unas semanas y todo estaba perfecto. Y todo hubiera ido bien si los soldados de desalojos no la hubieran echado de su casa en plena noche hacía dos días.

De hecho, estaba sola en la casa donde ella y su marido, Eachann, que vivían en la propiedad de Sunterglen, habían trabajado los últimos siete años. Así pues, cuando los soldados llegaron, ella ya estaba acostada, y no tenía ni idea de lo que le esperaba después de oír esos fuertes golpes en la puerta que la despertaron. Eachann se había marchado el día anterior para llevarse el ganado cerca de unos familiares que vivían en el otro extremo de la extensa propiedad de Sunterglen. Tenía la intención de dejar a los animales con su familia para poder estar más tiempo en casa con su mujer durante la recta final del embarazo de su primer hijo. Sabía que volvería con tiempo de sobras para estar presente en el nacimiento, ya que de los contrario, no se habría marchado dejando sola a su mujer.

Esa noche, los soldados de desalojos le ordenaron a ella, una mujer en avanzado estado de gestación, que saliera de su casa, y sólo tuvo tiempo de coger la manta de lana que había estado tejiendo para su bebé. Y así tuvo que ver, horrorizada, cómo lanzaban antorchas ardiendo contra la casa, y cuando ésta quedó reducida a una montaña de cenizas, le ordenaron que abandonara las tierras de Sunterglen. Ella les preguntó si podía quedarse entre las cenizas hasta que su marido regresara, pero le dijeron que no, por lo que no tuvo más remedio que emprender el largo y penoso camino hacia Skynegal, sabiendo que la viuda de su hermano la acogería. Cuando Eachann volviera, descubriría que ya no quedaba nada de la casa y que su mujer había desaparecido.

Pasada la medianoche, de la pequeña cocina de Skynegal salió el esperado llanto de bebé que rompió el silencio. En el salón todo eran alegrías y fiestas alrededor del fuego, todo para dar la bienvenida al recién nacido que había sobrevivido a las terribles circunstancias por las que su madre había tenido que pasar. Fue un niño, con un mechón del pelo pelirrojo de su padre y los ojos tan azules como el cielo de verano. Tanto él como la madre, a pesar del agotamiento, se encontraban bien.

Christian y Robert se acostaron poco después del nacimiento, porque por la mañana querían acercarse a Sunterglen con la esperanza de encontrar a Eachann y llevarlo junto a su mujer y su hijo. Flora había tenido un ataque de nervios por la tensión que había vivido durante el parto. Deirdre seguía junto a la madre y el niño, mientras Grace había salido al patio a tomar un poco de aire fresco y enfrentarse a las emociones que apenas había podido esconder durante las últimas horas.

Después de estar presente en el nacimiento del hijo de Seonag, tenía una nueva perspectiva de lo que representaba la vida: la vulnerabilidad del principio, la maravilla de la renovación continua. Con un nacimiento prematuro, provocado por los maltratos de unos cuantos y a pesar de tener pocas posibilidades de vida, aquella pequeña criatura había podido con todo. La manera cómo Deirdre había guiado a esa nueva vida al mundo la había dejado atónita, y mucho más asustada de lo que jamás hubiera creído. Deirdre había estado magnífica, había sabido qué hacer en cada momento, qué decirle a Seonag para facilitarle el parto. En el momento en que se escuchó aquel llanto, ya nada importaba. Los soldados, el fuego, todo se desvaneció ante la importancia de ese instante. Era, sin ninguna duda, el momento más divino de la vida, un símbolo incuestionable de la esperanza en el futuro.

Grace se sentó en uno de los escalones de piedra del patio. Era una noche fría, así que se abrigó con el chal mientras la luz de la luna iluminaba el lago. Por primera vez en muchos días, el cielo estaba despejado, y las nubes que normalmente lo cubrían habían dado paso al magnífico espectáculo de un cielo cubierto por un manto de estrellas. Pensó que debía ser un buen presagio para la vida que acababa de nacer. Colocó la mano encima de su tirante barriga debajo de la ropa ancha, y reconoció que jamás había sentido la ausencia de una madre más de lo que la sentía ahora.

De pequeña, había crecido en un ambiente muy protegido, donde nunca se hablaba de las cosas fundamentales de la vida. Ahora se había quedado atónita ante la dura realidad de un nacimiento, la verdad más cruda de un ser dando vida a otro. Ahora, más que nunca, desearía hablar con Nonny, preguntarle todas las dudas que se acumulaban en su cabeza. ¿Cómo sabría que había llegado el momento? ¿Alguna mujer se había desmayado dando a luz a su hijo? ¿Cómo sabría cómo darle de comer o bañarlo?

Oyó unos pasos detrás y se giró para descubrir que Deirdre salía de la cocina y se dirigía hacia ella. Se había quitado el pañuelo que normalmente le cubría la cabeza y ahora llevaba el pelo suelto, una melena negra ondulada, que le llegaba hasta la cintura. Mientras se acercaba, Grace pensó que, sin el pañuelo, parecía mucho más joven de lo que había pensado, casi parecía de su edad, algo admirable por todo lo que sabía de la vida.

—Se ha quedado un poco preocupada después del parto, ¿verdad?

Grace agitó la cabeza.

—No demasiado, la verdad.

Deirdre se sentó a su lado.

—¿La ha asustado, *mileddy*, ver un nacimiento tan de cerca? Le da miedo que le suceda lo mismo a usted con su hijo, ¿no es cierto?

Grace la miró. Creía que sólo Liza lo sabía, pero no le sorprendió que Deirdre lo hubiera adivinado. Tenía la misteriosa habilidad de leer los pensamientos más íntimos de las personas y de captar sus sentimientos. A menudo se preguntaba si realmente no tendría ese poder especial que Alastair le atribuía.

—Me ha sorprendido un poco. No sabía que sería tan… tan…

—¿Tan caótico? —Deirdre asintió—. Me imaginaba que todo lo que había visto habían sido bebés preciosos envueltos en mantas de lana blancas.

Grace asintió, avergonzada de su propia ignorancia.

—Un parto siempre es algo desordenado, *mileddy*; no tiene nada de elegante. Pero no le dé demasiadas vueltas. Seonag lo tenía mucho peor que la mayoría. Ha sido un parto prematuro y el bebé todavía no estaba preparado. He tenido que girarlo y…

Deirdre debería haber sabido que Grace no tenía ni la menor idea de lo que le estaba diciendo. Se calló y colocó suavemente la mano encima de su vientre. Ella sintió la ca-

lidez de la caricia de Deirdre a través de la lana y se tran-
quilizó.

—El bebé que lleva dentro tiene la cabeza aquí, junto al
vientre. Poco tiempo antes de nacer, la naturaleza lo gira —dijo, moviendo las manos—. El bebé se coloca con la cabeza
hacia abajo para que todo sea más fácil.

Grace se miró la barriga, pensando en la persona que estaba allí dentro y por primera vez pensó en su hijo como
algo más que una idea, un proyecto, un sueño; era una realidad que crecía en su interior. ¿Sería niño o niña? ¿Tendría el
pelo oscuro o rubio? Cerró los ojos. El padre que todavía no
sabía de su existencia, ¿lo querría?

—Estoy muy asustada, Deirdre.

Dejándose llevar por la emoción, Grace al final dejó salir las lágrimas que llevaba tantísimas horas reprimiendo.
Le temblaron los hombros y empezó a llorar libremente
mientras Deirdre permanecía sin decir ni una palabra, sólo
la abrazaba. Grace también la abrazó y se quedaron las dos
allí sentadas, sin hablar y sin la necesidad de hacerlo. La
suave brisa de la noche las acariciaba y levantó unas cuantas hojas del suelo mientras Deirdre le pasaba la mano por
la frente, por el pelo y le colocaba un mechón suelto detrás
de la oreja. En dos ocasiones, cuando más había necesitado
una madre, aquella mujer le había ofrecido ese cariño tan
preciado. Igual que el día que llegó a Skynegal, sus caricias
la tranquilizaron.

—Todavía no le ha dicho a su marido que va a ser padre,
¿verdad?

Grace agitó la cabeza en silencio.

—¿Cuánto tiempo más va a esperar?

—Hasta que sepa si va a obligarme a volver a Londres.

Los dedos de Deirdre dejaron de acariciarle la frente.

—¿Quiere decir que lord Knighton no ha venido a Skynegal para quedarse?

—No, Deirdre. De hecho, ya me ha pedido que me vaya con él y vuelva a Londres a la vida que quise dejar atrás. Pero yo le he dicho que no.

Deirdre se quedó callada unos segundos.

—Con esa negativa, usted quiere saber si la quiere de verdad.

Grace levantó la cabeza.

—Si fuera tan sencillo, Deirdre. Pero las cosas son más complicadas. Christian no quería casarse conmigo. Lo obligó su abuelo, el duque. Ha venido a Skynegal más por deber que porque estuviera preocupado por mí.

Deirdre movió la cabeza.

—Yo creo que es más que eso.

—Oh, Deirdre, ojalá lo fuera.

Hizo que Grace la mirara y le sonrió.

—*Mileddy*, lo que dice no tiene sentido. Es obvio que ha venido porque estaba preocupado por usted. Es la madre de su hijo, ¿no?

Grace suspiró.

—Deirdre, tú nunca has vivido la vida que tenía antes de venir a Skynegal. Era muy distinta. Puede que te cueste creerlo, porque tú y tu marido os queríais mucho, pero en algunos círculos de la sociedad, un hombre y una mujer duermen juntos por motivos que nada tienen que ver con el amor o la atracción física. Muchas veces, todo viene provocado por el dinero y el deseo de que ese dinero tenga un heredero, aunque el caballero no tenga ganas.

—Oh, *mileddy*, la naturaleza se ha encargado de que el hombre siempre tenga ganas. Todavía no he conocido a un solo hombre que no piense en eso día y noche. Lo llevan en la sangre —Deirdre la miró, con una ceja levantada—. Por lo que me dice, creo que su marido la quiere más de lo que él piensa.

Grace agitó la cabeza.

—Usted lo quiere.

Grace se quedó quieta, mirando a Deirdre.

—Sí. Desde el momento que lo vi, supe que lo querría para siempre.

—Entonces, debe decírselo.

Grace abrió la boca para contestar, pero Deirdre levantó una mano, deteniéndola.

—Si nunca le dice que le quiere, *mileddy*, nunca sabrá si él siente lo mismo por usted. Pero no espere demasiado, porque el mañana nunca está asegurado.

Grace sintió que una lágrima le rodaba por la mejilla.

—Pero yo ya sé lo que siente, Deirdre. Christian me lo dejó muy claro. Nunca me quiso en su vida. ¿No lo ves? Esa fue la razón por la que vine a Escocia.

Deirdre se limitó a sonreír y a mover la cabeza.

—No, *mileddy*, es usted la que no lo ve. Si realmente no la quisiera, ahora no estaría aquí.

30

En los Highlands existía una tradición conocida como *céi-lidh*, una celebración antigua donde los amigos y vecinos se reunían para comer, beber, cantar, explicar historias y bailar. Era una celebración que giraba en torno a la tradición de los clanes y las familias, características que, desgraciadamente, desaparecieron durante más de cincuenta años desde la derrota jacobita en 1745. Era una fiesta muy esperada y recordada. Cuando se lo comentaron, Grace pensó que sería la mejor manera de celebrar el nacimiento del hijo de Seonag.

A la alegría y el buen ambiente que se vivía en Skynegal desde el nacimiento del pequeño, pronto se le tuvo que añadir la enhorabuena por la llegada de Eachann, el marido de Seonag, dos días más tarde. Christian y Robert lo localizaron en lo que antes había sido su casa. La preocupación inicial al ver que su esposa hebía desaparecido dejó paso a una inmensa alegría cuando supo que Seonag y su hijo estaban bien en Skynegal.

Habían cabalgado toda la noche para llegar al castillo y llegaron al atardecer del día siguiente, después de un largo camino acompañados por la lluvia. Sin embargo, Eachann apenas notó el agua. Cuando llegaron, se fue directo donde estaba su mujer y no se separó de su lado ni un solo segundo. Al niño lo llamaron Iain, «un regalo de Dios», y sí que lo fue.

La pequeña familia se quedó en Skynegal y pasó a formar parte del clan que adoptó a su hijo como uno más. Habían pensado que podrían quedarse en una tierra arable de Skynegal para poder empezar otra vez sin la amenaza del desalojo. Hasta que no tuvieran la casa construida, Eachann y Seonag pasarían sus primeras semanas como padres en una habitación que había junto al establo que el mozo de cuadra, al que todos llamaban Twig, había limpiado. En uno de los cuartos del castillo encontraron una cuna para Iain y, entre todos, reunieron ropa y los enseres básicos para sustituir los que se les habían quemado en la casa.

Celebrarían el *céilidh* la semana próxima en los alrededores del castillo, así Deirdre y Flora tendrían tiempo de preparar los típicos asados y McFee, McGee y un grupo de hombres podrían salir a cazar para el banquete de ese día. Hacía la temperatura perfecta para celebrar una fiesta. Las reformas del castillo y casi todas las casas de los renteros estaban terminadas. El verano había llegado a los Highlands y lo había llenado todo de flores y agua fresca. El castillo que Grace había visto el día que llegó no tenía nada que ver con el que había ahora.

Y allí en lo alto de una colina desde donde se veía el lago y el castillo, Grace pensaba que Skynegal realmente parecía un lugar de ensueño. La luz del sol se reflejaba sobre el lago y en los cristales nuevos de las ventanas. En el campo, había un grupo de vacas rojizas pastando tranquilamente, mientras los legendarios pájaros del castillo revoloteaban por encima de sus cabezas. Ella nunca se había sentido más en casa. Ahora sabía que había encontrado su sitio en Skynegal y que nunca podría marcharse de allí. También sabía que, aunque Christian le había dicho que accedería a cualquier transferencia de dinero para que ella continuara su trabajo aquí, no había mencionado nada acerca de quedarse aunque, como le dijo Deirdre, tampoco había decidido marcharse.

Grace se agachó y le rascó la cabeza a Dubhar, que estaba a su lado, premiándolo con un trozo de queso que sacó del bolsillo antes de girarse hacia un pequeño grupo de mujeres y niños que jugaban en el campo. Hacía un día precioso, la niebla se había levantado muy temprano y la hierba todavía estaba mojada. Se había puesto un sencillo vestido gris y un pañuelo en la cabeza porque tenían que ir a buscar las frutas rojas para los guisos del céilidh.

—*Fàilte na maidne ort* —dijo una de las mujeres, Morag, mientras ella se acercaba.

Grace le devolvió el saludo y empezó a repartir las cestas entre los niños, observando sonriente cómo salían corriendo para llenarlas. Les habían prometido que, el que recogiera más frambuesas, tendría un premio, así que todos tenían muchas ganas de llenar las cestas aunque, de vez en cuando, se comían alguna frambuesa de las que recogían.

Grace había empezado a llenar la suya cuando vio a una persona que se le acercaba corriendo y agitando una mano.

—¡Lady Grace! ¡Lady Grace!

Se puso una mano en la frente para taparse el sol y vio que era Micheil, uno de los niños que se encargaba de cuidar los caballos. Estaba muy alterado, pero ella no se preocupó porque sabía que una de las yeguas tenía que parir por esas fechas y había pedido que la llamaran cuando llegara el momento. Al parecer, había llegado la hora.

—¿Qué sucede, Micheil? —le preguntó cuando llegó a su lado—. ¿Jo ya ha empezado con el parto?

—No, milady… —dijo, sin aliento, por lo mucho que había corrido. Tardó unos segundos en recuperarse, se dobló por la cintura hasta que, al final, se levantó—. Debe venir inmediatamente. El hombre ha venido.

—El hombre, Micheil ¿Qué hombre?

—*Donas*.

Una de las mujeres que estaban cerca de Grace gritó y dejó caer la cesta al suelo. Ella la miró y vio que tenía los ojos muy abiertos y que había empezado a hablar con las demás en gaélico. Solamente pudo entender algunas palabras, porque su conocimiento del gaélico todavía era escaso. Se repetía una y otra vez la palabra que Micheil había dicho: *donas* y, de repente, recordó que quería decir «demonio».

Agarró al niño por el brazo.

—Micheil, ¿qué pasa? ¿Quién es *Donas*?

—El señor Starke, de Sunterglen.

Grace notó un escalofrío que le recorrió todo el cuerpo y que no fue debido a un cambio brusco del tiempo. Había oído ese nombre más veces de las que quería recordar. Todo el que lo oía, reflejaba el terror en su cara, y que estuviera en Skynegal no podía traer nada bueno.

Dejó la cesta en el suelo y se dirigió al castillo, primero andando y luego corriendo con las faldas arremangadas. Si tenía alguna duda de si realmente había venido el señor Starke, se disipó rápidamente en cuanto vio las caras de la gente con la que se iba cruzando por el camino.

Cuando se había ido hacia el campo, había dejado a la gente cantando y riendo. Las mujeres estaban colgando la colada y los mozos limpiando los compartimentos de los establos. Ahora nadie se movía ni decía nada. Permanecían quietos, observando las dos figuras que estaban hablando en la puerta del castillo. En cuanto la vieron, empezaron a susurrar. Estaban esperando que llegara.

Al llegar al patio, reconoció al más alto; era Christian. El pelo oscuro y la postura tan segura ya le resultaban familiares. El otro hombre no era tan alto pero, a pesar de eso, su actitud demostraba su convicción de superioridad sobre todo lo que lo rodeaba.

Grace no se detuvo ni un segundo, sino que continuó hacia delante hasta que llegó junto a Christian. Dubhar, que había corrido a su lado desde la colina, se colocó, como siempre, junto a sus piernas. Sin embargo, no se sentó. Se quedó de pie, en guardia, porque notaba que no era una visita bienvenida.

Starke la miró cuando llegó, aunque muy brevemente, como si sólo fuera un mosquito muy molesto. No la volvió a mirar. Como iba vestida igual que las otras mujeres y con el pelo despeinado, después de la carrera, sin duda había creído que se trataba de una más de las mujeres de los Highlands. Ella aprovechó la poca atención que le prestó para estudiarlo detalladamente.

A juzgar por las historias que había oído de él, se esperaba a alguien más impresionante pero, en realidad, no tenía ninguna de las características que ella le había presupuesto. Vestía con colores estridentes, sus modales eran más bien rudos y la sonrisita de suficiencia demostraba que estaba muy a gusto con la atmósfera de terror que su llegada había provocado.

—Milord —dijo Starke—. Debo reconocer el gran esfuerzo que ha hecho al reformar este castillo. Nadie habría dicho que detrás de aquella capa de hiedra se escondía todo esto.

Se calló un momento y luego se volvió a dirigir a Christian. Entornó los ojos cuando vio que Grace seguía allí.

—Permítame una pregunta, milord. ¿Ha pensado en vender la propiedad? —Y antes de que Christian pudiera responder, añadió—: Quizás haya oído hablar de mis seño-res, los marqueses de Sunterglen. Unas personas excelentes. Han mostrado su interés en comprar Skynegal y me han enviado, como su capataz, para que les presente una oferta. —Miró a Christian—. Están dispuestos a pagar una suma considerable.

Sus palabras eran tan melosas y tan pérfidas, que a Grace le faltó muy poco para gritarle a la cara que Skynegal no estaba en venta. Sin embargo, Christian se le adelantó.

—Señor Starke, mucho me temo que habla con la persona equivocada. Skynegal es una herencia que mi mujer recibió de su abuela, que nació y se crió aquí. Aunque, como su marido, la aconseje sobre varios temas, la decisión de vender o no depende completamente de ella.

Grace miró a Christian. Él también la miraba y, de repente, recordó la primera noche, cuando fue a parar al suelo de su vestidor. En su interior, empezó a sentir que un sentimiento que había intentado ocultar durante los últimos meses, volvía a renacer.

Starke asintió.

—Bien, entonces quizá podría indicarme dónde puedo encontrarla para presentarle la oferta personalmente. —Miró a su alrededor, ignorando por completo a Grace, que no estaba ni a un metro de él—. ¿Está dentro del castillo? Quizá podríamos enviar a alguien a buscarla. —Miró a Grace, como si quisiera encargarle a ella que se fuera a buscar a sí misma, pero luego se lo pensó mejor—. O, si no está, puedo esperarla aquí.

Christian sonrió, disfrutando del desconcierto del hombre.

—No, señor Starke. Lady Knighton no está en el castillo pero, en realidad, está muy cerca.

—Perfecto. Entonces, ¿vamos a hablar con ella, milord?

Dos fornidos escoceses se rieron. Starke les lanzó una mirada amenazadora, sin duda una de las que usaba mientras cometía sus delitos.

—No tendremos que movernos, señor Starke —dijo Christian—. Lady Knighton está enfrente de usted.

Starke miró a Grace. La incredulidad ante esa revelación se hizo muy evidente en su rostro. Ella era la misma que cuando se había acercado pero, de algún modo, ahora que él sabía quién era, le prestó toda su atención, olvidándose del desprecio que le había hecho hacía unos momentos. De hecho, en ese momento, hasta se inclinó delante de ella.

—Lady Knighton, es un honor conocerla.

Grace no le respondió. Puede que llevara un vestido de lana y un pañuelo en la cabeza, pero era la hija de un noble. Era la mujer del nieto de uno de los hombres más ricos y poderosos de Inglaterra. Grace nunca se había aprovechado de su situación cuando se había dirigido a la gente, ni con los de su condición ni con los que la servían… hasta ahora. Tenía los labios apretados mientras miraba al hombre fijamente, pensando en las muchas vidas que ese hombre que tenía delante había destruido. Por su culpa, había echado a Seonag de su casa y estuvo a punto de morir, ella y su hijo. Durante meses, había visto cómo la mención de su nombre ensombrecía caras. Incluso ahora, la gente con la que se había cruzado en el campo temblaba de miedo.

Starke la miró.

—Como le decía a lord Knighton, mis señores, los marqueses de Sunter…

—Lo he oído, señor —dijo Grace, interrumpiéndolo bruscamente—. Declino definitivamente su oferta. Skynegal no está en venta.

Starke frunció el ceño.

—Entonces, puede que, en lugar de toda la propiedad, le interese vender sólo una parte, la que está junto a Sunterglen...

Grace cruzó los brazos, levantó la barbilla y lo miró con la misma frialdad y arrogancia con las que él la había mirado a ella.

—Dígame por qué debería vender las tierras, señor Starke. ¿Para que pudiera expulsar a mis renteros de sus casas como ha hecho en Sunterglen para convertir la tierra en pastos para el ganado?

Starke miró a Christian como si esperara que interviniera. Afortunadamente, se mantuvo al margen de la conversación.

—Le aseguro, señora —dijo Starke, controlándose—, que a los renteros que ocupen las tierras que necesitemos los trasladaremos a puntos alternativos de Sunterglen.

—¿Puntos alternativos? ¿Es así como los llama, señor Starke? ¿Igual que «trasladó» a Seonag MacLean mientras su marido Eachann no estaba en casa, una mujer en su octavo mes de embarazo?

Ante esa acusación, que muy inteligentemente no refutó, le cambió la cara.

—Mire a su alrededor, señor Starke —dijo Grace, señalando a todos los que se habían reunido en el patio para presenciar la conversación—. Estas personas son las que un día vivían en las tierras de sus benévolos señores, las mismas que lograron sobrevivir a sus desalojos, señor Starke. Su codicia, codicia por sacar más beneficio de sus tierras, les obligó a venir a Skynegal en busca de refugio. Soy la bisnieta del último dueño de Skynegal. Este castillo y sus tierras han sido de mi familia desde hace muchas generaciones, igual que ha sido parte de las vidas y las historias de la gente de

Wester Ross. ¿Cree, de verdad, que se lo vendería para que pudiera continuar con sus ataques?

Starke se sonrojó.

—Pensé que como venía de Inglaterra… —y dejó la frase a medias.

—Mi bisabuela, aunque era inglesa, se sentía MacRath hasta la médula. Estaba orgullosa de haber apoyado al Príncipe Carlos en Culloden con la esperanza de preservar su herencia escocesa. Mientras viva, señor, le aseguro que nunca traicionaré el recuerdo de mis antepasados, ingleses y escoceses, por unas libras de más.

Starke se quedó mirándola, en silencio. Los ojos, que antes le habían mostrado respeto, ahora la miraban con una hostilidad bien disimulada. Volvió a mirar a Christian.

—Si cambiara de idea, milord, la oferta de mis señores se mantiene en pie.

Aquello había sido una ofensa intencionada hacia Grace, una ofensa que Christian no estaba dispuesto a permitir. Dio un paso al frente, obligando a Starke a retroceder tan deprisa que estuvo a punto de caer al suelo. Y cuando habló, su voz sonó realmente amenazadora.

—Se lo advierto, señor, y quiero que me preste mucha atención. No pienso permitir que nadie insulte a mi mujer. De hecho, me lo tomo como algo personal. Creo que lady Knighton le ha explicado educadamente su punto de vista sobre este tema. Usted ya no tiene nada que hacer aquí. Por lo tanto, le invito a que se monte en su caballo y se marche. También le sugeriría que se abstuviera de regresar. Si me entero que ha puesto un pie en Skynegal, haré que lo detengan y lo acusen de invasión criminal. Incluso alguien que se autoproclama juez debe responder ante la Corona. ¿He hablado suficientemente claro?

Dubhar reafirmó las palabras de Christian con un gruñido que le salió de las entrañas.

Starke miró a Christian.

—Con todos mis respetos, está cometiendo un error, milord. —Hizo una leve reverencia y miró a Grace con desprecio—. Milady.

Dio media vuelta y se dirigió hasta su caballo y los tres soldados que lo habían acompañado. Subió de un salto, se acomodó en la silla, se puso los guantes y golpeó los lomos del animal con los zapatos antes de dar la orden a los soldados que lo siguieran.

Mientras cabalgaba por el patio, tuvo que soportar los abucheos de aquellos a los que un día había difamado. Cuando por fin desapareció, los abucheos se convirtieron en vítores hacia los señores de Skynegal.

31

Esa noche, en la conversación alrededor del fuego sólo se hablaba de una cosa: la valentía de Grace y la justa expulsión de Skynegal del capataz de Sunterglen. Los que habían presenciado la conversación la reprodujeron una y otra vez durante el día a los que no la habían escuchado porque estaban haciendo otra cosa. Cada vez que la repetían, la adornaban más hasta que, cuando terminaron de cenar, la historia había adquirido proporciones épicas. Grace les dijo que no, que ella no le había ordenado que se fuera amenazándolo con una espada, ni lo había golpeado ni lo había tirado al lago. Cuánto más *uisge-bheatha* bebían, más elaborada era la historia. Empezaron a componer canciones en su honor. Aunque estaba un poco avergonzada por ser el centro de atención, se sentía feliz, ya que los habitantes de los Highlands por fin podían celebrar algo después de todas las desgracias que habían vivido.

Cuando empezaron con los brindis efusivos a la salud de Grace, ella se levantó de la mesa y se fue a un rincón, donde estaba Liza con el pequeño Iain en los brazos. Afortunadamente, el niño había conseguido dormirse en medio de aquella fiesta.

Al sentarse a su lado junto al fuego, Grace le sonrió. Quien la viera ahora no se creería que había sido doncella de las señoras más finas de Inglaterra. De hecho, siguiendo su ejemplo, había sustituido el uniforme de lino por una camisa y una falda hasta los tobillos, y llevaba el pelo suelto, sin ningún adorno. Parecía muy feliz.

—Ha hecho algo heroico —dijo Liza—. Sacar a ese tipo de aquí como lo ha hecho.

—No he hecho más de lo que hubiera hecho cualquiera en mis circunstancias.

—Subestima sus esfuerzos. No es sólo lo de hoy. Es todo lo que ha hecho en estos meses.

—Tenemos muchas cosas que celebrar —dijo Grace, acariciando con un dedo la mejilla de Iain—. Todos han trabajado muy duro y el castillo está…

Grace se dio cuenta de que Liza no la estaba escuchando. De hecho, miraba fijamente a un joven que estaba sentado en la mesa con los demás. Era un chico robusto, con el pelo negro y unos ojos preciosos. Y era obvio que esos mismos ojos también estaban mirando fijamente a Liza.

Le estaba sonriendo y levantó el vaso de whisky hacia ella. Liza suspiró. Sólo dejó de mirarlo cuando Seonag vino a buscar a su hijo. Al sentarse de nuevo, volvió a concentrarse en el muchacho, que seguía mirándola con una calidez que podría rivalizar con el calor del fuego.

—Dios mío, milady, ¿ha visto alguna vez un hombre así? Grace sonrió.

—Ah, ya veo que has visto a Andrew.

Liza no le quitó los ojos de encima ni un segundo. Si hubiera sido un gato, a Grace no le hubiera extrañado que ronroneara.

—¿Verlo? Sí, y más. ¿Por qué no me ha hablado antes de él?

—Se llama Andrew MacAlister y llegó a Skynegal ayer. Luchó contra Napoleón y acaba de regresar a Escocia. Su familia ha emigrado a América, pero él decidió quedarse en los Highlands. Ha venido a buscar trabajo y un lugar donde quedarse.

—¿Había visto alguna vez unas piernas como aquellas? —continuó Liza, fijándose en lo bien que le quedaba el kilt.

Suspiró y sonrió mirando a Grace.

—Podría presentarte…

Liza se giró hacia Grace con cara de pánico.

—Oh, no, milady. Voy muy despeinada. Llevo el pelo… —Se apartó un mechón rizado de la cara—. Y la ropa…

Grace miró por encima del hombro de Liza y vio que Andrew se les acercaba. Sonrió.

—Bueno, pues parece que no tienes otra elección, porque mientras nosotras hablamos, está viniendo hacia aquí.

Liza abrió los ojos igual que Alastair y se quedó inmóvil. Estaba demasiado nerviosa para girarse. Se quedó de espaldas a la gente y mirando a Grace aterrorizada.

A sus espaldas, escuchó una voz con marcado acento irlandés.

—Buenas noches, lady Grace. Espero no molestarla. Sólo quería pedirle si podía presentarme a esta muchacha tan bonita que está sentada con usted.

Grace sonrió, guiñándole el ojo a Liza.

—Por supuesto, Andrew, será un placer. —Se levantó—. Te presento a la señorita Eliza Stone. Liza, el señor Andrew MacAlister.

Liza se giró lentamente para mirar al apuesto hombre. Cuando lo vio, en sus ojos se podía ver perfectamente el sobrecogimiento. Andrew la tomó de la mano e inclinó la cabeza, besándola galantemente.

—Es un honor conocerla, señorita Stone.

—L-Liza —susurró la doncella—. Puede llamarme Liza.

—De acuerdo, pero sólo si usted me llama Andrew —le respondió, con una sonrisa en la cara de aquellas que hacen que a una mujer le tiemblen las rodillas. Grace pensó que era una suerte que estuviera sentada.

—Andrew —repitió Liza.

—Sí —dijo él, señalándole el salón—. Van a tocar un poco de música. ¿Le gustaría ser mi pareja?

Liza se puso muy seria.

—Lo siento. No sé los pasos.

—No pasa nada. Yo se los enseñaré.

Andrew la levantó de la silla y se fueron, no sin antes despedirse de Grace con un movimiento de cabeza. Grace se quedó de pie, observando cómo Andrew pasaba su inmenso brazo por la pequeña cintura de Liza y le enseñaba los pasos de baile. Hacían buena pareja, los dos morenos y él era un palmo más alto que ella. Liza no tardó demasiado en perder la vergüenza y, al final, sonreía incluso cuando se equivocaba y lo pisaba.

Grace se preguntó qué debía sentir una mujer cuando un hombre la miraba como Andrew miraba a Liza, o como Eachann miraba a Seonag con un amor tan claro en sus ojos mientras tenían a su hijo en brazos. Era amor, pensó, el principio del amor para unos y la consolidación para otros; amor, esa magia indescriptible que hacía que, con apenas una mirada, dos personas se unieran para siempre.

Era como en los cuentos de hadas.

—Buenas noches, milady. Una noche preciosa, ¿no cree?

Grace se giró y vio que Alastair había aparecido de la nada y ahora estaba a su lado, bebiéndose un vaso de whisky que alguien le había dado.

—Buenas noches, Alastair. Me estaba preguntando dónde estabas.

—Estaba en la oficina, repasando unos números con lord Knighton y el duque de Devonbrook para la propuesta que quieren presentar ante los Lores sobre la construcción de la red de carreteras. El duque se ha ofrecido a ayudarnos a encontrar pasajes para los desalojados que quieran empezar una nueva vida en Nueva Escocia y América y nos ha prometido que los que quieran pueden ir a las propiedades que su familia posee en el sur y que allí tendrán una casa y tierra para trabajar. Además, el padre de la duquesa, el señor Angus MacBryan, tiene un pequeño negocio de importación que quiere ampliar y necesitará gente para trabajar.

Grace sonrió y asintió mientras bebía un sorbo de ponche. Robert y Catriona resultaron ser un regalo del cielo por los esfuerzos que habían hecho por la gente de los Highlands. Después de ver con sus propios ojos la difícil situación de los refugiados en Skynegal, les habían prometido que les ayudarían a empezar su vida en otro lugar. Se habían ofrecido a acoger temporalmente en Rosmorigh a los que más tarde quisieran trasladarse a Glasgow. También habían firmado, junto con Christian y Grace, una carta para todos los terratenientes de los Highlands, ya fueran ingleses o escoceses, para pedirles su apoyo en la construcción de las carreteras.

Con las firmas de un poderoso duque como Robert y del heredero de los Westover tenían muchas más posibilidades de que les apoyaran. Grace sólo esperaba que la carta hiciera que los terratenientes vieran los beneficios de mejorar las condiciones de los renteros y que, entre todos, frenaran los desalojos.

—Alastair, ¿sabes dónde puedo encontrar a…?

Sin embargo, Alastair ya no estaba allí. Mientras ella había estado sumida en sus pensamientos, el escocés se había unido a los demás. Y ahora todos miraban al centro del grupo. Grace ni siquiera se había dado cuenta de que habían dejado de bailar. La música seguía sonando, aunque ahora era más suave, y alguien se había puesto a cantar con una voz neblinosa como las colinas escocesas. Estaba cantando una canción popular. Era una voz tan preciosa que llegaba a los corazones de todos, una voz que transportaba a otro mundo. Ella escuchó atentamente la letra:

> *Vuela con las alas del deber sagrado*
> *con el cuidado de un pastor que bendice los re-*
> *baños desatendidos;*
> *e, igual que un ángel enviado del cielo,*
> *ellos le dan la bienvenida desde las rocas grises;*
> *igual que las aves curativas de Cliodna*
>   *que viven en la torre*
> *es la dama que los Highlands adora...*
> *pobres habitantes de las islas de la*
>   *costa solitaria,*
> *de quienes todos se olvidan, menos Dios y ella,*
> *de sangre inglesa, pero corazón celta*
> *es la dama que los Highlands adora.*

Era un antiguo poema escocés que Grace había leído en uno de los viejos libros que encontró en el castillo, aunque la letra estaba algo cambiada para adaptarse a la música.

Se acercó al grupo para ver quién estaba cantando con esa preciosa voz. En la pared había antorchas encendidas que daban una luz muy especial en toda la sala. Se colocó junto a Alastair. Al principio, las cabezas de los demás no la dejaron ver quién cantaba, pero luego alguien se movió y Grace vio una mujer en el centro del círculo. Al mirarla, casi no pudo creerlo.

Era Flora, que nunca decía más de dos palabras seguidas, que tenía la misma fuerza que la mayoría de hombres, que siempre había parecido tan robusta y ruda, pero que ahora estaba cantando con una voz angelical. Se había quitado el pañuelo que siempre le cubría la cabeza. Llevaba el pelo suelto hasta la cintura, una melena rizada castaña. Le brillaban los ojos por la luz de las antorchas y movía las manos con la delicadeza de un cisne. Sólo con la voz, se había transformado y había cautivado a las masas con una canción; una sirena que había dejado atónito al mismo Alastair Ogilvy.

El administrador la miraba incrédulo. Estaba embelesado por los preciosos sonidos que Flora estaba creando. Cuando acabó de cantar con una fina nota aguda, todos la aplaudieron entusiasmados. Flora sonrió tímidamente, con las mejillas coloradas por el calor del fuego, poco habituada a ser el centro de atención. Grace vio que Alastair avanzaba hasta ella, se inclinaba y le pedía si le concedía el siguiente baile. La luz en los ojos de Flora cuando le dijo que sí demostraba claramente que entre ellos había nacido algo muy tierno. Pensó en la historia que Alastair le había explicado una vez de su amor de juventud y de cómo se había enamorado de ella después de oírla cantar. Se preguntó si la vida le había brindado una segunda oportunidad para que renaciera ese amor.

A su alrededor, la magia de la noche había hecho efecto en las vidas de los que la rodeaban. Seonag y Eachann, que estaban sentados con Deirdre e Iain, una familia unida otra vez después de las amenazas. Liza y Andrew, que se deleitaban en el conocimiento del otro. Y ahora Alastair y Flora que, después de haber pasado tanto tiempo juntos, de repente se veían con distintos ojos. Grace recordó las palabras de Deirdre la noche que nació Iain: «Tiene que decírselo… No espere demasiado, porque el mañana nunca está asegurado».

Allí de pie, observando a todo el mundo bailar y cantar, quiso de repente sentir la magia de la noche. Quiso bailar en los brazos del hombre que quería y estremecerse con el contacto de su piel y la mirada de sus ojos. Aquella luz maravillosa que sólo alumbraba a dos, que hacía que sólo existiera la otra persona. Lo vio tan claro como la luna llena que bañaba los Highlands y supo que había llegado el momento de compartir con Christian la verdad del niño que crecía en su interior.

Grace cruzó el salón y se fue por el pasillo que llevaba a la oficina, esperando que allí le encontraría. Cuando giró para entrar en la oficina, estuvo a punto de chocar con alguien que venía en la otra dirección.

Se detuvo y miró quién era. Y lo que vio la dejó, literalmente, sin respiración.

32

—¿Se retira tan pronto, milady?

La figura de Christian estaba de pie en la sombra del pasillo, lejos del ruido y la luz de la fiesta.

—Venía a buscarte. Yo...

Grace no pudo decir ni una palabra más y Christian dio un paso adelante y se colocó bajo la luz de una antorcha. Ya no llevaba su camisa de caballero inglés. En su lugar, se había puesto una camisa de lino con las mangas dobladas hasta los codos. Tampoco llevaba los pantalones de algodón perfectamente planchados, sino un kilt de la tela de Skynegal. Estaba sonriendo, una sonrisa tan encantadora y contagiosa que le doblaba los labios y la abrazaba con la calidez de los rayos de sol de la mañana.

Ella parpadeó dos veces, pero la imagen no desapareció. De repente, entendió por qué Liza se había quedado paralizada cuando había visto a Andrew MacAlister. No podía apartar los ojos de Christian.

—Christian, llevas un kilt —dijo.

Era bastante obvio, pero estaba tan distraída mirándolo que casi no prestó atención a sus palabras.

—Ya estaba harto de ser el único que llevaba pantalones.

Grace no dijo nada, sólo lo miró.

—En realidad, he pensado que debía sustituir la imagen del noble marqués inglés por la del señor de Sklynegal.

Desde el día que Christian llegó a Skynegal, Grace mantenía la secreta esperanza de que pudiera ver las virtudes de esa propiedad que, aunque no era una mina de hacer dinero, guardaba una tradición, una amabilidad y una belleza difíciles de ignorar. Había rezado para que no pasara por alto a esas personas y la difícil situación que estaban atravesando, que se diera cuenta de lo importante que eran y que asumiera sin ninguna reserva su papel de patriarca de esa comunidad. Hasta entonces, ella jamás había pensado que podría querer a Christian más de lo que lo quería.

Pero estaba equivocada.

—Gracias, Christian.

—Entenderé, con eso, que lo apruebas —dijo, ofreciéndole el brazo, con la misma sonrisa en la cara—. ¿Me acompaña al baile, milady?

Grace asintió. Eso fue lo único que pudo hacer.

Cuando entraron en el salón, casi todos estaban bailando. Cruzaron la sala y Grace vio a Catriona de pie con Robert junto al fuego. El duque llevaba el mismo atuendo que Christian, aunque su kilt era de la misma tela que el vestido de Catriona. Saludaron a sus amigos mientras una de las mujeres les servía una copa del ponche que había hecho Deirdre. Y ella se preguntó si la noche podría ser más perfecta.

Y pronto obtuvo la respuesta.

Al cabo de un segundo, Deirdre apareció en la puerta con dos invitadas.

Christian fue el primero que las vio.

—¡Nell!

Cruzó el salón con tres zancadas y abrazó a su hermana.

—¿Todavía sigues a tu hermano mayor, eh?

Eleanor se rió.

—No me habría perdido por nada del mundo verte con kilt.

Una vez hubo saludado a su hermano, Eleanor abrazó a Grace.

—Me alegro tanto de que Christian te haya encontrado.

Grace siempre se había arrepentido de marcharse de Londres sin despedirse de su cuñada, porque se había portado muy bien con ella desde el primer día que se conocieron. Lady Frances estaba junto a su hija y saludó a Grace con una amplia sonrisa.

—Es verdad, querida, nos tenías muy preocupados a todos.

—Siento haberme marchado así, yo… yo… —hizo una pausa—. Yo sólo…

Lady Frances le cogió la mano y se la apretó.

—No hablemos de eso, querida. Lo importante es que estás aquí y que ya volvemos a estar todos otra vez como una familia.

Familia. Todos. Qué maravillosas eran esas palabras, y más ahora que llevaba al hijo de Christian en el vientre.

—Pero ¿cómo habéis llegado a Skynegal? —preguntó Christian—. Os envié una carta para deciros que vinierais, pero fue hace unos días. Es imposible que haya llegado tan pronto.

—Bueno, cariño, en realidad nos ha acompañado…

Pero Christian ya sabía la respuesta cuando vio llegar al tercer invitado: su abuelo, el duque.

—¿Qué hace él aquí?

—Christian, fue él quien nos pidió que lo acompañáramos y ha sido muy amable todo el viaje —dijo lady Frances—. Parece sincero. Quizá se le haya ablandado el corazón.

La sonrisa de Christian había dado paso a un gesto torcido.

—¿Cómo va a hacer eso, madre, si no tiene corazón?

Grace se separó del grupo y fue a recibir al duque.

—Buenas noches, Excelencia —dijo, haciendo una reverencia—. Qué sorpresa tan agradable volver a verle.

El viejo levantó una ceja, en un gesto muy cínico.

—Dudo mucho que tu marido comparta esa opinión.

Grace no se vino abajo por ese comentario. En lugar de eso, lo cogió de la mano.

—Venga, Excelencia, únase a la celebración.

Al duque le sorprendió ese gesto, sin embargo, no hizo nada para soltarse.

Los demás pronto se percataron de su presencia y, cuando vieron a Christian y a Grace vestidos con la tela de Skynegal, empezaron a lanzar vítores. Mientras Grace los miraba, Christian empezó a saludar a todo el mundo, llamándolos por el nombre de pila. Ella se percató de que evitó a su abuelo.

—Un hurra por los señores de Skynegal —gritó alguien. Y los demás siguieron—. ¡Hurra!

La gaita empezó a tocar una alegre melodía y todos formaron dos círculos en medio de la sala, las mujeres fuera y los hombres dentro. Cuando los bailarines empezaron a moverse hacia dentro y hacia fuera, cogieron a Christian y a Grace y los incorporaron a los círculos. Al cabo de un rato, todo el mundo estaba dando palmas, girando, haciendo ruido con los pies en el suelo y riendo tan alto como la música. Incluso el duque parecía que se estaba divirtiendo, de pie junto al fuego hablando con Deirdre.

Alastair se colocó en el centro del círculo y sorprendió a todo el mundo con unos pasos bastante complicados para un hombre de su corpulencia. Luego volvió a su sitio, y el centro lo ocupó otro. La música era tan bonita y el ritmo tan alegre, que hasta las chispas que saltaban del fuego seguían la melodía.

Grace se había girado y estaba a punto de ir hacia detrás, cuando notó una punzada en el abdomen que la hizo perder el paso. Su primera reacción fue pensar en el bebé y salió de la cadena de bailarines para sentarse en un banco de la esquina. El dolor se le pasó enseguida, pero pensó que sería mejor que descansara. Al cabo de un segundo, Christian estaba a su lado de rodillas, muy preocupado.

—Grace, ¿te encuentras mal?

Ella sonrió y lo cogió de la mano.

—No, sólo creo que he bailado demasiado —lo miró—. Christian, tengo que decirte algo. Vamos a…

—¡Milady! —Liza se acercó corriendo y Andrew vino detrás de ella. La doncella colocó una mano en la sien de Grace—. He visto que tropezaba. ¿Se encuentra bien? ¿Es el bebé?

Christian la miró.

—¿Bebé?

—¿Un bebé? —repitió Eleanor, que de repente había aparecido allí.

La sala se llenó de comentarios que hacían correr la voz del estado de buena esperanza de Grace.

Ella miró a Christian. Se había quedado helado y la estaba mirando de una manera muy extraña.

—Grace, ¿quieres decir que estás en estado?

Ella no pudo adivinar si estaba contento o no. Estaba atónito. Sólo sabía que aquella no era la manera como le hubiera gustado que él se enterara de que iba a tener un hijo.

—¿Grace?

Lentamente, asintió.

—Sí, Christian. Vas a ser padre.

Todo el mundo empezó a gritar de alegría y a felicitar a los futuros padres.

Grace lo miró mientras aceptaba las felicitaciones y los buenos deseos de todos. Les daba la mano y asentía dándoles las gracias, pero había algo extraño. Todos estaban tan entusiasmados que nadie se había fijado que el futuro padre no sonreía.

Cuando terminaron las felicitaciones, todo el mundo volvió a bailar. Sin decir nada, Christian se giró y salió del salón. Desapareció por el pasillo que llevaba al patio.

Grace miró a Liza. La doncella estaba a punto de llorar.

—Lo siento mucho, milady. Cuando la he visto tropezar y que luego se sentaba, sólo he pensado en usted y en el bebé. Ni siquiera me he acordado que todavía no se lo había dicho a lord Knighton.

—No te preocupes, Liza —Ella la cogió de la mano y miró a Andrew, que se acercó.

Grace se levantó.

—Debo ir a hablar con Christian.

Mientras caminaba por el pasillo, intentaba convencerse de que no estaba enfadado por el niño, sino porque ella había tardado mucho en decírselo. Lo único que tenía que hacer era explicarle sus motivos.

Lo encontró en el patio, bajo la luz de la luna, con una pierna encima de una roca y la mano en la rodilla. Estaba de espaldas a ella observando en silencio las montañas. Si la oyó acercarse, lo disimuló muy bien, porque no movió ni un músculo. Ella se detuvo, pensando qué le iba a decir.

—Christian, creo que tenemos que hablar.

Cuando se colocó junto a él, vio que tenía la mandíbula muy tensa y que estaba luchando consigo mismo por no demostrar sus emociones.

Al final habló, con una voz ahogada.

—¿Cuánto hace que lo sabes?

—Lo empecé a sospechar el día que llegaste.

—De eso ya hace días y, aún así, no me dijiste nada.

Estaba enfadado porque no le había dicho lo del niño. Si pudiera hacerle entender el miedo y la inseguridad que había sentido.

—Christian, siento mucho no habértelo dicho antes. Yo…

Christian la miró, con los ojos tan sombríos que ella se asustó.

—No importa, Grace. Es demasiado tarde.

—¿Demasiado tarde? Christian, no lo entiendo…

—¿No lo ves? Ha ganado.

Christian se rió, un sonido tan terrible y amargo que se lo llevó el viento.

—No importa cuánto haya intentado romper sus planes, al final lo ha conseguido.

Grace no entendía nada.

—¿Quién, Christian? ¿Quién ha ganado?

—Creo que habla de mí, Grace.

Christian se giró de espaldas a Grace para mirar al duque, que los había seguido hasta el patio. Todo el dolor que había soportado, la vergüenza, la culpa que lo había tenido prisionero tanto tiempo, de repente salieron en un brote de rabia que llevaba acumulando en su interior desde hacía veinte años.

—Siempre supiste que sería tuyo, ¿verdad, desgraciado? Me odiaste desde el día que nací porque me parecía más a él que tú. Prometiste convertir mi vida en un infierno y yo te serví en bandeja de plata los medios para que lo hicieras. Y lo has conseguido. ¡Has convertido mi existencia en algo miserable!

Christian cerró los ojos con fuerza porque la angustia que sentía dentro amenazaba con partirlo en dos. Tenía los puños cerrados y la mandíbula tan apretada que respiraba por la nariz. Al cabo de unos segundos sintió una desconocida y nueva sensación de fortaleza que le invadía todo su ser. Cada vez era más intensa y se convirtió en un desafío consciente contra todas las cadenas que lo habían atado en el pasado. Nunca permitiría que ese hombre volviera a vencerle. Ya no volvería a vivir como antes, arruinando su vida por una promesa que había hecho de pequeño. No lo haría, por él y por su hijo.

Christian volvió a mirar al duque.

—No ganarás, viejo. No me importa el trato que hicimos. Haz lo que quieras, pero aquí y ahora te prometo que te veré en el infierno antes que permitir que arruines la vida de mi hijo igual que has arruinado la mía.

Incapaz de seguir viendo la cara de su abuelo, Christian se giró para abrazar a Grace, para permitirle entrar en aquel corazón que le había cerrado las puertas durante tanto tiempo.

Sin embargo, ella ya no estaba allí.

33

Grace se había refugiado en la oscuridad de su habitación, acurrucada en la cama, iluminada por la tenue luz de la luna. La ventana estaba entreabierta y podía escuchar el ruido del lago cuando rompía contra la arena de la orilla mientras la fiesta continuaba en el salón. Se oían las risas y los hurras. Alguien había llamado a los señores de Skynegal, y como ninguno de los dos se presentó, otro comentó que quizás estaban en su propia celebración. Eso provocó otro hurra por la continuidad de su feliz unión.

Sin embargo, también provocó las lágrimas de Grace, que mojaron toda la almohada.

De repente, sintió frío en las piernas y oyó que alguien entraba en su habitación.

—No quería despertarte.

Era Christian, con la voz algo desconcertada.

—No estaba durmiendo.

Vio que se acercaba lentamente hasta la cama.

—Grace, necesito explicártelo todo —dijo—. Hay cosas sobre mí que no sabes, cosas sobre mi pasado…

Se calló, mientras buscaba las palabras adecuadas. Grace hizo el gesto de levantarse de la cama, pero él la detuvo suavemente con la mano.

—¿Sabes por qué me casé contigo? —Y continuó antes de que ella respondiera—. Porque me obligaron. Sí, por un trato que había hecho con mi abuelo. No fue por las razones que te puedas imaginar. No tuvo nada que ver con dinero o cualquier otra cosa. Nuestra boda formaba parte de una deuda que le debía de hacía años, un pacto que hice con el diablo, con él.

Hizo una pausa para reflexionar. Grace esperó, porque sabía que había más.

—¿Sabes cómo murió mi padre?

—La señora Stone dijo algo de una enfermedad la noche que estuvimos en Westover Hall.

Christian agitó la cabeza.

—Eso es lo que mi abuelo le dijo a todo el mundo. Fue una excusa perfecta. Nunca nadie sospechó la verdad.

—¿La verdad?

—Grace, mi padre no murió de ninguna enfermedad, real o ficticia. A mi padre lo mataron cuando defendía el honor de mi madre frente al hombre con el que supo que había estado manteniendo una relación adúltera —hizo una pausa y volvió a hablar, muy emocionado—. El hombre que, al parecer, la había dejado embarazada.

Ella lo comprendió todo al cabo de un instante.

—¿Eleanor?

—Sí —dijo, colocándose, por fin, delante de ella—. Ella no sabe que no somos hijos del mismo padre. Después de la muerte de mi padre, le prometí a mi abuelo que haría todo lo que me pidiera con la condición de que nunca dijera la verdad.

—Pero es su nieta.

—No, Grace; para él, ella no es hija de mi padre. Eleanor sólo es la hija ilegítima de mi madre, por quien mi abuelo jamás se preocupó, mi padre la había escogido como mujer en contra del deseo de mi abuelo. Cuando mi padre murió, mi abuelo la hubiera dejado sin nada y la habría echado de casa. Todo el mundo le habría hecho el vacío y a Eleanor le hubieran colgado la etiqueta de hija bastarda. Nunca hubiera conocido las ventajas del mundo en el que había nacido.

—Pero ¿qué tiene que ver todo eso con que tuvieras que casarte conmigo?

—Fue la condición que puso mi abuelo. A cambio, él guardaría su silencio y les facilitaría a mi madre y a Eleanor la protección y el colchón económico que suponía el nombre de los Westover. Vivirían en Londres en una residencia separada de la de mi abuelo. Eleanor podría disfrutar de su presentación en sociedad y casarse con un buen hombre. Nadie sabría jamás que ella era el fruto de una concepción ilegítima.

Grace pensó en Eleanor y lo contenta que estaba el primer día que se vieron en el baile de los Knighton cuando supo que iban a ser hermanas. Hubiera sido muy cruel que ella hubiera tenido que pagar las culpas de las circunstancias que rodearon su concepción.

—¿Y el verdadero padre de Eleanor? ¿Él tampoco lo sabía?

Christian cerró los ojos y se enfrentó a los demonios que lo habían estado consumiendo. De repente, empezó a ponerle palabras a lo que había pasado aquella noche mientras Grace lo escuchaba en silencio.

—Me despertó antes del alba. Todavía recuerdo la luz de la vela de mi abuelo pegada a los ojos mientras me sacaba de la calidez de mi cama. Me puso unos pantalones y me dijo que lo acompañara, que iba a entrar en el mundo de los hombres. Apenas tuve tiempo de coger el abrigo, porque me sacó a rastras de la habitación y me llevó por los pasillos de Westover Hall. No me dijo nada y yo, como conocía el carácter de mi abuelo, tampoco le pregunté.

»Mi padre estaba esperando a los pies de la escalera, vestido de negro, y no se parecía en nada al padre que yo había conocido durante nueve años. Le dijo a mi abuelo que yo no debería ir con ellos. Nunca olvidaré sus ojos; me miraba con lo que más tarde supe que era locura.

»Mi abuelo no quiso escucharle y dijo algo sobre que tenía que aprender la lección que mi padre había aprendido hacía años. Él se encogió de hombros y se giró para marcharse. Nosotros lo seguimos y subimos al carruaje que nos estaba esperando en la puerta. Durante el corto trayecto, nadie dijo nada, ni siquiera cuando vimos el páramo donde mi padre me solía llevar a cazar. Empezó a salir el sol y vi un caballo con un hombre a su lado. Entonces fue cuando me di cuenta que mi padre iba a batirse en duelo.

»Yo me quedé de pie mirando cómo mi abuelo y mi padre se acercaban al otro hombre. Les presentaron una caja de pistolas y cada uno eligió una mientras mi abuelo leía las reglas de honor —dijo Christian, mofándose un poco de eso—. Honor. No me parece que haya nada honorable cuando dos hombres se ponen de acuerdo en matarse el uno al otro.

»Prepararon las pistolas, las revisaron y cada uno se colocó en su sitio. Dieron diez pasos y se giraron. En menos de un segundo, se oyó un tiro. Vi que mi padre caía al suelo. Vi al otro hombre que bajaba el brazo con la pistola humeante. Corrí hasta mi padre y me puse a llorar cuando vi la sangre que le salía borbotones del pecho. Tenía los ojos sin vida y pude oír el último suspiro de su cuerpo.

Grace lo cogió de la mano, con los ojos llenos de lágrimas.

—Oh, Christian, lo siento mucho.

Él respiró hondo.

—Un poco más tarde, el otro hombre se acercó para asegurarse de que lo había matado; incluso lo golpeó con la punta del zapato para ver si respondía. En ese momento, me volví loco. Recuerdo que cogí la pistola de mi padre. Todavía estaba cargada. Me levanté y apreté el gatillo. Disparé la bala de mi padre. Y escuché otro disparo. Vi cómo el hombre que había matado a mi padre caía al suelo. Me giré y vi a mi abuelo con otra pistola humeante en la mano. Los dos acabábamos de cometer un asesinato.

Si Christian esperaba que Grace lo despreciara por lo que le acababa de revelar, estaba muy equivocado. Ella estaba llorando de pena. Se levantó y le acarició la cara. Christian cerró los ojos, luchando contra sus propias emociones, le cogió la mano y le besó la muñeca. La otra mano la colocó suavemente sobre el vientre de Grace, donde estaba su hijo.

Con la mano de Grace en la boca, Christian susurró.

—Nadie supo nunca la verdad —levantó la cabeza y la miró—. Mi abuelo compró al médico local para que dijera que mi padre había muerto de una repentina enfermedad. También les dio dinero a varios hombres para que se deshicieran del cuerpo del otro hombre para que su familia nunca supiera qué había sido de él. Nadie supo nunca la verdad. Excepto mi abuelo. A cambio de no cumplir su amenaza de echar a mi madre y a Eleanor, me hizo prometerle mi vida. A partir de aquel día, mi único deber en la vida era engendrar un heredero. Y cuando naciera, sería suyo.

—¿Suyo?

A Christian se le llenaron los ojos con las lágrimas que durante tantos años se había tragado.

—Grace, me hizo prometer que le daría mi hijo. Pensé que, si no me casaba, podría evitarlo. Pero entonces te encontró. Imaginé que podría seguir evitándolo si convertía nuestro matrimonio en algo que sólo existía en un papel. Lo único que tenía que hacer era acostarme contigo una vez, la noche de bodas en Westover Hall. Tenías que perder la virginidad, pero eso no quería decir que tuviéramos que engendrar un hijo. Pensé que podría hacerlo, pero mi abuelo fue más listo. Escogió muy bien porque, por más que lo intentara, no podía resistirme. Cada vez que me acercaba a ti, me olvidaba de todas las promesas. No podía controlarme, y luego me enfadaba conmigo mismo porque tenía miedo de que te hubieras quedado embarazada. ¿Entiendes ahora por qué he reaccionado así cuando me lo has dicho? En aquel momento, sólo podía pensar que mi abuelo había ganado, que por mucho que me hubiera prometido que no le daría un heredero, al final lo había hecho.

Grace le acarició el pecho.

—Christian, tu abuelo sólo ganará si tú se lo permites, si nosotros se lo permitimos.

Christian se tragó todas las emociones.

—Ahora lo sé, Grace. He tenido que enfrentarme a él esta noche para saberlo. Mientras estaba en el patio, a pesar de que lo odiaba con todas mis fuerzas, sólo podía pensar en todo lo que te había hecho para alejarte de mí. Desde el mismo instante en que entraste en mi vida, cambiaste mi percepción del mundo. Yo sólo quería mantenerte alejada de la oscuridad de mi mundo. El odio hacia mi abuelo no me dejaba ver que, manteniéndote lejos, sólo estaba alimentando esa oscuridad. Debería haberte aceptado con los brazos abiertos, pero no hice más que herirte. Cada día, cuando me miraba al espejo, culpaba a mi abuelo por la vida tan miserable que me había obligado a vivir en vez de darme cuenta de que, al forzarme a casarme contigo, me había dado el mayor regalo que jamás había recibido —le acarició la mejilla—. Tú.

Grace lo miró con el corazón desbocado.

—Tú me haces ser mejor, Grace. Cuando sólo te causaba dolor y odio, tú me diste amor. Siempre me arrepentiré de no haberme dado cuenta antes.

Ella agitó la cabeza y colocó el dedo índice sobre los labios de Christian.

—No digas eso.

Él le tomó de la mano y le besó los dedos, mirándola.

—Quiero amarte, Grace. Necesito amarte.

Ella parpadeó e hizo desaparecer las lágrimas.

—Entonces, hazlo Christian. Hazlo ahora.

Esas palabras resonaron en su cabeza como un susurro en la brisa escocesa. Él cerró los ojos, la levantó y hundió la cabeza en su cuello. Suavemente la sentó en la cama, con el pelo rubio cayéndole encima de los hombros, invitándolo a que sus dedos lo acariciaran.

Le cogió la cara con las dos manos y la besó, un beso muy tierno. Notó que ella lo abrazaba por la cintura, notó que le acariciaba los muslos con las manos, incendiándolo con su calidez. Notó que metía los dedos por debajo del kilt y que los subía por la parte posterior de los muslos. Sintió un deseo repentino cuando ella le cogió los testículos con las manos. Gimió de placer mientras la besaba, sintiendo la suavidad de su piel en su sexo. Sintió el fuego que lo había consumido cada vez que se había acercado a ella y se apartó, tratando de mantener el control.

No había ninguna prisa. Tenían toda la noche. Hoy le enseñaría a Grace hasta dónde puede llegar el placer de una mujer. Le enseñaría a hacer el amor en el sentido más verdadero, sin dolor, sin caos. Esa noche la observaría mientras ella se soltaba y él sabría qué se siente en un paraíso terrenal.

Lentamente, Christian la tendió en la cama, le desabrochó la blusa y le ayudó a quitársela por la cabeza. La luna iluminaba esos pechos pálidos y verla desnuda hizo que se le aceleraran los latidos del corazón; los pechos eran perfectos y el vientre, que pronto empezaría a crecer, aún conservaba aquella suavidad que él recordaba. Le desabrochó la falda y se la quitó por los pies.

Estaba junto a la cama, de pie, observándola, asombrado de que realmente fuera suya, que le diera el regalo de su amor después de todo lo que le había hecho.

No se la merecía, pero le daba gracias a Dios por tenerla.

Se quitó la camisa, y vio cómo ella observaba su cuerpo a la luz de la luna. Sintió nacer una erección cuando vio que ella lo miraba fijamente a través del kilt. Soltó la hebilla y lo dejó caer al suelo.

Grace alargó el brazo, invitándolo a su lado. Fue todo lo que Christian necesitó. Se estiró en el colchón junto a ella, apretándola contra su cuerpo. Volvió a besarla, saboreándola con la lengua mientras con una mano sujetaba un pecho, disfrutando de la suavidad de su piel, jugueteando con los dedos sobre el pezón hasta que se puso duro y ella gimió en su boca.

Bajó los dedos a la cintura y al triángulo que escondía el lugar más apasionado. Levantándola levemente, le hizo separar las piernas. La acarició y notó la humedad de su deseo.

Grace entrelazó los dedos en el pelo de Christian mientras él la frotaba con los dedos, la acariciaba, la seducía en el centro de su pasión. Notó que el cuerpo de ella reaccionaba cuando empezó a conocer los placeres sexuales. Abandonó la boca para besarla en el cuello, el hombro, hasta que llegó a un pecho. Se arqueó contra él mientras la ungía, cortándole la respiración y haciendo que se aferrara más a su pelo mientras se perdía en el placer.

—Oh, Christian, es tan…

Christian le acarició la barriga, sabiendo muy bien lo que le iba a hacer, cómo haría que su cuerpo respondiera para mostrarle sensaciones de las que sólo se podía hacer una pequeña idea. La besó en la barriga y le mordisqueó la cadera mientras seguía bajando, separándole las piernas y metiéndose entre ellas. Le levantó las caderas y se acercó a ella para acariciarla con la lengua.

Notó que ella se agitaba, desconcertada ante una caricia tan íntima, hasta que sus propios instintos sexuales pudieron más y se dejó llevar. Christian seguía moviendo la lengua, saboreándola, provocándola, tentándola mientras alcanzaba el orgasmo. Notó que los músculos de las piernas se tensaban contra sus hombros cuando empezaba a disfrutar de todo lo que le esperaba. Escuchó los jadeos de placer cada vez que su cuerpo respondía. Él se acercó más y más hasta que Grace gritó y él notó que se sacudía y después se relajaba.

Grace lo miraba con los ojos llenos de la nueva pasión que había descubierto, mientras él le volvía a dejar las caderas en la cama. Lentamente, se incorporó, con los músculos del abdomen muy duros cuando la tocó con el pene erecto. Intentó mantener la calma. Respiró hondo dos veces y, muy despacio, la penetró, soltando el aire a medida que iba entrando en ella. Era la sensación más increíble que había sentido en toda su vida: cómo ella se acoplaba a él, cómo los dos cuerpos se unían en uno. La levantó contra su pecho mientras intentaba imponer un ritmo.

Quizá fue por el miedo inconsciente de hacerle daño al bebé o porque había exorcizado de su vida el diablo de su abuelo, pero cuando empezó a moverse, Christian controló cada centímetro de su cuerpo. Cada movimiento de cadera lo hacía hundirse más en la calidez de Grace. Empezó a acelerar el ritmo y sintió que las caderas de ella salían a su encuentro. Lo tenía cogido por los antebrazos mientras él la levantaba, penetrándola hasta el fondo, una y otra vez hasta que notó que ella alcanzaba su segundo orgasmo. Entonces, se hundió interminablemente y la sacudida de su propio cuerpo fue tan intensa que gritó palabras que luego no recordó y se derramó dentro de ella.

—Oh, Dios, Grace, te quiero —susurró contra su cuello mientras la llenaba de besos, saboreando la piel salada por el sudor mientras seguían los dos unidos en medio de un caos de ropa encima de la cama.

Más tarde, cuando la noche comenzó a dejar paso al día, Christian la atrajo hacia él con la espalda de ella contra su pecho y sus testículos acurrucados contra sus caderas. Colocó una mano sobre el vientre de Grace y le colocó el pelo enmarañado encima de la almohada. Entrelazando sus dedos con los de ella, apoyó la cabeza en su cuello y juntos se quedaron profundamente dormidos disfrutando del sueño de los amantes.

34

Los días siguientes fueron como un sueño para ambos, inmersos en el redescubrimiento del otro. Los despertares estaban llenos del calor y las risas del verano en Skynegal, y por las noches, abrazados, compartían tiernos besos y ardientes momentos de pasión.

Robert y Catriona se habían marchado a Rosmorigh y se llevaron a varios habitantes de los Highlands con ellos. Robert lo había arreglado todo para que, desde allí, una balandra los llevara más al sur, hasta Mallaig, las islas de Mull y Jura y hasta algún puerto desde donde pudieran encontrar transporte terrestre hasta Glasgow. Algunos todavía seguirían su viaje hasta Inglaterra, para vivir en la residencia de los duques, Devonbrook, en Lancashire.

Antes de marcharse, Christian y Robert habían redactado una propuesta para presentarla en la próxima sesión de la Cámara de los Lores. Christian y Grace vieron que, para ello él tendría que volver a Londres. Sin embargo, había decidido retrasarlo todo hasta después del nacimiento de su hijo.

Como Skynegal se había convertido en una parte tan importante en sus vidas, habían hecho planes para ampliar el castillo y añadirle un ala en el lado este. Grace empezó a hacer unos dibujos preliminares, mientras Él hacía investigaciones sobre los arquitectos de Edimburgo. La yegua Jo dio a luz y Grace y Christian presenciaron los primeros pasos del potrillo, de color rojizo, entre los aplausos y vítores de todos los presentes.

Cada día, al atardecer, paseaban por la orilla del lago con Duhbar siguiéndolos de cerca, aunque el momento que Grace más disfrutaba de su marido era por las noches cuando, después de hacer el amor frente al fuego, se quedaban los dos abrazados, hablando hasta el amanecer. Él la abrazaba, muy protector, acariciándole la creciente barriga. Hablaban de su infancia y de las esperanzas para el futuro, un futuro que compartirían.

Aquella mañana Grace estaba sentada en el despacho, con Dubhar calentándole los pies debajo de la mesa. Christian se hallaba sentado delante de ella, repasando la lista de lo que McFee y McGee tenían que comprar en Ullapool.

Ella ya se había acabado el té cuando levantó la mirada y vio a Eleanor en la puerta.

—Buenos días, Eleanor —dijo—. ¿No quieres entrar?

La joven estaba muy seria, algo poco habitual en ella.

—Quería hablar en privado con mi hermano.

Grace miró a Christian, que a su vez estaba mirando a Eleanor, y se levantó.

—Por supuesto. Voy a mirar qué hay en el último baúl que hemos encontrado en la buhardilla.

Así que se fue, llevándose con ella a Dubhar antes de cerrar la puerta del despacho.

En lo alto de la torre sur había una pequeña habitación que daba al lago. Como era demasiado pequeña para convertirla en dormitorio, había empezado a usarla para ordenar las reliquias de la familia que iba descubriendo a medida que registraba el castillo. Cuando la colección creció, la habitación se convirtió en una especie de galería dedicada a sus antepasados donde quedó reflejada casi toda la cronología de la historia de Skynegal.

Cada uno de esos antepasados tenía su propio espacio. Al lado de la puerta estaba Hannah MacRath, una joven novia que había llegado a Skynegal desde los Lowlands en la época de la Reina María. En los retratos no se veía tan pequeña como era por los zapatos que llevaba, con cuñas de corcho que la hacían parecer más alta. Por increíble que parezca, Hannah vio cómo sus once hijos llegaban a la edad adulta y vivió hasta los noventa y tres años. El legado de Hannah era un herbolario con tapas de piel y muchas botellas en las que las futuras señoras de Skynegal habían guardado flores secas y hojas como remedios medicinales.

El rincón de Sir Roger MacRath estaba situado debajo de la ventana. Fue un poeta del siglo XIV cuyos versos estaban por todas partes, desde los pergaminos hasta los marcos de las ventanas. A su lado, había un retrato de su única hija, Mhairi, con una expresión pensativa en la cara. Mhairi había sido una de las habitantes de Skynegal más destacadas, porque dedicó su vida a preservar la leyenda del castillo «alado» y sus orígenes en la diosa Cliodna. Había quien decía que la propia Cliodna se lo había encargado a Mhairi en un sueño cuando tenía doce años. Por la razón que fuera, durante los siguientes dieciocho años, Mhairi se pasó las noches tejiendo un tapiz con hilos de oro y plata con el que representaba la imagen del castillo con la diosa Cliodna observándolo, mientras sus pájaros guardianes revoloteaban alrededor de las torres.

Cuenta la leyenda que la noche que Mhairi acabó el tapiz se fue a dormir para nunca más volver a despertarse. Ese mismo tapiz ocupaba un lugar de honor junto al retrato. Se decía que, mientras el tapiz estuviera en el castillo, los habitantes de Skynegal estarían bajo la protección de la diosa celta y los míticos pájaros, a salvo de cualquier amenaza de invasión, destrucción o plaga. En realidad, hasta ahora, la predicción había sido cierta.

Aquella mañana, Grace dejó a un lado una muñeca de trapo que había sido de su abuela y empezó a mirar lo que había dentro del baúl. Encontró un libro de sonetos con la tapa estampada en relieve. Grace lo cogió y leyó la inscripción.

«Para Grace de Skynegal, siempre serás la única dueña de mi corazón. Tu Devoto Caballero, Eli 1768.»

Se quedó helada y volvió a leer la inscripción. ¿Eli? Su abuelo se llamaba William. Estaba segura de que ese libro era de su abuela, porque llevaba su nombre inscrito junto a la fecha en la que ella debía tener dieciséis años.

Cuando pasó a la primera página, algo resbaló de la portada posterior. Eran unas cartas dirigidas a su abuela y estaban envueltas en una cinta. Abrió la primera, con fecha de abril del mismo año de la inscripción.

«Mi amor, cuento los días hasta que nos volvamos a ver. Extraño tus ojos, el suave contacto de tus manos. Te envío este libro con la esperanza de que algún día pueda escuchar estos versos de tu dulce voz. Sin ti, estoy perdido… Tu Adorado Caballero, Eli.»

La siguiente carta, fechada seis meses más tarde, parecía indicar que su abuela le había contestado a esa primera carta. El tono de esta segunda misiva era mucho más formal.

«*Al parecer, no podré viajar a los Highlands como tenía previsto. Han surgido algunos problemas familiares que requieren mi presencia en Londres. Desgraciadamente, no está en mis manos. Pienso en ti y espero que estés bien. Contaré los días hasta que te vuelva a ver. Tu Devoto y Frustrado Caballero, E.*»

La siguiente carta tenía fecha de principios del año siguiente. La letra, aunque era de la misma persona que las anteriores, era mucho menos elegante, más garabateada.

«*Con un gran pesar en el corazón, debo informarte de la imposibilidad de seguir con esta relación. Han surgido algunas circunstancias que sólo me permiten mantener contigo una relación de amistad. Siempre recordaré los días que pasé a tu lado como los más felices de mi vida porque, a pesar de mis deberes, mi corazón siempre te pertenecerá. Tu Caballero, Ahora y Siempre, E.*»

Cuando cogió la última carta, Grace vio que no era una carta, sino una página de un periódico de Londres. Era de Abril de 1769. Repasó los eventos de ese mes sin que nada le llamara la atención, hasta que llegó al final de la columna donde se publicaba un anuncio.

«*Por el presente se anuncia que el pasado sábado, día 2 de abril en la iglesia de St. Paul, el heredero del duque de Westover, Elias Wycliffe, marqués de Knighton, contrajo matrimonio con lady Lydia Fairchild, hija mayor del marqués de Noakes.*»

Grace volvió a mirar la inscripción del libro y el nombre que allí aparecía.

Eli.

De repente, lo vio todo claro. Durante todos esos años, cuando Nonny se refería a su «único y verdadero amor», Grace siempre había creído que se refería a su abuelo y, en realidad, se refería al abuelo de Christian, el duque.

Ahora muchas cosas tenían sentido; el eterno resentimiento del duque, su actitud aquel primer día en el estudio de su tío cuando vio el retrato de su abuela. ¿Habían planeado casarse? ¿Se lo había impedido su familia?

Grace se puso de pie, cogió el libro de sonetos y las cartas y salió corriendo para ir a buscar a Christian. Quería que supiera la verdad acerca de su abuelo porque, quizás así, podría entenderlo mejor.

Mientras bajaba la escalera de la torre, estuvo a punto de toparse de frente con alguien que las subía.

—Dios mío, Eleanor.

Eleanor tenía los ojos rojos de llorar y las mejillas llenas de lágrimas. En cuanto vio a Grace, volvió a echarse a llorar, sollozando en su hombro.

—¿Qué ocurre, Eleanor? ¿Qué ha pasado?

Tardó unos instantes en responder.

—Oh, Grace, es Christian. Me ha prohibido que me case con lord Herrick. No ha querido atender a razones.

Grace intentó tranquilizarla, acariciándole la espalda mientras ella lloraba en su hombro.

—¿Qué quieres decir? ¿lord Herrick te ha pedido que te cases con él?

Eleanor asintió.

—Antes de venir aquí, me dijo que quería hablar conmigo de algo importante. Esta mañana he recibido una carta suya donde me proponía matrimonio formalmente. Se la he enseñado a Christian, pero no me ha dado su permiso. Y mamá ha dicho que no se opondrá a su decisión. Sabía que Christian y mamá estaban algo reticentes con lord Herrick pero pensé que, con la propuesta formal de matrimonio, verían que sus intenciones son honorables. No, tiene que haber otro motivo para su negativa. Y lo peor es que Christian no va a decírmelo. Sé que no conozco a lord Herrick demasiado bien, pero sólo puedo pensar en que cuánto más tiempo juntos pasáramos, más crecería mi cariño hacia él. Grace, Christian me había prometido que podría elegir libremente con quién quería casarme. ¿Por qué me hace esto ahora que ya he hecho mi elección? ¿Por qué?

Grace agitó la cabeza, tomando las manos de Eleanor entre las suyas. La miró a los ojos.

—No lo sé pero, si quieres, puedo intentar hablar con él.

Eleanor se sonó con el pañuelo.

—¿Lo harías?

—Ahora mismo.

Eleanor alegró la cara.

—Gracias, Grace. Puede que a ti te escuche.

Le apretó las manos para calmarla.

—Ve a tu habitación y descansa. Cuando haya hablado con él iré a verte.

Al acercarse a su despacho, la puerta se abrió y salió lady Frances, que también había llorado, aunque cuando se cruzó con ella le sonrió.

Christian estaba sentado en el despacho, solo.

Grace cerró la puerta. Él la miró con pena. Provocar la infelicidad de Eleanor lo estaba matando. Estaba segura de que tendría una razón de peso para oponerse a ese matrimonio. Quizás Herrick fuera un mujeriego y Christian sencillamente estaba intentando proteger a su hermana de un desengaño amoroso. Fueran cuales fueran sus razones, decidió no sacar el tema de Eleanor en ese momento.

—He encontrado algo en la buhardilla que deberías ver.

Dejó el libro de sonetos y las cartas encima de la mesa, delante de él. Lo miró mientras los cogía y los leía, y le dio tiempo para que llegara a la misma conclusión que ella.

Cuando terminó, la miró.

—¿Dónde lo has encontrado?

—En un baúl con las cosas de mi abuela. Creo que me lo dejó aquí para que algún día lo encontrara. —Hizo una pausa—. Es la letra de tu abuelo, ¿verdad?

Christian asintió. Estaba desconcertado, porque la impresión que siempre había tenido de su abuelo se estaba derrumbando.

—Quizás ahora puedas entender los motivos de su permanente resentimiento con la vida.

—Quizás. Pero lo que no comprendo es, ¿por qué, si quería casarse con tu abuela, a la que obviamente quería, cometió el mismo error conmigo, obligándome a casarme con una desconocida?

Grace se colocó junto a él, apoyando la mano en su hombro.

—Yo también lo he pensado. Puede que, a su manera, al unirnos a nosotros, buscara corregir el error que él había cometido al abandonar a mi abuela.

—Es posible. —Christian seguía mirando las cartas, sin duda pensando sobre el hombre que las había escrito, tan distinto al abuelo que él conocía.

Grace se arrodilló delante de él.

—Christian, ¿puedo preguntarte por qué te has opuesto al matrimonio de Eleanor con lord Herrick?

Él volvió a poner cara de dolor, y ella, con mucho tacto, insistió.

—Sé que la quieres mucho y que nunca harías nada que pudiera hacerle daño. ¿Hay algo más? ¿Algo sobre lord Herrick que no me hayas dicho? ¿Es un mujeriego?

Christian se echó hacia delante, se cogió la cabeza con las manos y apoyó los codos en las rodillas. Estaba muy preocupado, mucho más de lo que Grace se habría imaginado.

Al final, la miró.

—¿Recuerdas cuando te expliqué cómo murió mi padre?

Ella asintió.

—Te dije que se había batido en duelo con otro hombre con el que mi madre había mantenido una relación. Grace, no puedo consentir que Eleanor se case con lord Herrick porque es el hijo del hombre que mató a mi padre. Es el hijo mayor y legítimo del hombre con el que mi madre se veía a escondidas.

Grace lo entendió todo rápidamente.

—Dios mío, Christian, entonces Eleanor y lord Herrick son hermanastros.

Christian asintió y cerró los ojos.

—Supongo que ahora entiendes por qué me opongo a ese matrimonio. Lo peor es que tendré que decirle a Eleanor los motivos. Tendré que explicarle que es una hija ilegítima y las circunstancias de su nacimiento. Si no se lo digo, es posible que se marche y se case con él sin mi permiso. Mi madre se lo está temiendo y me ha pedido que le explique la verdad. No tenemos otra opción. Tendré que decirle a mi hermana que maté a su verdadero padre.

—Tú no mataste a nadie.

Ni Grace ni Christian habían oído al duque entrar.

—Debí haberte dicho la verdad hace tiempo, Christian. No sé por qué no lo hice. La muerte de Christopher me destrozó. Quería que odiaras a tu madre, que la culparas, igual que yo. He tardado veinte años en darme cuenta de que ella no tuvo la culpa. Tu padre sabía que Frances no lo quería cuando le pidió que se casara con él. La familia de tu madre estaba pasando algunos apuros económicos. Necesitaban que ella se casara con alguien solvente. Christopher la convenció de que, con el tiempo, lo querría; él pensaba que su amor bastaría para los dos. —Agitó la cabeza—. Sólo consiguió asfixiarla.

Christian miró al duque.

—Pero ¿qué tiene que ver eso con que yo matara al padre de lord Herrick?

—Fallaste en el tiro, Christian. Yo mismo vi que la bala fue a parar a un árbol que había detrás. Yo lo maté.

Christian lo miró con odio.

—Todos estos años has dejado que creyera que lo había matado. Eres un desgraciado.

—No voy a negártelo, Christian. Mi mayor arrepentimiento es haber esperado veinte años para decirte la verdad. No espero que lo entiendas. Era un hombre triste y amargado. Perder a la abuela de Grace fue el mayor error de mi vida. Después, perdí a Christopher y, con eso, cualquier posibilidad de conocerlo mejor. Llevábamos muchos años peleados por su matrimonio con tu madre. Nunca pude decirle que lo quería. «Uno nunca sabe lo que se siente al perder algo querido hasta que lo pierde.»

—Tú… —dijo Christian, de repente, atónito—. Entonces, ¿fuiste tú quién me dejó el mensaje?

El duque asintió.

—Creí que había sido Herrick; que sabía que había matado a su padre. En realidad, estaba convencido de que estaba cortejando a Eleanor para llevar a cabo algún tipo de venganza.

El duque agitó la cabeza.

—No, el mensaje no tenía nada que ver con Herrick ni con su padre. Intentaba decirte que no dejaras escapar la posibilidad de ser feliz. He cometido muchos errores en mi vida y estoy avergonzado de casi todo lo que soy: terco, orgulloso y arrogante. Y además, tonto. Pero hay algo de lo que no me avergüenzo, lo único que he hecho bien en la vida, uniros a Grace y a ti.

35

Al día siguiente, Eleanor había desaparecido.

Se había escapado durante la noche, sin que la doncella u otra persona se diera cuenta. Se llevó una pequeña bolsa con algunas cosas y el caballo de Christian, con lo cual él se había quedado con los ponys de los Highlands para ir detrás de ella.

—Debería haber sospechado que haría algo así —dijo Christian, mientras entraba en el establo para buscar el pony más grande de todos, un caballo castaño llamado Torquil, que apenas levantaba metro y medio del suelo—. Me lleva varias horas de ventaja, y a estas alturas ya estará en Edimburgo. Nunca la alcanzaré con este jamelgo.

Como si lo hubiera entendido, Torquil meneó las orejas.

—Esto son los Highlands, Christian, no las verdes llanuras de Inglaterra. Torquil es más fuerte que el caballo de Eleanor y tú conoces mejor el terreno que ella.

Christian apenas la oyó, porque dio un puñetazo a un poste que hizo que todos los animales levantaran la cabeza alarmados

—¡Maldita sea! Debería haber sabido que esto iba a pasar. Cuando hablé ayer con ella, estaba demasiado tranquila, demasiado conforme con todo lo que le estaba diciendo.

—No creerás que se ha ido con Herrick, ¿verdad?

—No. Le destruí cualquier esperanza de fugarse con él cuando le dije la verdad sobre la muerte de mi padre. Dios,

¿qué he hecho? Le he quitado la identidad. Alegremente, le he dicho que no era la persona que ella siempre había creído que era. ¿Por qué la dejé sola anoche? ¿Por qué no le dije a mi madre que se quedara con ella?

Grace le acarició suavemente el brazo.

—No podías saber que iba a marcharse.

—Debería haberme dado cuenta, Grace. Le dije que era una hija bastarda y ni siquiera derramó ni una sola lágrima. Me miraba como si quisiera decirme que era yo quien la tenía que haber protegido de todo eso. Le he fallado.

—No, Christian. No le has fallado. Le diste una vida y un respeto que, de otra forma, jamás hubiera conocido. Si no hubiera sido por ti, hubiera sufrido el juicio cruel de la sociedad.

Christian se quedó un momento de pie en la puerta del establo, observando las colinas en la distancia. Se giró hacia Grace y la abrazó.

—Tengo que intentar encontrarla, Grace. Si le sucediera algo, nunca me lo perdonaría.

Grace pensó que ojalá pudiera hacer alguna cosa para que ese sentimiento de culpabilidad desapareciera, porque era obvio que a él le estaba consumiendo.

—Lo sé, Christian. Y seguro que la encontrarías.

En menos de una hora, Grace estaba en el patio con Frances, Deirdre, Liza y el duque viendo cómo Christian se acababa de arreglar para marcharse.

El duque se acercó a él.

—Cueste lo que cueste, Christian, la encontraremos. Ya he avisado a Bow Street.

Christian añadió:

—Volveré lo antes posible.

Grace se acercó y le dio un beso de despedida.

—Pospondremos el *céilidh* hasta que vuelvas con Eleanor.

Christian hizo girar al caballo y se fue por el campo. ¿Cuánto tiempo estaría fuera? ¿Un día? ¿Una semana? ¿Llegaría al fin del mundo antes de encontrarla? Grace no dejó de mirarlo hasta que su figura se perdió en la niebla de la mañana. Cuando desapareció, sintió un vacío muy grande en su interior. Ya quería que hubiera vuelto.

Liza debió notar esa tristeza, porque le pasó el brazo por encima del hombro.

—No se preocupe, milady. El señor regresará con lady Eleanor muy pronto. Ya lo verá. Todos estarán bien.

Grace miró a la mujer que se había convertido en una amiga más que en una doncella, y le sonrió, optimista.

—Eso espero, Liza.

Cuando se giraron para volver al castillo, Grace vio que Liza se había quedado embobada mirando a Andrew MacAlister, que estaba cortando madera, sin camisa, sólo con el kilt de Skynegal. Levantaba los nervudos brazos, con el hacha en la mano, y los bajaba de golpe para partir el taco de madera por la mitad. Andrew se dio cuenta de que lo estaba mirando y le regaló una sonrisa que podría haber derretido el hielo de las montañas.

—Creo que tendré que prohibirle a Andrew trabajar así al aire libre. Eso o tendrás que venir a coserme las medias aquí abajo.

Liza se sonrojó por la atracción tan obvia que sentía por el escocés. Grace sonrió.

—A lo mejor deberías ir a preguntarle si quiere un poco de cerveza fría. Parece que la necesita.

Liza se fue corriendo y Grace vio cómo se reunían y hablaban. La atracción inicial había dado paso a un tierno romance. Andrew sacaba el lado femenino de Liza, que tan celosamente había escondido hablando de dar puñetazos como los chicos. Y ella le hizo más llevadera la soledad a él después de que su familia emigrara a América. Casi todos en Skynegal coincidían que no tardarían demasiado en casarse. Además, teniendo en cuenta que Liza le había enviado una carta a su madre pidiéndole «consejos para novias», Grace suponía que la proposición no iba a tardar demasiado. Cuando dio media vuelta, vio a Alastair que pasaba con un ramo de flores silvestres en la mano mientras silbaba una alegre melodía. Grace se preguntó si él y Flora se casarían antes que Liza y Andrew.

El sonido de su nombre la devolvió a la realidad y se giró hacia los establos, desde donde venía corriendo Micheil.

—¿Qué pasa, Micheil?

—¿Se ha olvidado que hoy teníamos que ir a pasear? Ya he preparado el carro.

Con el revuelo de la desaparición de Eleanor, se había olvidado de que le había prometido a Micheil que lo llevaría por el campo para buscar las hierbas que Hannah MacRath describía en el herbolario. El niño estaba aprendiendo a llevar el carro y quería enseñarle lo bien que lo hacía. Sería una buena distracción para no pensar en Christian y Eleanor.

—Deja que me cambie, coja un chal y un poco de comida para el camino y nos vamos.

Al cabo de media hora, Grace estaba terminando de subir las provisiones en el carro y se giró para hablar con Deirdre que estaba detrás de ella. Como tendrían que caminar por el bosque, se había vestido más sencilla de lo habitual, con una falda gris y un vestido amplio de lino por encima. Sonrió para intentar borrar el gesto de preocupación de la cara de Deirdre. Desde que se había enterado de lo del bebé, la protegía mucho más que antes, y se preocupaba cuando la perdía de vista.

—No te preocupes, Deirdre, estaremos de vuelta cuando anochezca. Además, Liza y Micheil me acompañan. El bosque que Hannah describió en el herbolario está a unos dos kilómetros. Sólo queremos ir a ver si las flores que ella dibujó siguen creciendo allí.

Micheil se colocó en el lugar del cochero mientras que Grace y Liza se sentaban detrás, con Duhbar entre las dos. Escucharon el ruido de la fusta y se pusieron en marcha, avanzando lentamente por el camino que cruzaba Skynegal hacia el este.

Los tres charlaban animadamente. Grace disfrutó mucho de la serenidad del día de verano, con el sol quemándole las mejillas y los pájaros cantando en los árboles. Mientras Micheil se burlaba de Liza por su romance con Andrew, Grace pensó en Christian. Se preguntó si ya habría encontrado a Eleanor, si en ese momento estarían cabalgando de vuelta a Skynegal. Envió un beso silencioso en aquella dirección, imaginando el contacto de sus labios cuando se lo devolvieran mientras contaba las horas que faltaban hasta que se vieran de nuevo.

Habían llegado a lo alto de una colina cuando Micheil paró el carro en seco.

—Micheil, ¿qué sucede? —dijo Grace, mirando hacia delante para ver la causa de la detención.

Alguien se acercaba a ellos corriendo, agitando los brazos y llamándolos en gaélico.

—*Cuidich le! Cuidich le!* ¡Ayuda! ¡Ayuda!

Bajaron del carro para encontrarse con un niño de unos diez años. Cuando lo tuvieron más cerca, Grace vio que llevaba la cara sucia de barro, que iba descalzo y que sólo iba vestido con una camisa que le llegaba hasta medio muslo. Tenía una mirada salvaje, igual que un animal encerrado y hablaba en gaélico, agitando la cabeza y moviendo los brazos arriba y abajo.

Micheil habló con él.

—*Dè tha ceàrr?* ¿Qué te pasa?

El niño hablaba tan rápido que Grace sólo podía entender alguna palabra suelta. Pero al oír «fuego», «soldados» y «Starke», supo que estaba hablando de los desalojos de Sunterglen.

Micheil le contestó, intentando tranquilizarlo. Señaló a Grace y dijo:

—*Aingeal na Gáidhealthachd.* Ángel de los Highlands.

Los ojos del niño se quedaron en blanco mientras se arrodillaba ante Grace, abrazado a sus faldas, y dando gracias al cielo por habérsela enviado.

—Dice que los soldados están arrasando la zona de Sunterglen que está junto a Skynegal. Hay una viuda, su *grannam*, que vive sola y no puede andar porque tiene las piernas demasiado débiles. Su familia no está, porque se ha ido a las colinas con el ganado y él solo no puede moverla. Tiene miedo de que los soldados quemen la casa con ella dentro.

Grace se estremeció por una sensación que ya le empezaba a ser familiar.

—Debemos detenerlos.

—Pero, milady —dijo Liza—. Esas tierras pertenecen a Sunterglen.

—Se trata de asesinato, Liza. No podemos quedarnos quietos mientras ellos matan a una persona inocente —se giró hacia Micheil y le dijo—: ¿Puedes pedirle que nos guíe mientras tú conduces?

—Claro, milady.

El caballo empezó a correr por el camino hacia la casa de la viuda. Cuando llegaron, ya había dos soldados con las antorchas encendidas a punto de lanzarlas contra el tejado de paja. Otro en la puerta, se asomaba al interior gritando:

—Ya hemos encendido las antorchas, mujer. Es tu última oportunidad. ¡Será mejor que salgas de ahí!

Grace bajó del carro y corrió hacia ellos. El soldado que estaba en la puerta la vio y frunció el ceño.

—¿Qué haces aquí, rentera?

Como iba vestida de aquella manera, habían confundido a Grace con una rentera más.

—Por el amor de Dios, ¿qué están haciendo? ¡Hay una mujer dentro!

El soldado la miró muy sorprendido porque no hablaba como una rentera, pero enseguida recuperó su gesto déspota.

—Soy el capitán de esta compañía y hemos venido a limpiar esta casa. Le hemos entregado una orden de desalojo y se ha negado a salir.

Le enseñó el papel. Grace lo cogió y le echó un vistazo.

—¡Está escrito en inglés! ¡Esta gente sólo habla gaélico! ¡No entiende a qué han venido!

—Eso es lo que les pasa por ser unos vagos incivilizados. Esa vieja escocesa ya ha vivido suficiente. Deje que se queme.

Grace lo miró, incrédula y llena de odio, antes de abalanzarse sobre él y pegarle un puñetazo que lo tiró al suelo. Mientras los otros dos soldados los miraban y se reían, ella abrió la puerta de la casa. Sin embargo, antes de poder entrar para buscar a la mujer, notó que los brazos del capitán la sacaban hacia fuera.

—Lárgate, desgraciada, antes de que te encierre con ella y os quememos a las dos.

Grace se resistió con todas sus fuerzas e intentó soltarse. Dubhar empezó a ladrar furioso desde el carro y corrió hacia ella. Pero uno de los soldados lo golpeó con la culata del mosquete y lo dejó sin sentido en el suelo. Habían lanzado las antorchas sobre el tejado y las llamas empezaban a arder.

Liza salió disparada, le dijo a Micheil que le trajera su cesta y se lanzó sobre los brazos del capitán.

—Oye, animal, ¡suéltala! ¡No tienes ningún derecho a tratarla así!

El capitán soltó a Grace de un brazo para coger a Liza. En ese momento, Grace se agarró las manos y echó los codos hacia atrás, golpeando al capitán en medio del estómago. Oyó cómo se le cortó la respiración y se soltó. Se giró justo cuando caía de rodillas, se colocó como Liza le había enseñado y le dio un puñetazo que lo dejó inconsciente en el suelo.

Uno de los soldados avanzó, pero se detuvo cuando vio que Liza sacaba una pistola de la cesta que Micheil le había traído.

—¡Liza! ¿De dónde has sacado eso?

—Me la dio Deirdre antes de irnos. Creo que tuvo el presentimiento de que tendríamos problemas.

Liza encañonó al soldado que avanzaba hacia ellas.

—No os mováis a menos que queráis conocer de primera mano la ira del señor de Skynegal, a cuya mujer acabáis de atacar.

Los soldados se quedaron quietos, reflexionando. Uno le dijo a su compañero:

—Owen, yo me voy.

Y Owen sólo dijo.

—Sí.

Los dos se fueron corriendo hacia las colinas.

El fuego ya estaba bastante extendido y las chispas caían encima de ellos. El aire empezaba a ser irrespirable por el humo.

—¡Liza, ven, ayúdame a sacar a la mujer!

Dentro de la casa, todo estaba lleno de humo y, tan pronto como entraron, empezaron a lagrimear. Grace no dejaba de toser y, al final, se cubrió la cara con el pañuelo de la cabeza. Le dijo a Liza que hiciera lo mismo y las dos empezaron a buscar a la mujer a tientas entre los muebles.

—¡Micheil! —gritó Grace—. ¡Pregúntale al niño dónde está su abuela! ¡No la encontramos!

Entonces, los dos niños entraron en la casa y se movieron entre el humo.

—¡Micheil, no!

—No pasa nada, milady. ¡Está aquí!

Grace y Liza fueron hacia ellos. En un rincón muy oscuro había un camastro. Dentro había una mujer tan débil que apenas podía hablar.

—¡Liza, ayúdame a sacarla! —dijo Grace, cogiéndola por debajo de los brazos, tranquilizándola con palabras en gaélico y asegurándole que iban a ayudarla.

La señora se quejó cuando la levantaron de la cama y lentamente, con mucho cuidado, la sacaron de la casa mientras ésta se consumía por las llamas.

La llevaron hasta el carro donde Micheil extendió una manta para colocarla. Grace se giró y volvió a la casa, con la esperanza de poder salvar algunas pertenencias de la señora, pero ya era tarde; la casa se vino abajo. Se quedó allí de pie, sin poder hacer nada más que mirar cómo todo ardía y cómo la columna de humo subía hacia el cielo.

—¡El capitán! —gritó Micheil—. ¡Se ha ido!

Grace fue hacia el carro.

—Subamos a la mujer y al niño al carro antes de que vuelvan los soldados. Los llevaremos a Skynegal con nosotros.

A la mujer le prepraron una especie de cama en el carro colocando hierba debajo de la manta.

—Venga, Liza, ayúdame a subirla.

Sin embargo, cuando se agachó para cogerla de los brazos, notó que le resbalaba un líquido caliente por las piernas. Se le nubló la vista y se apoyó en el carro antes de caer al suelo. Se quedó allí mientras todo se quedaba a oscuras y las voces a su alrededor cada vez eran más lejanas.

—¡Milady!

—¿Se ha desmayado?

—¡Dios mío, está sangrando!

—El bebé…

36

Flores.

Grace estaba sentada en un campo lleno de flores de todos los colores, rojas, naranjas, amarillas, rosas. Los colores eran más alegres y brillantes de lo que jamás se había imaginado. Soplaba una fresca brisa del lago, acariciando la hierba que crecía en la orilla. Hacía un sol radiante. Los pájaros de Cliodna gritaban desde la torre. De otro rincón, llegaban risas, se oían los niños jugando, felices. Ella se levantó y el viento le levantó el bajo de la falda. Se rió. Buscaba a Christian en el horizonte. Tenía que volver hoy…

De repente, una sombra tapó el sol y oscureció el cielo. El viento empezó a soplar más fuerte, arrancó todas las flores y serpenteó entre la hierba. Las risas infantiles que oía antes, ahora eran adultas y roncas. Frunció el ceño por el repentino cambio y gritó que volviera el sol pero nadie le hizo caso. Al contrario, el viento soplaba muy fuerte y, cuando escuchó que alguien se acercaba por detrás, se giró, sonriendo porque sabía que era Christian. Había venido a buscarla, a deshacer esas nubes; Grace levantó un brazo para recibirle.

Sin embargo, una enorme fuerza la golpeó hacia delante. Cayó al suelo, que ya no estaba lleno de flores; ahora había espinos que se le clavaban en todas las manos. Intentó levantarse, pero vio que una sombra se abalanzaba sobre ella con unos dedos humeantes. No podía levantar los brazos para protegerse. Sólo podía mirar cómo cada vez se acercaba más y más...

Entonces vio una luz brillante, pero sólo fue un destello. Era como una estrella guardiana en el cielo de la medianoche, un símbolo de esperanza... pero entonces, los dedos la cogieron y la lanzaron lejos. La risa cada vez era más intensa, más terrible, resonaba, amenazaba... Y, de repente, a través de ese ruido, lo oyó. La estaba llamando. Era su caballero que había venido a rescatarla, como Grace siempre había sabido que haría...»

—¿Grace?

Lentamente, abrió los ojos. Se quedó quieta un momento, intentando situarse, porque no sabía muy bien dónde estaba. El campo y las flores habían desaparecido. La risa también. Estaba en su habitación, en Skynegal, tendida en la cama. Por las ventanas entraban rayos de sol, dándole un clima etéreo. Todo estaba en silencio, ni siquiera se oían los pájaros. Qué extraño, pensó. ¿Por qué los pájaros de Cliodna no cantaban?

—Grace, ¿puedes oírme?

Giró la cabeza, que le dolía un poco. Christian estaba allí, igual que en el sueño, pero no era una luz brillante. Tenía los ojos rojos y ojeras. Estaba serio, llevaba una barba de varios días e iba despeinado. Era como si no hubiera dormido hacía días.

Grace levantó el brazo y le acarició la rugosa mejilla mientras le sonreía. El sueño, la oscuridad, eso ya no importaba. Christian estaba junto a ella. Nada malo podía sucederle.

—Has vuelto —le susurró, preguntándose por qué su voz le sonaba tan extraña.

Christian arrugó las cejas y tensó la mandíbula como si realmente estuviera luchando contra sí mismo. No sonrió. No dijo nada. Tenía una mirada atormentada.

—Christian, ¿qué sucede? ¿Ha pasado algo? ¿Has encontrado a Eleanor?

Él agitó la cabeza y la cogió de la mano, se la acercó a la boca y la besó mientras cerraba los ojos. Le cayó una lágrima por la mejilla.

—No la hemos encontrado.

—Estás preocupado. Pero no es por Eleanor, ¿verdad? ¿Qué te pasa?

Grace se paró un segundo a pensar. «Recuerda…»

Un niño. El carro corriendo por un camino. Fuego, Liza gritando, la malvada risa de los soldados.

—La viuda —susurró.

Los ojos se le llenaron de lágrimas.

—Han arrestado a los soldados que provocaron el incendio, por orden de lord y lady Sunterglen, que acaban de regresar de Londres y que han reconocido que no sabían nada de las tácticas de su capataz, el señor Starke. Me han dado su palabra de que todos los implicados, incluido Starke, pagarán caro lo que han hecho.

Grace lo miró.

—¿Y Micheil? ¿Y Liza? ¿Y los demás?

—Están bien. Liza llegó muy asustada, pero no está herida. La viuda está en cama, pero su familia ya ha llegado y se ha reunido con ella. Micheil está muy preocupado por ti.

En ese momento, Dubhar se asomó y apoyó el hocico en la cama de Grace.

Ella sonrió. Cerró los ojos un momento, para reunir fuerzas. Estaba muy cansada. Volvió a mirar a Christian. Entonces le vino una imagen a la cabeza, en recuerdo de caer al suelo, se sintió débil, algo caliente y húmedo en las piernas. Había sentido un dolor muy fuerte en la barriga y luego sangre, muy roja, mucha sangre…

Cuando las imágenes fueron más claras, se le cortó la respiración. Empezó a llorar y la garganta se le cerraba mientras intentaba decir algo que temía pero que debía saber.

—Christian... ¿y nuestro hijo?

Christian se mordió un labio y los ojos se le llenaron de lágrimas mientras le apretaba la mano.

Grace tragó saliva. ¿Por qué no le respondía? ¿Por qué no le decía que el niño estaba bien?

—Christian, por favor... dime que no le ha pasado nada a nuestro hijo.

Christian la miró a los ojos y, sin decir nada, agitó la cabeza, con la impotencia reflejada en la cara.

—Has perdido el bebé, Grace. Nadie pudo hacer nada.

«Dios, no.»

Grace agitó la cabeza, llorando para sacar un dolor que le oprimía el pecho y que ella sabía que era el desgarro de su corazón. «No, por favor, el niño, no... Que Christian esté equivocado.»

—No puede ser... no... no.

Christian levantó a Grace y la abrazó, ahogando sus llantos en su hombro mientras ella se enfrentaba a la terrible verdad de esas palabras. La abrazó fuerte, silenciando los sollozos, hasta que su frágil resistencia cedió y él también se echó a llorar.

Christian estaba en la puerta del castillo, observando a Grace, que se hallaba sentada sola entre las sombras. Frunció el ceño. Hacía tres semanas que había perdido el bebé, hacía tres semanas que la veía sentarse allí sola, mirando al vacío mientras la vida a su alrededor seguía adelante.

Se había adelgazado mucho, porque comía lo justo para pasar el día. Ya no se preocupaba por lo que sucedía en Skynegal. Se había apartado de todo y de todos, durante el día se quedaba en su habitación, de donde sólo salía a esa hora de la noche, cuando todos estaban cenando o preparándose para acostarse.

Aquella misma mañana, y después de mucho reflexionar, Christian había llegado a la desagradable conclusión de que, lenta y deliberadamente, Grace se estaba matando. Y él no se iba a quedar de brazos cruzados.

Salió al patio, haciendo ruido para que advirtiera su presencia, aunque sabía que no lo haría. Cada noche lo mismo. Se acercaba a ella y se sentaba a su lado. Le hablaba, le explicaba lo que había pasado ese día, le leía las cartas que había recibido de los que habían emigrado a América, así hasta que la luna estaba encima del lago. Ella nunca decía nada. Nunca daba ni la menor señal de que lo escuchaba. Sólo se sentaba, mirando a la nada, y deseando morirse.

—Buenas noches, Grace —dijo, cuando se sentó a su lado una noche más.

Ella parpadeó, pero eso fue lo único que hizo.

Christian sacó del bolsillo de la chaqueta una carta que había recibido esa mañana.

—Pensé que te interesaría saber que hemos recibido carta de Eleanor. —La miró. Nada—. Vendió mi caballo para conseguir algo de dinero. Quiere que sepa que no me culpa por decirle la verdad. En realidad, me lo agradece. Sólo escribe para decir que no la busquemos, que se ha ido a un lugar donde nunca la encontraremos. No sabe cuándo volverá o si lo hará algún día.

Christian le dio la carta a Grace para que la leyera. Ella no se movió, sólo siguió mirando al vacío. Entonces la dobló y se la volvió a guardar en el bolsillo. Y cuando la miró nuevamente, se quedó muy sorprendido porque había dejado de mirar hacia delante y lo estaba mirando a los ojos. Y, aunque tenía una mirada oscura y apagada, por fin vio un cambio.

—¿Grace?

—¿Por qué haces esto? —Su voz sonó muy dura, para nada parecida a la voz suave de siempre—. ¿Por qué vienes aquí cada noche y me cuentas todo esto?

Él la miró, sin saber muy bien cómo responder.

—Vengo a recordarte que a tu alrededor existe un mundo, Grace, un mundo que está vivo. Vengo porque la vida sigue.

Grace se levantó sin decir nada y empezó a caminar hacia el castillo, con los brazos cruzados sobre el pecho, porque prefería la seguridad de la indiferencia y la compasión propia que enfrentarse a su marido.

De repente, él sintió que su impotencia por no haber podido hacer nada por ella ni por Eleanor le quemaba la piel. Se levantó y la siguió, la cogió del brazo y la obligó a mirarlo.

—¡Suéltame, Christian!

—¡Por una vez, en lugar de ignorarme, vas a escucharme! Me he quedado sentado a tu lado viendo cómo te destruyes deliberadamente como si fueras la única que ha perdido un hijo. También era mío, Grace, y cada día me duele igual que a ti. A veces, incluso me siento peor porque tengo que vivir con este sentimiento de culpabilidad porque sé que, si hubiera estado aquí en lugar de salir corriendo a arreglar los errores del pasado de mi familia, mi hijo todavía estaría vivo.

Hizo una pausa para tranquilizarse. Cuando volvió a hablar, estaba mucho más calmado:

—Soy tu marido, Grace. Mi deber es protegerte a ti y también a nuestros hijos. Pero te he fallado, igual que le he fallado a Eleanor. Si quieres echarle la culpa a alguien por el dolor que sientes, si quieres culpar a alguien por la muerte de nuestro hijo, cúlpame a mí. El culpable fui yo, Grace. No tú. Saca esa rabia que te está consumiendo y enfádate conmigo. Pero, por el amor de Dios, ¡deja de torturarte!

Grace lo miró.

Abatido, Christian la soltó y se fue hacia el castillo, incapaz de seguir sufriendo. Cuando se acercó a la puerta, vio a Deirdre en el umbral. Al pasar junto a ella no le dijo nada, sólo la miró, triste.

—Ha hecho muy bien —le dijo ella—. Ha conseguido que vuelva a pensar.

Christian respiró hondo.

—¿Y qué vamos a sacar con eso, Deirdre?

Ella le sonrió, cogiéndolo del brazo y entrando con él en el castillo.

—Espere y verá, milord. Espere y verá.

Dos días más tarde, por la mañana, Grace estaba sentada en su habitación, mirando por la ventana y preguntándose por qué el patio estaba vacío. A esa hora, el castillo solía estar lleno de actividad y, sin embargo, no se veía a nadie. Mirara donde mirara, los establos, incluso en los campos, no veía a nadie. ¿Adónde se habían ido todos?

Se levantó y fue hasta la puerta, la abrió y se asomó. Era miércoles, el día en que se lavaban las sábanas y se sacudían las alfombras, pero Flora y Deirdre no estaban por allí. De repente pensó que tampoco había visto a Liza, que no le había traído el té para desayunar.

Empezó a preocuparse, así que salió al pasillo y empezó a bajar la escalera. Se quedó quieta escuchando. Silencio. Ni susurros, ni ruidos de la cocina. Nada. Bajó otro tramo de escalera y siguió sin oír nada.

Cuando llegó al último escalón, vio que el salón estaba vacío y supo que había tenido que pasar algo terrible. ¿Cómo podían haber desaparecido decenas de personas sin que ella se diera cuenta? Casi parecía una pesadilla.

Cuando se asomó a la escalera de servicio, le pareció oír algo, como un llanto que venía de la cocina. Se acercó a la puerta y volvió a oír el llanto, más fuerte. Preocupada, entró en la cocina, que normalmente estaba caldeada y llena de los aromas de la comida recién cocinada, con la cesta de galletas en la mesa y la tetera en el fuego, pero hoy no había tetera ni fuego encendido. Todo estaba guardado en los armarios.

Volvió a oír el llanto y se giró hacia la cuna que había junto al fuego. Sintió una presión en el pecho y las rodillas le empezaron a temblar. Con mucho cuidado, se acercó y se asomó donde estaba el pequeño Iain MacLean, agitando las piernas y los brazos.

Cuando la vio, soltó un gemido.

Grace miró a su alrededor, preguntándose por qué lo habían dejado allí solo.

—¿Deirdre? —gritó, pero no obtuvo respuesta.

¿Y si tenía hambre? ¿Y si necesitaba que lo cambiaran?

Salió de la cocina hacia el patio, buscando a alguien, quien fuera, para decirle lo que pasaba. En la cocina, Iain cada vez gritaba más fuerte.

—¡Deirdre! —gritó—. ¡Seonag!

Nadie acudió a su llamada. Iain había empezado a chillar.

—¿Hay alguien? —gritó, hacia las torres del castillo, pero nadie le contestó.

Sintió que el corazón le latía cada vez más deprisa, y empezó a sospechar que había sucedido algo grave. Cuando vio que no venía nadie, volvió a entrar en la cocina. Iain estaba realmente enfadado, con la cara muy roja. Grace sintió pánico, no tenía ni la menor idea de lo que tenía que hacer. Su experiencia con los niños era mínima. Se asustó mucho.

—Deirdre, por favor —dijo, entre lágrimas—. ¿Dónde estás? Necesito que me ayudes. ¡Por favor!

Se asomó a la cuna, con la esperanza de calmar los gritos del niño.

—Shhh, todo irá bien, Iain. Estoy segura de que mamá o la tía Deirdre vendrán enseguida.

«Por favor, que vuelvan pronto.»

Sin embargo, Iain gritaba cada vez más y de tanto llorar, empezó a tener hipo.

Muy asustada, Grace hizo lo primero que se le ocurrió. Se inclinó y cogió al niño en brazos. En cuanto sintió el calor de su cuerpo, Iain se calmó de inmediato. Entonces, lentamente, empezó a mecerlo coma había visto que Seonag lo hacía siempre.

Cuando Christian llegó, Grace se había dado cuenta de lo que él había hecho. Desde que perdió al niño, no había podido mirar la cara de un niño sin sentir un dolor muy profundo en el estómago. Si alguna vez tenía que pasar junto a la cuna de Iain para ir a su habitación, iba a dar la vuelta por la escalera sur.

Por eso, lo había arreglado todo para que se quedara sola con Iain, porque sabía que se vería obligada a dejar de lado el dolor y cuidar de él.

Grace no estaba enfadada y así se lo dijo cuando él entró en la cocina, muy despacio, mientras ella dejaba en la cuna a Iain.

Cuando lo vio, muy preocupado, sólo podía estar enfadada consigo misma por cómo se había portado con él.

—Christian, lo siento mucho. Me he portado muy mal contigo y…

—Shhh —La abrazó y hundió su cara en su pelo—. Me alegro mucho de ver que la idea de Deirdre ha funcionado. Dijo que ella tuvo que enfrentarse a una situación igual cuando sufrió su pérdida. Aún así, me preocupaba que te enfadaras conmigo por haber permitido esto.

Grace agitó la cabeza.

—¿Cómo podría enfadarme contigo por haberme devuelto lo que pensaba que había perdido para siempre? Sólo puedo darte las gracias, Christian, porque me has devuelto el corazón.

Él se sintió lleno de felicidad, gratitud y tranquilo, ya que por primera vez en casi un mes, volvía a sonreírle a la mujer que quería más que a su propia vida, dando gracias al cielo, a los santos, e incluso a Cliodna por habérsela devuelto.

—No, Grace, eres tú la que me ha dado un corazón.

Y entonces, despacio, se inclinó para besarla.

Epílogo

El verano había dado paso al otoño, tiñendo los Highlands de naranjas y marrones. Como era costumbre, las celebraciones del *céilidh* empezarían cuando cayera el sol después de terminar el trabajo y de dar de comer y beber a los animales para la noche.

Aquella mañana, el sol había brillado reluciente sobre el acantilado que daba al lago, donde se había celebrado una doble ceremonia que había unido en matrimonio a Andrew y Liza, y a Alastair y Flora. Afortunadamente, las novias llevaban mechones de brezo blanco en los ramos y, después del intercambio de votos, los hombres se colocaron en fila para besar a las recién casadas.

Más tarde, mientras todos volvían al castillo, fueron dejando una piedra en un altar construido especialmente para conmemorar aquella fecha. Christian y Grace habían colocado las dos primeras piedras; después los recién casados, y luego los demás. Cuando un niño al que Christian tuvo que levantar en brazos colocó la última piedra, habían levantado una escultura de más de dos metros. Los pájaros de Cliodna sobrevolaron el acantilado participando de la celebración.

La fiesta había seguido todo el día y, cuando cayó la noche, el patio se llenó de antorchas y de mesas con comida y bebida. Los niños se reunieron en un pequeño círculo, con palos de caramelo y los ojos como platos mientras escuchaban una de las historias de McGee sobre Rob Roy que le había explicado su padre. La gente mayor estaba sentada en bancos, recordando sus días de juventud mientras McFee y otro se reunían en el otro lado del patio y se preparaban para tocar los instrumentos.

Cuánto más oscura se hacía la noche, más se animaba la reunión, y cuando la luna se alzó sobre ellos, todos habían comido, y la cerveza y el whisky corrían por las mesas, mientras un grupo de bailarines saltaban y giraban al ritmo de las palmas.

En la torre principal, observando toda la fiesta desde lejos, se encontraban Christian y Grace. Hacía frío y los dos llevaban el traje de Skynegal. Christian tenía a Grace entre sus brazos y ella apoyaba la cabeza en la barbilla de su marido.

Había sido un día lleno de celebraciones, y todavía quedaba una: la noticia de la nueva vida que crecía en el vientre de Grace. Deirdre había calculado que nacería en primavera. Mientras miraba ese lugar y esa gente que adoraba, y mientras sentía la protección de los brazos de Christian a su alrededor, Grace pensaba en que Nonny tenía razón. Los caballeros perfectos existen; los sueños siempre podían hacerse realidad porque, con un poco de fe, los milagros son posibles.

Lentamente, se giró y miró a ese hombre al que quería más de lo que jamás se habría imaginado y, con una sonrisa, le dijo:

—Christian, tengo que decirte algo…

Nota de la autora

Durante la etapa de documentación previa a una novela, siempre encuentro algún pasaje de la historia que me llama más la atención que otros. Normalmente, lo desarrollo tanto que acaba convirtiéndose en parte de la novela. En el caso de *Caballero Blanco*, ese pasaje fue los desalojos en los Highlands escoceses.

Empezaron a finales del siglo XVIII y, en algunas zonas, duraron casi un siglo. Imagínese que usted vive en una pequeña granja que apenas le da para sobrevivir. Imagínese que ha vivido allí toda la vida, el mismo lugar donde vivieron sus padres y sus abuelos. La tierra no es suya, aunque aprendió a quererla desde pequeño, a respetar las tradiciones y a sentirse orgulloso de su herencia. Usted le promete pleitesía a su señor, el terrateniente, al que durante siglos su gente ha protegido en tiempos de guerra o ataques, a menudo sacrificando sus propias vidas por él.

A pesar de las épocas difíciles que tenga que sufrir en este pequeño rincón del mundo (guerras, pobreza o enfermedades), la idea de abandonar su tierra ni se le pasa por la cabeza.

Ahora imagínese un día lluvioso en los Highlands. Usted es granjero y ya ha empezado a cultivar el pequeño huerto de patatas o avena con el que usted y su familia tendrán que vivir el año siguiente. Ha invertido en ese huerto todo lo que tiene: tiempo, dinero y trabajo. Es su razón de vivir, el trabajo de su corazón y su alma.

Imagínese que, justo en el momento que las cosechas han conseguido abrirse camino entre el duro suelo de los Highlands y empiezan a ver la luz, el capataz de sus señores lo viene a visitar. Le entrega un documento escrito en un idioma que usted no conoce pero, aún así, él consigue saltar la barrera de la comunicación y le dice que la tierra donde había depositado toda su vida ya no le pertenece. Antes de poder recoger lo cosechado, se tiene que marchar con su familia y las pertenencias que pueda salvar. Si tiene suerte, le ofrecerán otro trozo de tierra, aunque no será ni mucho menos como el que tenía antes. Su única fuente de ingresos ha desaparecido. Cuando se lo dice al capataz, él le dice que tendrá que dejar la granja, lo que siempre ha hecho, e irse a la costa a pescar, sin que usted sepa nada de pesca ni conozca a nadie que le enseñe. Lo hace lo mejor que puede hasta que el capataz vuelve otro día con otro documento y le ordena que se marche de sus tierras, que abandone las tumbas de sus antepasados, su herencia, la tierra que tanto quiere, para que el señor pueda traer a otros individuos que le proporcionarán mayor beneficio: las ovejas.

Las escenas de los desalojos y los incendios que he relatado en el libro son ejemplos reales de la primera etapa. Ha habido personas que han argumentado que los desalojos se hacían «en beneficio de los desalojados», que los habitantes de los Highlands eran «unos perezosos e indolentes que se contentaban con vivir en la más absoluta pobreza en lugar de buscarse la vida de otra manera». Lo que estas personas no saben es que los habitantes de los Highlands no se aferraban a la pobreza. Lo que no querían era desprenderse de la tierra que tanto querían, una cualidad que los ha caracterizado desde siempre y que ha servido para crear leyendas como las de William Wallace o Robert Roy MacGregor.

Aunque mi heroína, Grace, es un personaje totalmente ficticio, comparte los ideales con algunas personas humanitarias de aquella época, las pocas excepciones que vieron la inmoralidad de los desalojos y buscaron vías alternativas para enriquecer la economía de los Highlands. Lady Mac-Kenzie viuda de Gairloch fue la responsable de organizar los turnos de relevos para la construcción de las carreteras de Wester Ross después de la crisis de las patatas que azotó los Highlands entre 1840 y 1850. Por lo que dicen todos, esta gran dama fue una mujer de carácter y visión de futuro. Aprendió gaélico ella sola y se aseguró de que la doncella de sus hijos se lo enseñara a ellos de pequeños. Los educó en casa en vez de enviarlos a la universidad para que pudieran entender mejor a su gente y administrar las tierras con más provecho que los terratenientes que sólo hablaban inglés. Además de ella, otros terratenientes acogieron a los desalojados y les dieron un trozo de sus tierras, a pesar de que eso les supuso quedarse en la bancarrota durante el proceso; todo en nombre de la humanidad.

Si desea obtener más información sobre los desalojos en Escocia, sepa que se ha creado una fundación en memoria de los que lo sufrieron. El objetivo de esta fundación es meramente educativo; los fundadores pretenden informar al mundo de este período a menudo obviado en la historia de Escocia. Pretenden establecer un recordatorio permanente para que «el mundo no olvide esta tragedia humana en extremo innecesaria». Extiendo una invitación a todos mis lectores interesados en este tema a que se pongan en contacto conmigo a través de mi página web, http://jacklynreding.com, o por correo tradicional, c/o Post Office Box

1771, Chandler, AZ 85244-1771; así podrán recibir información sobre la Highland Clearances Memorial Fund. Me encantar leer sus opiniones.

Gracias por compartir su tiempo conmigo y con Christian y Grace. Me despido hasta que nos volvamos a encontrar, en otra época, con otra historia...

—J.R.

Otros títulos publicados en
books4pocket romántica